≡ 昌明文庫・悅讀經典 ≡

一・生・必・讀・的

中外經典名著

文學卷

劉上洋—主編　陳東有—副主編
夏漢字、倪愛珍、黎清—選編

前言
FOREWORD

學習是文明傳承之途、人生成長之梯、政黨鞏固之基、國家興盛之要。我們黨歷來重視和善於學習。建設馬克思主義學習型政黨，是黨的十七屆四中全會提出的一項重大戰略任務，是黨中央從當前世情、國情、黨情出發，進一步動員全黨加強學習、開拓奮進的重大舉措。胡錦濤總書記在「七一」講話中，對建設學習型政黨又提出了新的希望和要求，強調「全體黨員、幹部都要把學習作為一種精神追求」，「真正做到學以立德、學以增智、學以創業」。一個黨員只有不斷地通過讀書豐富和完善自己的理論知識，汲取人類源源不盡的智慧精華，才能提升自身的素質與修養，才能不斷適應新形勢、新要求，才能在新的歷史起點上開闢事業發展的新境界。

知識永無止境，書籍浩如煙海。要在有限的時間裏通過讀書學習獲取最大的收穫，就要在讀書學習時做到有所選擇、有所取捨。只有選取那些劃時代的經典著作，特別是那些能夠啟動感性、啟發知性、錘鍊理性的經典名篇進行重點閱讀，才能收到事半功倍的效果。大浪淘沙，真金自見。經過歷史檢驗而巍然存世的經典名篇是古今中外的文化精華，是人類智慧的結晶。這些傳世之作歷久彌新，蘊涵著大量的治政理念、法治精神、哲學思考、經濟思想、文學精髓、歷史規律、科技知識和藝術感悟等，是我們取之不盡、用之不竭的文化源泉。閱讀這些經典名篇，既能使我們博採眾長，不斷增加知識儲備，又能使我們產生思想上的共振共鳴，得到精神上的愉悅享受。

為此，省委宣傳部組織編輯出版了這套黨員幹部閱讀系列叢書。該套叢書共分為政治卷、哲學卷、經濟卷、歷史卷、法律卷、文學卷、科技卷、藝術卷8卷，從古今中外浩繁的書籍中遴選了部分具有啟迪、普及意義的經典名篇，以滿足全省廣大黨員幹部對高品位、高品質、多學科經典著作的閱讀需要。同時，也藉此在全社會大興讀書學習之風，推動各級黨組織形成愛讀書、樂讀書、讀好書、善讀書的良好風氣，促進全省學習型黨組織建設活動廣泛深入地開展，使廣大黨員幹部更好地適應時代和社會發展的需要，為實現江西科學發展、進位趕超、綠色崛起貢獻智慧和力量。

2011年10月13日

*編按：本文原刊《讀精品・品經典・文學卷》之〈前言〉。

目錄

CONTENTS

一、中國古代文學

三、外國文學

一 ●●● 中國古代文學

管仲

治國之道

凡有地牧民者，務在四時，守在倉廩[1]。國多財則遠者來，地辟舉[2]則民留處；倉廩實則知禮節，衣食足則知榮辱；上服度則六親固[3]，四維[4]張則君令行。故省刑之要在禁文巧[5]，守國之度在飾[6]四維，順[7]民之經在明鬼神、祇[8]山川、敬宗廟、恭祖舊。不務天時則財不生，不務地利則倉廩不盈。野蕪曠則民乃菅[9]，上無量則民乃妄，文巧不禁則民乃淫，不璋兩原[10]則刑乃繁。不明鬼神則陋民不悟，不

1　牧民：治理國家，管理百姓。倉廩：指儲存穀物糧食的倉庫。
2　闢：開闢。舉：盡，皆。
3　上服度：意謂在上位者穿戴及所用的器物等不違背法度、規矩。
4　四維：指禮、義、廉、恥四種維護國家存在的綱領。
5　省刑：減少刑法。文巧：指奇技淫巧，過分奇巧而無益的事物。
6　飾：通「飭」，整治。
7　順：通「訓」，教化。
8　祇：敬，恭敬。
9　菅：當做「荒」，懶惰。
10　璋：當做「障」，阻止。兩原：兩種罪惡的根源，即上面所說的無量（無限制）和文巧。原，通「源」。

祇山川則威令不聞，不敬宗廟則民乃上校[11]，不恭祖舊則孝悌不備。四維不張，國乃滅亡。

國有四維，一維絕則傾，二維絕則危，三維絕則覆，四維絕則滅。傾可正也，危可安也，覆可起也，滅不可復錯[12]也。何謂四維？一曰禮，二曰義，三曰廉，四曰恥。禮不逾節，義不自進，廉不蔽惡，恥不從枉[13]。故不逾節，則上位安；不自進，則民無巧詐；不蔽惡，則行自全；不從枉，則邪事不生。

政之所興，在順民心；政之所廢，在逆民心。民惡憂勞，我佚樂之[14]；民惡貧賤，我富貴之；民惡危墜，我存安之；民惡滅絕，我生育之。能佚樂之，則民為之憂勞；能富貴之，則民為之貧賤；能存安之，則民為之危墜；能生育之，則民為之滅絕。故刑罰不足以畏其意[15]，殺戮不足以服其心。故刑罰繁而意不恐，則令不行矣；殺戮眾而心不服，則上位危矣。故從其四欲[16]，則遠者自親；行其四惡[17]，則近者叛之。故知予之為取者，政之寶也。

以家為鄉[18]，鄉不可為也；以鄉為國，國不可為也；以國為天下，天下不可為也。以家為家，以鄉為鄉，以國為國，以天下為天下。毋曰不同生[19]，遠者不聽；毋曰不同鄉，遠者不行；毋曰不同

11　上校：冒犯、忤逆權上。
12　復錯：再進行恢復。錯，通「錯」，措施，舉措。
13　枉：彎曲，不正。
14　佚樂之：意謂使老百姓安逸快樂。
15　畏其意：指使其心生畏懼。
16　四欲：指上文所說的佚樂、富貴、存安、生育。
17　四惡：指上文所說的憂勞、貧賤、危墜、滅絕。
18　以家為鄉：以管理家的方法去治理鄉里。為，治理。
19　生：通「姓」。

國，遠者不從。如地如天，何私何親？如月如日，唯君之節[20]。

（選自李山譯注《管子》，中華書局，2009 年版）

編選說明

本篇節選自《管子·牧民》，題目為編者所加。管仲（約前 725—前 645），名夷吾，字仲，春秋時齊國潁上（今安徽潁上）人，史稱管子。著名的政治家、軍事家。《管子》一書，為管仲及其後學的著述總集，內容龐雜，包括法家、儒家、道家、陰陽家、名家、兵家和農家的觀點。

本文專門談如何治理國家的問題。文章認為，治國之道首要任務在於發展生產，解決人民的溫飽，只有在此基礎上，才能「倉廩實則知禮節，衣食足則知榮辱」，從而建立起維繫國家安危的四維——即禮、義、廉、恥。接下來，作者談及順應民心的重要性——「政之所興，在順民心；政之所廢，在逆民心」。最後，作者希望當權者能夠像天地日月那樣包容萬物，勿偏勿私。整篇文章語氣舒緩，結構性強，句句入理，給人們以啟發。

20　以上四句意謂：君主的節度應該像天地日月那樣包容萬物，不偏不私。

孟子

天時不如地利

孟子曰：「天時不如地利，地利不如人和。三里之城，七里之郭，環而攻之而不勝。夫環而攻之，必有得天時者矣；然而不勝者，是天時不如地利也。城非不高也，池非不深也，兵革非不堅利也，米粟非不多也；委而去之[1]，是地利不如人和也。故曰：域民[2]不以封疆之界，固國不以山溪之險，威天下不以兵革之利。得道者多助，失道者寡助。寡助之至，親戚畔[3]之；多助之至，天下順之。以天下之所順，攻親戚之所畔，故君子有不戰，戰必勝矣。」

（選自萬麗華、藍旭譯注《孟子》，中華書局，2006 年版）

編選說明

本篇節選自《孟子・公孫丑下》，篇名為編者所加。孟子（約前 372—前 289），名軻，字子輿，鄒（今山東鄒縣東南）人。他曾受業於孔子之孫孔伋之門人，是孔子之後儒家重要的代表人物，被稱為「亞聖」。《孟子》一書，乃孟子及其弟子共同所著，繼承和發揚了孔

1 委：拋棄。去：逃離。
2 域：地域，此用做動詞，指限制。
3 畔：通「叛」，背叛。

子的儒家學說，主張法先王，行仁政。其文巧於辯論，善於設喻，極富文采和感染力，對後世散文影響較大。

本文主要論述在戰爭中，天時、地利與人和的重要性，其中人和更是起著決定性作用，這就是所謂的「天時不如地利，地利不如人和」。而能否獲得人心，關鍵在於統治者是否「得道」，即「得道者多助，失道者寡助」。這充分反映了孟子的民本主義思想。文中「天時不如地利，地利不如人和」「得道者多助，失道者寡助」成為人們耳熟能詳的名言警句，警示著歷代統治者。文章雖然短小，但邏輯嚴密，深入淺出，層層推進，行文輕快流利，富於說服力。

莊子

逍遙遊（節選）

北冥有魚，其名為鯤[1]。鯤之大，不知其幾千里也。化而為鳥，其名為鵬。鵬之背，不知其幾千里也。怒而飛，其翼若垂天之雲。是鳥也，海運則將徙於南冥。南冥者，天池也。

《齊諧》者，志怪者也。《諧》之言曰：「鵬之徙於南冥也，水擊三千里，摶扶搖而上者九萬里，去以六月息者也[2]。」野馬也，塵埃也，生物之以息相吹也[3]。天之蒼蒼，其正色邪？其遠而無所至極邪？其視下也，亦若是則已矣。

且夫水之積也不厚，則其負大舟也無力。覆杯水於坳堂[4]之上，則芥為之舟，置杯焉則膠[5]，水淺而舟大也。風之積也不厚，則其負大翼也無力。故九萬里則風斯在下矣，而後乃今培風；背負青天而莫之夭閼者，而後乃今將圖南[6]。

蜩與學鳩笑之曰：「我決起而飛，搶榆枋，時則不至而控於地而

1　北冥：指北海。鯤：魚卵，這裏借作大魚名。

2　《諧》：即《齊諧》，書名，出於齊國，主要記載詼諧怪異之事。摶（tuán）：迴旋上陞。一作「搏」，拍打。扶搖：風名，一種從地面上陞的旋風。去以六月息：這句話的意思，一說是大鵬一飛半年，到天池休息，此時息為休息之意；一說為大鵬乘著六月的風去南海，此時息為風之意。

3　野馬：指遊氣。春天陽氣發動，有氣上揚，猶如奔馬，故稱野馬。息：氣息，風。

4　坳堂：屋中的低窪處。坳，凹陷不平。

5　膠：膠著不能動。

6　培風：憑風，乘風。夭閼（è）：阻礙。閼，遏止，阻止。圖南：飛往南方。

已矣，奚以之九萬里而南為？[7]」適莽蒼者，三餐而反，腹猶果然；適百里者，宿舂糧；適千里者，三月聚糧。之二蟲又何知[8]！

小知[9]不及大知，小年不及大年。奚以知其然也？朝菌不知晦朔，蟪蛄不知春秋，此小年也[10]。楚之南有冥靈者，以五百歲為春，五百歲為秋；上古有大椿者，以八千歲為春，八千歲為秋，此大年也。而彭祖乃今以久特聞，眾人匹之，不亦悲乎[11]？

……

惠子謂莊子曰：「吾有大樹，人謂之樗[12]。其大本臃腫而不中繩墨，其小枝捲曲而不中規矩[13]。立之塗[14]，匠者不顧。今子之言，大而無用，眾所同去也。」

莊子曰：「子獨不見狸狌[15]乎？卑身而伏，以候敖者[16]；東西跳梁，不避高下；中於機辟，死於罔罟[17]。今夫斄牛[18]，其大若垂天之雲，此能為大矣，而不能執鼠。今子有大樹，患其無用，何不樹之於無何有之鄉，廣莫之野[19]，彷徨乎無為其側，逍遙乎寢臥其下？不夭

7　蜩：即蟬。學鳩：小斑鳩。決起：疾速而起，奮起。搶：突過。榆枋：榆樹和檀樹。
8　適：到，往。莽蒼：指郊野。果然：飽的樣子。宿舂糧：舂搗一宿的糧食，此指準備一整夜的糧食。
9　知：同「智」。
10　朝菌：朝生暮死的菌類。晦：夜晚。朔：旦，早晨。蟪蛄：即寒蟬，春生夏死，或夏生秋死。春秋：指一年。
11　彭祖：傳說中的長壽人物，壽七百餘歲。匹之：與他相比。
12　惠子：惠施，宋人，曾為梁惠王之相，是先秦名家的重要人物。樗：臭椿，一種劣質的大木。
13　大本：指主幹。臃腫：指木瘤集結。
14　塗：同「途」，此指道路上。
15　狸：野貓。狌（shēng）：黃鼠狼。
16　敖者：指遨遊的小動物，狸狌捕食的對象。
17　機辟：泛指捕獸的工具。機，弩機。辟，陷阱。罔罟：網的通稱。罔，同「網」。
18　斄牛：即犛牛。
19　無何有之鄉：莊子虛設之地。莫：大。

斤斧[20]，物無害者，無所可用，安所困苦哉！」

（節選自孫通海譯注《莊子》，中華書局 2007 年版）

編選說明 •••

本篇節選自《莊子·內篇·逍遙遊》。莊子（約前 369—前 286），名周，宋國蒙（今河南商丘東北）人。我國古代偉大的思想家、哲學家、文學家，為老子之後道家學說的重要代表人物，與老子並稱為「老莊」，著有《莊子》，亦稱《南華真經》。

《逍遙遊》為《莊子》的首篇，無論是從思想上還是藝術上講，都是《莊子》中的代表作。它反映了莊子人生哲學的最高要求和最高境界，那就是：超越時空，超越物我的界限，無所羈絆，無所待以遊無窮，獲得精神上與物質上的絕對自由，這就是逍遙遊。本文所節選的幾段，作者首先以奇特的想像，誇張的手法，寫鯤鵬騰飛九萬里的大美；其次，舉水負舟及風負翼為例，說明高飛南遷的大鵬亦是有所待的；接下來，通過蜩、學鳩與鯤鵬的對比，朝菌、蟪蛄與冥靈、大椿的對比，點出了小大之別；最後，以惠子與莊子的對話，來說明「無所可用」才能成就「無所困苦」的大用。全文構思新穎奇特，行文汪洋恣肆，儀態萬千，以喻說理，反覆申說，最終只為說明：無所待才能達到真正的逍遙遊境界。清代林雲銘在評《逍遙遊》時就說：「忽而敘事，忽而引證，忽而譬喻，忽而議論。以為斷而非斷，以為

20 不夭斤斧：意謂不因斧斤砍伐而夭折。

續而非續，以為復而非復。只見雲霧空鬧，往反紙上，頃刻之間，頓成異觀（《莊子因》）。」

荀子

勸學（節選）

君子曰：學不可以已。青，取之於藍而青於藍；冰，水為之而寒於水。木直中繩，輮[1]以為輪，其曲中規，雖有槁暴，不復挺者，使之然也。故木受繩則直，金就礪則利，君子博學而日參省乎己，則知明而行無過矣[2]。

故不登高山，不知天之高也；不臨深溪，不知地之厚也；不聞先王之遺言，不知學問之大也。幹、越、夷、貉之子，生而同聲，長而異俗，教使之然也。《詩》曰：「嗟爾君子，無恒安息。靖共爾位，好是正直。神之聽之，介爾景福[3]。」神莫大於化道，福莫長於無禍。

吾嘗終日而思矣，不如須臾之所學也。吾嘗跂[4]而望矣，不如登高之博見也。登高而招，臂非加長也，而見者遠；順風而呼，聲非加疾也，而聞者彰。假輿馬者[5]，非利足也，而致千里；假舟楫者，非能水也，而絕[6]江河。君子生非異也，善假於物也。

---

1 輮：使直木彎曲。

2 參省：對自己檢查，省察。知：同「智」。

3 靖共爾位：意謂謹守其位。靖共，即靖恭，恭謹地奉守。介爾景福：幫助你獲得大的福氣。介，佐助，幫助。景，大。

4 跂：踮起腳。

5 假：憑藉。輿馬：車馬。

6 絕：渡過。

……

積土成山，風雨興焉；積水成淵，蛟龍生焉；積善成德，而神明自得，聖心備焉。故不積跬步[7]，無以至千里；不積小流，無以成江海。騏驥一躍，不能十步；駑馬十駕[8]，功在不捨。鍥而舍之，朽木不折；鍥而不捨，金石可鏤。蚓無爪牙之利，筋骨之強，上食埃土，下飲黃泉，用心一也。蟹六跪[9]而二螯，非蛇鱔之穴無可寄託者，用心躁也。是故無冥冥之志者無昭昭之明；無惛惛之事者無赫赫之功[10]。行衢道者不至，事兩君者不容。目不能兩視而明，耳不能兩聽而聰。螣蛇[11]無足而飛，鼫鼠五技而窮。《詩》曰：「尸鳩在桑，其子七兮。淑人君子，其儀一兮。其儀一兮，心如結兮！」故君子結於一也。

（節選自安小蘭譯注《荀子》，中華書局 2007 年版）

編選說明

荀子（約前 298—前 238），名況，又稱荀卿、孫卿，趙國人。他是先秦儒家思想的集大成者，與孔子、孟子一起，被稱為先秦儒學最重要的三個人物，著有《荀子》。

《勸學》為《荀子》的首篇，主旨在於勸勉人們努力學習。本篇

7　跬步：半步，相當於今天的一步。
8　十駕：指馬行十日之程。
9　跪：足。
10　冥冥：精誠專一。惛惛：專心致志。
11　螣蛇：古代傳說中一種能穿雲駕霧的蛇。

節選的是其中的四段。文章一開頭，荀子便直陳「學不可以已」的觀點，開宗明義，強調學習的重要性。接下來通過反覆設喻，說明學習的重要意義：「知明而行無過矣」「神莫大於化道」「善假於物」。最後，荀子還指出了學習應具有的態度，那就是專一，即「結於一」。在文章中，荀子通過大量的比喻及排比句式，反覆陳說學習的重要性及學習的方法，在增強文章氣勢的同時，亦能令人信服。此外，文中還出現了一些膾炙人口的名言警句，如「青，取之於藍而青於藍」(後化用為「青出於藍而勝於藍」)、「不積跬步，無以至千里」「鍥而不捨，金石可鏤」等。此篇可與《論語・學而第一》、顏真卿《勸學》、韓愈《勸學詩》等結合起來閱讀。

王粲

登樓賦

登茲樓以四望兮，聊暇日以銷憂。覽斯宇之所處兮，實顯敞而寡仇。挾清漳之通浦兮，倚曲沮之長洲。背墳衍[1]之廣陸兮，臨皋隰之沃流。北彌陶牧，西接昭丘[2]。華實蔽野，黍稷盈疇。雖信美而非吾土兮，曾何足以少留！

遭紛濁而遷逝兮，漫踰紀以迄今。情眷眷而懷歸兮，孰憂思之可任！憑軒檻以遙望兮，向北風而開襟。平原遠而極目兮，蔽荊山之高岑。路逶迤而修迥兮，川既漾而濟深。悲舊鄉之壅隔兮，涕橫墜而弗禁。昔尼父之在陳兮，有「歸歟」之歎音。鍾儀幽而楚奏兮，莊舄[3]顯而越吟。人情同於懷土兮，豈窮達而異心！

惟日月之逾邁兮，俟河清其未極。冀王道之一平兮，假高衢而騁力。懼匏瓜之徒懸兮，畏井渫之莫食[4]。步棲遲以徙倚兮，白日忽其將匿。風蕭瑟而並興兮，天慘慘而無色。獸狂顧以求群兮，鳥相鳴而舉翼。原野閴其無人兮，征夫行而未息。心悽愴以感發兮，意忉怛[5]

1　墳衍：指水邊和低下平坦的土地。
2　陶牧：陶朱公冢。昭丘：楚昭王墓。
3　莊舄：越國人，仕於楚國，而常作越吟。後人常以莊舄越吟來形容不忘故國和家園。
4　渫：除去，淘去污泥。
5　忉怛：憂傷，悲痛。

而慘惻。循階除而下降兮，氣交憤於胸臆。夜參半而不寐兮，悵盤桓以反側。

（選自蔣凡主編《古代十大散文流派》第二卷，湖南文藝出版社 1997 年版）

編選說明 •••

王粲（177—217），字仲宣，山陽高平（今山東鄒縣西南）人。為「建安七子」之一，後人將其與曹植並稱，合稱為「曹王」。著有《王侍中集》。

本篇為王粲在荊州依劉表時登麥城（今湖北當陽縣西南）城樓所作。賦中首先寫到自己想借登樓以消憂，然而當看到眼前的美景時，思鄉之情油然而生。接著作者正面描寫了自己的離愁之情，一句「人情同於懷土兮」，將思鄉之情推向高潮，同時也更加堅定了作者離開荊州的決心。最後，敘說了自己抱負不得施展、功業未就的抑鬱痛苦之情，這種感情在周圍淒涼悲慘景象的映襯下，顯得更加濃鬱。文中情景交融，悲涼沉鬱，極具感染力，為建安時代抒情小賦的代表作品。

曹丕

論文

夫文人相輕，自古而然。傅毅之於班固，伯仲之間耳。而固小之，與弟超書曰：「武仲[1]以能屬文，為蘭臺令史，下筆不能自休。」夫人善於自見，而文非一體，鮮能備善，是以各以所長，相輕所短。里語曰：「家有弊帚，享之千金。」斯不自見之患也。

今之文人，魯國孔融文舉、廣陵陳琳孔璋、山陽王粲仲宣、北海徐幹偉長、陳留阮瑀元瑜、汝南應瑒德璉、東平劉楨公幹，斯七子者，於學無所遺，於辭無所假，咸以自騁[2]於千里，仰齊足而並馳。以此相服，亦良難矣。蓋君子審己以度人，故能免於斯累，而作論文。

王粲長於辭賦，徐幹時有齊氣，然粲之匹也。如粲之《初征》《登樓》《槐賦》《征思》，幹之《玄猿》《漏巵》《圓扇》《橘賦》，雖張、蔡[3]不過也，然於他文，未能稱是。陳琳、阮瑀之章表書記，今之雋也。應瑒和而不壯，劉楨壯而不密，孔融體氣高妙，有過人者；然不能持論，理不勝辭；以至乎雜以嘲戲，及其時有所善，揚、班[4]儔也。

---

1 武仲：即傅毅，字武仲。東漢章帝時為蘭臺令史，拜郎中。

2 驥：古代的一種快馬。

3 張、蔡：指東漢時著名的辭賦家張衡和蔡邕。

4 揚、班：指揚雄和班固。

常人貴遠賤近，向聲背實，又患闇[5]於自見，謂己為賢。夫文本同而末異，蓋奏議宜雅，書論宜理，銘誄尚實，詩賦欲麗。此四科不同，故能之者偏也；唯通才能備其體。

文以氣為主，氣之清濁有體，不可力強而致。譬諸音樂，曲度雖均，節奏同檢，至於引氣不齊，巧拙有素，雖在父兄，不能以移子弟。

蓋文章經國之大業，不朽之盛事。年壽有時而盡，榮樂止乎其身，二者必至之常期，未若文章之無窮。是以古之作者，寄身於翰墨，見意於篇籍，不假良史之辭，不托飛馳之勢，而聲名自傳於後。故西伯幽而演《易》，周旦顯而制《禮》，不以隱約而弗務，不以康樂而加思。夫然，則古人賤尺璧而重寸陰，懼乎時之過已。而人多不強力，貧賤則懾於飢寒，富貴則流於逸樂，遂營目前之務，而遺千載之功。日月逝於上，體貌衰於下，忽然與萬物遷化，斯志士之大痛也！融等已逝，唯幹著論[6]，成一家言。

（選自傅亞庶注譯《三曹詩文全集譯注》，吉林文史出版社 1997 年版）

編選說明 ●●●

本篇選自《三曹詩文全集譯注．曹丕集．典論》。曹丕（187—

5 闇：同「暗」，指暗於自見，無自知之明。

6 唯幹著論：指徐幹所著《中論》一書。

226），字子桓，沛國譙縣（今安徽亳縣）人，曹操次子。公元 220 年，曹丕廢漢登帝位，建立魏朝，謚號文帝。著有《魏文帝集》。

本篇作於建安二十二年（217）。文中首先指出了文人相輕的陋習，「是以各以所長，相輕所短」；接著對「建安七子」的文學成就作出了評論，對奏議、書論、銘誄、詩賦幾種文體的特點作出了說明，強調了「文以氣為主」的觀點；最後，點出了本文的重點，那就是文章為「經國之大業，不朽之盛事」，高度評價了文學的功能和價值。該文首開古代文學批評之先河，打破了兩漢以來重經輕文的觀點。其中的許多觀點，對後世有著深遠的影響。近人鄭振鐸認為，曹丕是「感得『文章』具有獨立生命與不朽的」第一人（插圖本《中國文學史》）。

諸葛亮

前出師表

臣亮言：先帝創業未半而中道崩殂[1]，今天下三分，益州疲弊，此誠危急存亡之秋也。然侍衛之臣不懈於內，忠志之士忘身於外者，蓋追先帝之殊遇，欲報之於陛下也。誠宜開張聖聽，以光先帝遺德，恢弘志士之氣，不宜妄自菲薄，引喻失義，以塞忠諫之路也。宮中府中，俱為一體，陟罰臧否[2]，不宜異同。若有作奸犯科及為忠善者，宜付有司論其刑賞，以昭陛下平明之理，不宜偏私，使內外異法也。

侍中、侍郎郭攸之、費禕、董允等，此皆良實，志慮忠純，是以先帝簡拔以遺[3]陛下。愚以為宮中之事，事無大小，悉以諮之，然後施行，必能裨補闕漏，有所廣益。將軍向寵，性行淑均，曉暢軍事，試用於昔日，先帝稱之曰能，是以眾議舉寵為督。愚以為營中之事，事無大小，悉以諮之，必能使行陣和穆，優劣得所也。親賢臣，遠小人，此先漢所以興隆也；親小人，遠賢臣，此後漢所以傾頹也。先帝在時，每與臣論此事，未嘗不歎息痛恨於桓、靈也。侍中、尚書、長史、參軍，此悉貞亮死節之臣，願陛下親之信之，則漢室之隆，可計日而待也。

1　殂：死亡。
2　陟罰臧否：指對下級的獎罰或提拔、處分。陟，提升。臧，表揚，褒獎。否，批評。
3　遺：饋贈，給予。

臣本布衣，躬耕於南陽，苟全性命於亂世，不求聞達於諸侯。先帝不以臣卑鄙，猥[4]自枉屈，三顧臣於草廬之中，諮臣以當世之事，由是感激，遂許先帝以驅馳。後值傾覆，受任於敗軍之際，奉命於危難之間，爾來二十有一年矣。先帝知臣謹慎，故臨崩寄臣以大事也。受命以來，夙夜憂歎，恐託付不效，以傷先帝之明，故五月渡瀘，深入不毛。今南方已定，兵甲已足，當獎帥三軍，北定中原，庶竭駑鈍，攘除奸凶，興復漢室，還於舊都。此臣所以報先帝，而忠陛下之職分也。至於斟酌損益，進盡忠言，則攸之、禕、允之任也。願陛下托臣以討賊興復之效；不效，則治臣之罪，以告先帝之靈。若無興德之言，則責攸之、禕、允之咎，以彰其慢。陛下亦宜自謀，以諮諏[5]善道，察納雅言，深追先帝遺詔。臣不勝受恩感激。今當遠離，臨表涕泣不知所云。

（選自吳楚材、吳調侯選注，安平秋點校《古文觀止》，中華書局 1987 年版）

編選説明 ●●●

諸葛亮（181—234），字孔明，號臥龍，琅琊陽都（今山東沂南縣）人，蜀漢丞相，三國時期傑出的政治家、軍事家。前後六次出師北伐曹魏，卒於軍中，謚忠武侯。著有《諸葛亮集》。

4　猥：謙辭，猶言辱。
5　諏：徵求意見，詢問。

本文作於蜀漢建興五年（227），當時作者駐軍漢中，準備出師北伐攻魏，臨行前，上此表給後主劉禪。表，古代臣子對君主有所陳請的一種文書。在表中，諸葛亮反覆勸勉劉禪繼承先帝遺志，「親賢臣，遠小人」，興復漢室。同時，作者也表達了自己忠於蜀漢，北定中原的堅定決心。全文言辭懇切，感情誠摯，充分表達了作者鞠躬盡瘁、憂國盡忠之情，讀之感人肺腑。劉勰曾評其為「志盡文暢」，「表之英也」（《文心雕龍・章表》）。本文可與《後出師表》參照閱讀。

李密

陳情表

臣密言：臣以險釁，夙遭閔凶[1]。生孩六月，慈父見背；行年四歲，舅奪母志。祖母劉，愍[2]臣孤弱，躬親撫養。臣少多疾病，九歲不行，零丁孤苦，至於成立。既無叔伯，終鮮兄弟。門衰祚薄，晚有兒息。外無期功[3]強近之親，內無應門五尺之童，煢煢孑立，形影相弔。而劉夙嬰疾病，常在床蓐，臣侍湯藥，未嘗廢離。

逮奉聖朝，沐浴清化。前太守臣逵，察臣孝廉；後刺史臣榮，舉臣秀才。臣以供養無主，辭不赴命。詔書特下，拜臣郎中；尋蒙國恩，除臣洗馬。猥以微賤，當侍東宮，非臣隕首所能上報。臣具以表聞，辭不就職。詔書切峻，責臣逋慢；郡縣逼迫，催臣上道；州司臨門，急於星火。臣欲奉詔奔馳，則以劉病日篤；欲苟順私情，則告訴不許。臣之進退，實為狼狽。

伏惟聖朝以孝治天下。凡在故老，猶蒙矜育，況臣孤苦，特為尤甚。且臣少事偽朝，歷職郎署，本圖宦達，不矜名節。今臣亡國賤俘，至微至陋，過蒙拔擢，寵命優渥，豈敢盤桓，有所希冀？但以劉日薄西山，氣息奄奄，人命危淺，朝不慮夕。臣無祖母，無以至今

1　險釁：艱難禍患。閔凶：憂患凶禍，常指親人亡故等。

2　愍：同「憫」，憐憫，哀憐。

3　期功：古代根據與死者血緣關係的遠近而規定服喪時間的不同。期為一年的服喪期，功有九個月的大功和五個月的小功之分。

日；祖母無臣，無以終餘年。母孫二人，更相為命，是以區區不能廢遠。臣密今年四十有四，祖母劉今年九十有六，是臣盡節於陛下之日長，報養劉之日短也。烏鳥私情[4]，願乞終養。

臣之辛苦，非獨蜀之人士及二州牧伯所見明知，皇天后土，實所共鑒。願陛下矜愍愚誠，聽臣微志。庶劉僥倖，卒保餘年，臣生當隕首，死當結草[5]。臣不勝犬馬怖懼之情，謹拜表以聞。

（選自吳楚材、吳調侯選注，安平秋點校《古文觀止》，中華書局 1987 年版）

編選說明 •••

李密（221—287），字令伯，三國時犍為郡武陽縣（今四川彭山縣東）人。父親早亡，母親改嫁，與祖母劉氏相依為命。

本文寫於泰始初年。當時李密被晉武帝詔徵為太子洗馬，但由於祖母年歲已高，無人奉養，作者不肯應命，於是上呈此表。表中，作者首先敘述了祖母對他的養育之恩：無祖母則無自己今日。如今祖母年事已高且疾病纏身，自己實在脫不開身，不能應徵。接下來，談到西晉「以孝治天下」，請求朝廷「矜愍」他，容許他先盡孝道，以侍養祖母，因為「臣盡節於陛下之日長，報養劉之日短也」。全文感情真摯動人，陳詞委婉曲折，文字樸實無華。吳楚材、吳調侯在《古文

---

4 烏鳥私情：相傳烏鴉能反哺於母，古人以其為孝鳥。
5 結草：典出《左傳．宣公十五年》，比喻感恩報德，至死不忘。

觀止》中稱其「歷敘情事，俱從天真寫出，無一字虛言駕飾」。

劉伶

酒德頌

有大人先生，以天地為一朝，萬期為須臾，日月為扃牖[1]，八荒為庭衢。行無轍跡，居無室廬，幕天席地，縱意所如。止則操卮執觚[2]，動則挈榼提壺[3]。唯酒是務，焉知其餘？

有貴介公子、縉紳處士，聞吾風聲，議其所以，乃奮袂攘襟，怒目切齒，陳說禮法，是非蜂起。先生於是捧罌承槽，銜杯漱醪，奮髯箕踞，枕麴藉糟，無思無慮，其樂陶陶。兀然而醉，恍[4]爾而醒，靜聽不聞雷霆之聲，熟視不睹泰山之形，不覺寒暑之切肌，利欲之感情。俯觀萬物，擾擾焉若江海之載浮萍。二豪侍側焉，如蜾蠃[5]之與螟蛉。

（選自蔣方編著《新古文觀止叢書·魏晉文章選粹》，湖北人民出版社 1998 年版）

1　扃牖：門窗。扃，從外面關門的閂、鉤等，這裏泛指門。
2　卮：古代盛酒的器皿。觚：古代酒器。
3　挈：用手提。榼：古代盛酒的器具。
4　恍：同「恍」，昏聵不明的樣子。
5　蜾蠃：一種青黑色的細腰蜂，產卵於螟蛉幼蟲體內。古人見蜾蠃之子從螟蛉幼蟲體內孵出，誤以為蜾蠃養螟蛉為子。

編選說明 ●●●

劉伶（生卒年不詳），字伯倫，沛國（今江蘇沛縣）人，「竹林七賢」之一，平生嗜酒。西晉初，曾對朝廷策問，落選，後卒於家。

本文虛構了兩組對立的人物形象，一是「唯酒是務」的大人先生，一是貴介公子和搢紳處士，他們代表了兩種處世態度。大人先生縱情任性，沉醉於酒中，睥睨萬物，不受羈絆；而貴介公子和搢紳處士則拘泥禮教，死守禮法，不敢越雷池半步。此文以頌酒為名，表達了作者蔑視禮法的鮮明態度。文章短小精悍，語言幽默生動，不見雕琢之跡。

王羲之

蘭亭集序

永和九年，歲在癸丑，暮春之初，會於會稽山陰之蘭亭，修禊[1]事也。群賢畢至，少長咸集。此地有崇山峻嶺，茂林修竹，又有清流激湍，映帶左右，引以為流觴曲水，列坐其次。雖無絲竹管絃之盛，一觴一詠，亦足以暢敘幽情。是日也，天朗氣清，惠風和暢，仰觀宇宙之大，俯察品類之盛，所以遊目騁懷，足以極視聽之娛，信可樂也。

夫人之相與，俯仰一世，或取諸懷抱，晤言一室之內；或因寄所託，放浪形骸之外。雖取捨萬殊，靜躁不同，當其欣於所遇，暫得於己，快然自足，曾不知老之將至。及其所之既倦，情隨事遷，感慨係之矣！嚮之所欣，俛仰之間，已為陳跡，猶不能不以之興懷，況修短隨化，終期於盡！古人云：「死生亦大矣」，豈不痛哉！

每覽昔人興感之由，若合一契，未嘗不臨文嗟悼，不能喻之於懷。固知一死生[2]為虛誕，齊彭殤[3]為妄作，後之視今，亦猶今之視昔，悲夫！故列敘時人，錄其所述，雖世殊事異，所以興懷，其致一也。後之覽者，亦將有感於斯文。

1　禊：古代三月上巳日，人們來到水邊沐浴，除去宿垢，祓除不祥，這種活動便稱為「禊」。魏以後則定在三月三日。

2　一死生：將生和死看做一樣。

3　齊彭殤：將長壽和夭折看做沒有什麼區別。彭，即彭祖，傳說中的長壽之人。殤，夭折的兒童。

（選自吳楚材、吳調侯選注，安平秋點校《古文觀止》，中華書局 1987 年版）

編選說明 ● ● ●

王羲之（321—379），字逸少，琅琊臨沂（今山東臨沂）人，生於貴族世家，因官右將軍，故又稱「王右軍」。我國古代著名的書法家。著有《王右軍集》。

本篇作於東晉永和九年（353）。當時作者與謝安、孫綽等四十一人於會稽（今浙江紹興）蘭亭舉行文人集會，本序便為記錄宴會情況而作。作者先寫蘭亭周邊的自然風景；次寫優遊快然過後，對人生短暫、「終期於盡」的感慨；最後他指出，「一死生為虛誕，齊彭殤為妄作」，反映了人在生死自然規律面前的無奈甚至是無助。正因如此，作者才「故列敘時人，錄其所述」，以存於後世。本文雖為當時文人清談雅集之作，但作者所表達的生命蒼涼之感亦頗動人心。

陶淵明

歸去來兮辭並序

餘家貧，耕植不足以自給。幼稚盈室，瓶無儲粟，生生所資，未見其術。親故多勸餘為長吏，脫然有懷，求之靡途[1]。會有四方之事，諸侯以惠愛為德；家叔以余貧苦，遂見用於小邑。於時風波未靜，心憚遠役。彭澤去家百里，公田之利，足以為酒，故便求之。及少日，眷然有歸與之情。何則？質性自然，非矯厲[2]所得；饑凍雖切，違己交病。嘗從人事，皆口腹自役。於是悵然慷慨，深愧平生之志。猶望一稔[3]，當斂裳宵逝。尋程氏妹喪於武昌，情在駿奔，自免去職。仲秋至冬，在官八十餘日。因事順心命篇，曰《歸去來兮》。乙巳歲十一月也。

歸去來兮，田園將蕪胡不歸！既自以心為形役，奚惆悵而獨悲。悟已往之不諫[4]，知來者之可追。實迷途其未遠，覺今是而昨非。舟遙遙以輕揚，風飄飄而吹衣。問征夫以前路，恨晨光之熹微。乃瞻衡宇，載欣載奔。僮僕歡迎，稚子侯門。三徑就荒，松菊猶存。攜幼入室，有酒盈樽。引壺觴以自酌，眄[5]庭柯以怡顏。倚南窗以寄傲，審

1　靡途：沒有門徑。靡，無，沒有。
2　矯厲：勉強剋制自己的情感欲望。
3　一稔：公田收穫一次。稔，穀物成熟。
4　諫：匡正，挽回。
5　眄：斜著眼看。

容膝之易安。園日涉以成趣，門雖設而常關。策扶老以流憩，時矯首而遐觀。雲無心以出岫，鳥倦飛而知還。景翳翳以將入，撫孤松而盤桓。歸去來兮，請息交以絕遊。世與我而相違，復駕言兮焉求！悅親戚之情話，樂琴書以消憂。農人告餘以春及，將有事於西疇。或命巾車[6]，或棹孤舟。既窈窕以尋壑，亦崎嶇而經丘。木欣欣以向榮，泉涓涓而始流。善萬物之得時，感吾生之行休。已矣乎，寓形宇內復幾時，曷不委心任去留？胡為乎遑遑欲何之？富貴非吾願，帝鄉不可期。懷良辰以孤往，或植杖而耘耔[7]。登東皋以舒嘯，臨清流而賦詩。聊乘化以歸盡，樂夫天命復奚疑！

（選自蔣凡主編《古代十大散文流派》第二卷，湖南文藝出版社 1997 年版）

編選說明 ●●●

陶淵明（365—427），一名潛，字元亮，潯陽柴桑（今江西九江西南）人，卒後，朋友私謚為「靖節」。我國古代著名的田園詩人，著有《陶淵明集》。

本篇作於義熙元年（405），時作者辭去彭澤令，準備歸隱田園。在序言中，作者交代了自己為官和辭官的原因。接下來的正文，作者首先表達了自己不願「以心為形役」，混跡於當時污濁的官場；次寫

6 巾車：指有帷幕的車子。
7 耘耔：指從事田間勞動。耘，除草。耔，培土。

作者回家途中的喜悅心情，以及回家之後對田園生活的熱愛。文字樸素，充滿詩情畫意，富有感染力。歐陽修高度評價此文，認為「晉無文章，惟陶淵明《歸去來兮》一篇而已。」此文可與陶淵明詩《歸園田居》參照閱讀。

王勃

滕王閣序

南昌故郡，洪都新府。星分翼軫[1]，地接衡廬。襟三江而帶五湖，控蠻荊而引甌越。物華天寶，龍光射牛斗之墟[2]；人傑地靈，徐孺下陳蕃之榻。雄州霧列，俊彩星馳。臺隍枕夷夏之交，賓主盡東南之美。都督閻公之雅望，棨戟遙臨；宇文新州之懿範，襜帷[3]暫駐。十旬休假，勝友如雲；千里逢迎，高朋滿座。騰蛟起鳳，孟學士之詞宗；紫電清霜，王將軍之武庫。家君作宰，路出名區；童子何知，躬逢勝餞。

時維九月，序屬三秋。潦水盡而寒潭清，煙光凝而暮山紫。儼驂[4]於上路，訪風景於崇阿；臨帝子之長洲，得僊人之舊館。層巒聳翠，上出重霄；飛閣流丹，下臨無地。鶴汀鳧渚，窮島嶼之縈回；桂殿蘭宮，即岡巒之體勢。披繡闥，俯雕甍，山原曠其盈視，川澤盱其駭矚。閭閻撲地，鐘鳴鼎食之家；舸艦彌津，青雀黃龍之軸。虹銷雨霽，彩徹雲衢。落霞與孤鶩齊飛，秋水共長天一色。漁舟唱晚，響窮彭蠡之濱；雁陣驚寒，聲斷衡陽之浦。

遙吟俯暢，逸興遄飛。爽籟發而清風生，纖歌凝而白雲遏。睢園

1 翼軫：二十八宿中的翼宿和軫宿，古為楚之分野。
2 龍光射牛斗之墟：豐城有二劍，曰干將，曰莫邪。其龍文光彩，直射牛、鬥二星之間。
3 襜帷：車上四周的帷帳，借指馬車。
4 驂：古代駕車的馬，在中間的叫服，在兩旁的叫，也叫驂。

綠竹，氣淩彭澤之樽；鄴水朱華，光照臨川之筆。四美具，二難並。窮睇眄於中天，極娛游於暇日。天高地迥，覺宇宙之無窮；興盡悲來，識盈虛之有數。望長安於日下，指吳會於雲間。地勢極而南溟深，天柱高而北辰遠。關山難越，誰悲失路之人？萍水相逢，盡是他鄉之客。懷帝閽[5]而不見，奉宣室以何年？

嗟乎！時運不濟，命途多舛。馮唐易老，李廣難封。屈賈誼於長沙，非無聖主；竄梁鴻於海曲，豈乏明時？所賴君子安貧，達人知命。老當益壯，寧移白首之心；窮且益堅，不墜青雲之志。酌貪泉而覺爽，處涸轍以猶歡。北海雖賒[6]，扶搖可接；東隅已逝，桑榆非晚。孟嘗高潔，空懷報國之心；阮籍倡狂，豈效窮途之哭！

勃，三尺微命，一介書生。無路請纓，等終軍之弱冠；有懷投筆，慕宗慤之長風。舍簪笏於百齡，奉晨昏於萬里。非謝家之寶樹，接孟氏之芳鄰。他日趨庭，叨陪鯉對；今晨捧袂，喜托龍門。楊意不逢，撫淩雲而自惜；鍾期既遇，奏流水以何慚？

嗚呼！勝地不常，盛筵難再。蘭亭已矣，梓澤丘墟[7]。臨別贈言，幸承恩於偉餞；登高作賦，是所望於群公。敢竭鄙懷，恭疏短引。一言均賦，四韻俱成。

滕王高閣臨江渚，佩玉鳴鸞罷歌舞。畫棟朝飛南浦雲，珠簾暮卷西山雨。閒雲潭影日悠悠，物換星移幾度秋。閣中帝子今何在？檻外長江空自流。

5　帝閽：傳說中掌管天門的人，此之君門。

6　賒：長，遠。

7　梓澤丘墟：指石崇的金谷園已經荒廢為丘墟了。梓澤，石崇的金谷園。

（選自吳楚材、吳調侯選注，安平秋點校《古文觀止》，中華書局1987年版）

編選說明 ● ● ●

王勃（650—676），字子安，絳州龍門（今山西河津縣）人，祖父為隋末著名學者王通。王勃與楊炯、盧照鄰、駱賓王齊名，並稱為「初唐四傑」，而王勃則號為「初唐四傑」之冠。著有《王子安集》。

本篇為唐高宗上元二年（675），作者赴交趾探望被貶謫的父親，途徑洪州豫章（今江西南昌）時，適逢閻都督在滕王閣設宴宴請賓客，作者於宴席間揮筆寫就的名篇。文章首先描繪了滕王閣人傑地靈的勝概以及宴會之盛況，在登高望遠中，作者抒發了自己「時運不濟，命途多舛」的漂泊之感和「無路請纓」、壯志難酬的苦悶之情。全文由景入情，一唱三歎，極盡起伏跌宕之感。其「落霞與孤鶩齊飛，秋水共長天一色」，已成為膾炙人口的千古名句。同時，該序與滕王閣互為倚重，《序》為名篇，閣為名閣，《序》與閣共傳永恆。

李華

弔古戰場文

浩浩乎平沙無垠，敻[1]不見人，河水縈帶，群山糾紛。黯兮慘悴，風悲日曛。蓬斷草枯，凜若霜晨。鳥飛不下，獸鋌[2]亡群。亭長告余曰：「此古戰場也。常覆三軍，往往鬼哭，天陰則聞。」傷心哉！秦歟？漢歟？將近代歟？

吾聞夫齊、魏徭戍，荊、韓召募。萬里奔走，連年暴露。沙草晨牧，河冰夜渡。地闊天長，不知歸路。寄身鋒刃，腷臆[3]誰訴？秦漢而還，多事四夷。中州耗斁[4]，無世無之。古稱戎、夏，不抗王師。文教失宣，武臣用奇。奇兵有異於仁義，王道迂闊而莫為。嗚呼噫嘻！

吾想夫北風振漠，胡兵伺便，主將驕敵，期門[5]受戰。野豎旄旗，川回組練[6]。法重心駭，威尊命賤。利鏃穿骨，驚沙入面。主客相搏，山川震眩，聲析江河，勢崩雷電。至若窮陰凝閉，凜冽海隅，積雪沒脛，堅冰在須，鷙鳥休巢，征馬踟躕，繒纊[7]無溫，墮指裂

1 敻：遠，遼闊。
2 鋌：快走的樣子。
3 腷臆：抑鬱不舒的心情。
4 斁：敗壞。
5 期門：漢皇帝侍從官官名，漢武帝時置，掌執兵扈從護衛。
6 組練：即組甲、被練，指將士的衣甲服裝。此指將士的軍容。
7 繒纊：指用繒帛絲綿製作的寒衣。

膚。當此苦寒，天假強胡，憑陵殺氣，以相翦屠。徑截輜重，橫攻士卒。都尉新降，將軍覆沒。屍填巨港之岸，血滿長城之窟。無貴無賤，同為枯骨。可勝言哉！鼓衰兮力盡，矢竭兮弦絕，白刃交兮寶刀折，兩軍蹙兮生死決。降矣哉？終身夷狄。戰矣哉？暴骨沙礫。鳥無聲兮山寂寂，夜正長兮風淅淅。魂魄結兮天沉沉，鬼神聚兮雲冪冪。日光寒兮草短，月色苦兮霜白，傷心慘目，有如是耶？

吾聞之：牧用趙卒，大破林胡，開地千里，遁逃匈奴。漢傾天下，財殫力痡[8]。任人而已，其在多乎？周逐獫狁[9]，北至太原，既城朔方，全師而還。飲至策勳，和樂且閒，穆穆棣棣，君臣之間。秦起長城，竟海為關，荼毒生靈，萬里朱殷。漢擊匈奴，雖得陰山，枕骸遍野，功不補患。

蒼蒼蒸民，誰無父母？提攜捧負，畏其不壽。誰無兄弟，如足如手？誰無夫婦，如賓如友？生也何恩？殺之何咎？其存其沒，家莫聞知。人或有言，將信將疑。悁悁[10]心目，寢寐見之。布奠傾觴，哭望天涯。天地為愁，草木淒悲。弔祭不至，精魂何依？必有凶年，人其流離。嗚呼噫嘻！時耶？命耶？從古如斯。為之奈何？守在四夷。

（選自吳楚材、吳調侯選注，安平秋點校《古文觀止》，中華書局 1987 年版）

8　痡：過度疲勞、疲困。

9　獫狁：我國古代的一個民族，即犬戎，也稱西戎，活動於今陝、甘一帶，獫、岐之間。

10　悁悁：憂忿。

編選說明 ●●●

李華（715—766），字遐叔，趙州贊皇（今屬河北）人，為著名散文家，與蕭穎士齊名，世稱「蕭李」。其與蕭穎士、顏真卿等共倡古義，開韓、柳古文運動之先河。著有《李遐叔文集》。

本篇作者在憑弔古戰場時，想到歷代戰爭給老百姓帶來的無盡苦難，並由此抨擊唐玄宗時期連年征戰的社會現實。文中發出的「蒼蒼蒸民，誰無父母」「誰無兄弟」「誰無夫婦」的呼喊，反映了作者反對戰爭，希求和平的願望。同時，作者也希望統治者能夠「守在四夷」，安定邊境，使人民遠離戰事之禍。文章雖為駢體，但卻不拘泥於對偶之工整，於駢文之中蘊含散文筆法，氣勢磅　而悲壯，顯示了盛唐時期駢文即將為散文所取代的文學發展趨向。《唐語林》評其「感激頓挫，雖是詞賦，而健筆有縱橫之氣」。

韓愈

師說

古之學者必有師。師者，所以傳道受業解惑也。人非生而知之者，孰能無惑？惑而不從師，其為惑也，終不解矣。

生乎吾前，其聞道也固先乎吾，吾從而師之；生乎吾後，其聞道也亦先乎吾，吾從而師之。吾師道也，夫庸知[1]其年之先後生於吾乎？是故無貴無賤，無長無少，道之所存，師之所存也。

嗟乎！師道之不傳也久矣，欲人之無惑也難矣。古之聖人，其出人也遠矣，猶且從師而問焉；今之眾人，其下聖人也亦遠矣，而恥學於師。是故聖益聖，愚益愚。聖人之所以為聖，愚人之所以為愚，其皆出於此乎？

愛其子，擇師而教之。於其身也，則恥師焉，惑矣！彼童子之師，授之書而習其句讀[2]者，非吾所謂傳其道、解其惑者也。句讀之不知，惑之不解，或師焉，或不[3]焉，小學而大遺，吾未見其明也。

巫醫樂師百工之人，不恥相師。士大夫之族，曰師曰弟子云者，則群聚而笑之。問之，則曰：「彼與彼年相若也，道相似也。位卑則足羞，官盛則近諛。」嗚呼！師道之不復，可知矣。巫醫樂師百工之

1　庸知：哪裏知道，怎麼知道。

2　句讀：古時稱文辭停頓的地方叫做句或讀。句是語意完整的一小段，讀是句中語意未完，語氣可停的更小的段落。

3　不：同「否」。

人，君子不齒，今其智乃反不能及，其可怪也歟！

聖人無常師。孔子師郯子、萇弘、師襄、老聃。郯子之徒，其賢不及孔子。孔子曰：「三人行，則必有我師。」是故弟子不必不如師，師不必賢於弟子，聞道有先後，術業有專攻，如是而已。

李氏子蟠，年十七，好古文，六藝經傳皆通習之，不拘於時，學於餘。余嘉其能行古道，作《師說》以貽[4]之。

（選自吳楚材、吳調侯選注，安平秋點校《古文觀止》，中華書局 1987 年版）

編選說明 ●●●

本篇為韓愈贈李蟠之作。韓愈（768—824），字退之，河內河陽（今河南孟縣）人，世稱韓昌黎，因謚號文又稱韓文公。為唐代古文運動的宣導者，「唐宋八大家」之首，與柳宗元並稱為「韓柳」。宋代蘇軾稱其「文起八代之衰」。著有《昌黎先生集》。

本文從正面肯定了老師的作用以及從師學習的重要性，即「師者，所以傳道受業解惑也」。同時，還批判了士大夫恥於互相師從的心理，以致「師道之不傳也久矣」。在批判的基礎上，作者提出了「道之所存，師之所存」和「弟子不必不如師，師不必賢於弟子，聞道有先後，術業有專攻」的觀點。文章由古入今，古今對比，層層深入展開論述，為唐代古文運動中重要的名文之一。

4　貽：贈給。

韓愈

馬說

世有伯樂，然後有千里馬。千里馬常有，而伯樂不常有。故雖有名馬，祇[1]辱於奴隸人之手，駢死[2]於槽櫪之間，不以千里稱也。

馬之千里者，一食或盡粟一石。食[3]馬者不知其能千里而食也。是馬也，雖有千里之能，食不飽，力不足，才美不外見，且欲與常馬等不可得，安求其能千里也！

策之不以其道，食之不能盡其材，鳴之而不能通其意，執策而臨之曰：「天下無馬。」嗚呼！其真無馬耶？其真不知馬也！

（選自吳楚材、吳調侯選注，安平秋點校《古文觀止》，中華書局 1987 年版）

編選說明

篇中，韓愈以古代伯樂相馬的寓言加以展開，寫千里馬不為伯樂賞識的不幸遭遇，說明要取得人才必須要善於識辨人才、善於培育人才的道理。文中，韓愈亦以此表達了自己對當時社會壓抑人才、摧殘

1 祇：「只」的繁體字。
2 駢死：相比連而死，形容死者之多。
3 食：飼養。

人才現象的不滿和控訴。整篇文章以比喻的手法來說明道理，曲折暢達，語言犀利潑辣，在短小的篇幅中闡述了深刻的道理，這便是寓言所具有的魅力。明代茅坤曾評論說：「《雜說》四首，並變幻奇詭，不可端倪。」文中「世有伯樂，然後有千里馬」後成為人們經常引用的名句。

劉禹錫

陋室銘

山不在高，有仙則名；水不在深，有龍則靈。斯是陋室，惟吾德馨[1]。苔痕上階綠，草色入簾青。談笑有鴻儒，往來無白丁[2]。可以調素琴，閱金經。無絲竹之亂耳，無案牘[3]之勞形。南陽諸葛廬，西蜀子雲亭。孔子云：「何陋之有？」

（選自吳楚材、吳調侯選注，安平秋點校《古文觀止》，中華書局 1987 年版）

編選說明

劉禹錫（772—842），字夢得，彭城（今江蘇徐州）人，曾任太子賓客，世稱劉賓客。與白居易合稱「劉白」，有「詩豪」之稱。著有《劉賓客文集》。

銘，是古代刻在器物上用來警戒自己或者稱述功德的文字，後來逐漸演變成一種文體。本篇為開成元年（836），作者回洛陽擔任分司閒官，於祖居「陋室」中作此文以自勵。文中，作者抒寫了自己身

1　德馨：指內品德高尚而散發出馨香。
2　白丁：指平民百姓，亦指沒學問的人。
3　案牘：官府的文書、公文之類。

居陋室，卻怡然自樂、潔身自好的情趣。同時，作者以諸葛亮和揚雄自況，表達了自己不慕榮利、安貧樂道的精神。全文雖只有八十一字，卻短小精悍，氣韻蕭散，是一篇膾炙人口的小品名篇。

柳宗元

捕蛇者說

永州之野產異蛇，黑質而白章，觸草木盡死，以齧人，無御之者。然得而臘之以為餌[1]，可以已大風、攣踠、瘺、癘，去死肌，殺三蟲[2]。其始，太醫以王命聚之，歲賦其二，募有能捕之者，當其租入。永之人爭奔走焉。

有蔣氏者，專其利三世矣。問之，則曰：「吾祖死於是，吾父死於是。今吾嗣為之十二年，幾死者數矣。」言之，貌若甚戚者。

餘悲之，且曰：「若毒之乎？余將告於蒞事者，更若役，復若賦，則何如？」蔣氏大戚，汪然出涕曰：「君將哀而生之乎？則吾斯役之不幸，未若復吾賦不幸之甚也。向吾不為斯役，則久已病矣。自吾氏三世居是鄉，積於今六十歲矣，而鄉鄰之生日蹙[3]，殫其地之出，竭其廬之入，號呼而轉徙，饑渴而頓踣[4]，觸風雨，犯寒暑，呼噓毒癘，往往而死者相藉也。曩與吾祖居者，今其室十無一焉；與吾父居者，今其室十無二三焉；與吾居十二年者，今其室十無四五焉。非死即徙爾。而吾以捕蛇獨存。悍吏之來吾鄉，叫囂乎東西，隳突[5]

1　臘：晾乾。餌：這裏指藥餌，藥引子。
2　三蟲：小兒三種常見的腸道寄生蟲病。
3　蹙：困窘。
4　踣：跌倒，摔倒。
5　隳突：橫行，騷擾。

乎南北，譁然而駭者，雖雞狗不得寧焉。吾恂恂[6]而起，視其缶，而吾蛇尚存，則弛然而臥。謹食之，時而獻焉。退而甘食其土之有，以盡吾齒。蓋一歲之犯死者二焉，其餘，則熙熙而樂。豈若吾鄉鄰之旦旦有是哉！今雖死乎此，比吾鄉鄰之死則已後矣，又安敢毒耶？」

余聞而愈悲，孔子曰：「苛政猛於虎也。」吾嘗疑乎是，今以蔣氏觀之，猶信。嗚呼！孰知賦斂之毒，有甚是蛇者乎！故為之說，以俟夫觀人風者得焉。

（選自吳楚材、吳調侯選注，安平秋點校《古文觀止》，中華書局1987年版）

編選說明 ●●●

本篇作於作者謫居永州期間。柳宗元（773—819），字子厚，祖籍河東（今山西永濟）人，生於長安（今陝西西安），世稱「柳河東」「河東先生」。與劉禹錫並稱為「劉柳」，「唐宋八大家」之一。著有《柳河東集》。

文章通過蔣氏三代捕蛇應租的遭遇，揭示了當時社會農村民不聊生、十室九空的淒慘景象，控訴了統治者橫征暴斂的現象。表現了作者關心民生疾苦，希求改革的政治態度。文中運用對比襯托的手法，將蛇之毒與賦稅之毒加以比較，最後作者悲憤指出「賦斂之毒，有甚是蛇者乎」！作者在文中充滿了悲天憫人之心，言由心出，令人感動。

6　恂恂：小心謹慎的樣子。

杜牧

阿房宮賦

六王畢，四海一，蜀山兀，阿房出。覆壓三百餘里，隔離天日。驪山北構而西折，直走咸陽。二川溶溶，流入宮牆。五步一樓，十步一閣；廊腰縵回，簷牙高啄；各抱地勢，鉤心鬥角。盤盤焉，囷囷[1]焉，蜂房水渦，矗不知其幾千萬落。長橋臥波，未云何龍？複道行空，不霽何虹？高低冥迷，不知西東。歌臺暖響，春光融融；舞殿冷袖，風雨淒淒。一日之內，一宮之間，而氣候不齊。

妃嬪媵嬙[2]，王子皇孫，辭樓下殿，輦來於秦。朝歌夜弦，為秦宮人。明星熒熒，開妝鏡也；綠雲擾擾，梳曉鬟也；渭流漲膩，棄脂水也；煙斜霧橫，焚椒蘭也；雷霆乍驚，宮車過也；轆轆遠聽，杳不知其所之也。一肌一容，盡態極妍，縵立遠視，而望幸焉。有不得見者，三十六年。燕趙之收藏，韓魏之經營，齊楚之精英，幾世幾年，剽掠其人，倚疊如山。一旦不能有，輸來其間，鼎鐺玉石，金塊珠礫，棄擲邐迤[3]，秦人視之，亦不甚惜。

嗟乎！一人之心，千萬人之心也。秦愛紛奢，人亦念其家。奈何取之盡錙銖，用之如泥沙？使負棟之柱，多於南畝之農夫；架梁之

1　囷囷：曲折迴旋的樣子。
2　媵嬙：指宮廷侍御。媵，古代隨嫁的侍女。嬙，古代宮廷裏的女官名。
3　邐迤：連續不斷。

椽，多於機上之工女；釘頭磷磷，多於在庾之粟粒；瓦縫參差，多於周身之帛縷；直欄橫檻，多於九土之城郭；管絃嘔啞，多於市人之言語。使天下之人，不敢言而敢怒，獨夫[4]之心，日益驕固。戍卒叫，函谷舉，楚人一炬，可憐焦土！

嗚呼！滅六國者，六國也，非秦也。族秦者，秦也，非天下也。嗟夫！使六國各愛其人，則足以拒秦。秦復愛六國之人，則遞三世，可至萬世而為君，誰得而族滅也？秦人不暇自哀，而後人哀之；後人哀之而不鑒之，亦使後人而復哀後人也！

（選自吳楚材、吳調侯選注，安平秋點校《古文觀止》，中華書局1987年版）

編選說明 •●●

杜牧（803—約852），字牧之，號樊川居士，京兆萬年（今陝西西安）人，因晚年居住於長安南之樊川別墅，故後世稱「杜樊川」。與李商隱並稱為「小李杜」，以別於杜甫和李白。著有《樊川文集》。

本篇作於寶曆元年（825），當時作者年僅二十三歲。文章首先寫到阿房宮的壯偉雄麗以及富足奢靡的生活。接著文鋒一轉，寫由於秦朝統治者的窮奢極欲，致使民怨沸騰，終於有陳勝等人的起義，將阿房宮付之一炬，秦王朝亦落得個國滅族亡的悲慘下場。最後作者指出，統治者唯有愛惜國人，方可保萬世為君。而「後人哀之而不鑒

4　獨夫：指殘暴無道、眾叛親離的統治者。

之，亦使後人而復哀後人也」，則反映了作者希望當時的統治者從歷史中汲取教訓，以史為鑒，不再重蹈秦國滅亡的覆轍。全文誇張奇特，極盡雕飾之能事。

范仲淹

岳陽樓記

慶曆四年春，滕子京謫守巴陵郡。越明年，政通人和，百廢具興。乃重修岳陽樓，增其舊制，刻唐賢、今人詩賦於其上。屬[1]予作文以記之。

予觀夫巴陵勝狀，在洞庭一湖。銜遠山，吞長江，浩浩湯湯[2]，橫無際涯；朝暉夕陰，氣象萬千。此則岳陽樓之大觀也。前人之述備矣。然則北通巫峽，南極瀟湘，遷客騷人，多會於此，覽物之情，得無異乎？

若夫霪雨霏霏，連月不開，陰風怒號，濁浪排空，日星隱曜，山嶽潛形，商旅不行，檣傾楫摧，薄暮冥冥，虎嘯猿啼。登斯樓也，則有去國懷鄉，憂讒畏譏，滿目蕭然，感極而悲者矣。

至若春和景明，波瀾不驚，上下天光，一碧萬頃，沙鷗翔集，錦鱗[3]游泳，岸芷汀蘭，鬱鬱青青。而或長煙一空，皓月千里，浮光躍金，靜影沉璧，漁歌互答，此樂何極！登斯樓也，則有心曠神怡，寵辱皆忘，把酒臨風，其喜洋洋者矣。

嗟夫！予嘗求古仁人之心，或異二者之為。何哉？不以物喜，不

1　屬：同「囑」，囑咐，託付。
2　浩浩湯湯：水勢壯闊的樣子。
3　錦鱗：魚的美稱。

以己悲。居廟堂之高，則憂其民；處江湖之遠，則憂其君[4]。是進亦憂，退亦憂。然則何時而樂耶？其必曰「先天下之憂而憂，後天下之樂而樂」歟！噫！微[5]斯人，吾誰與歸！

時六年九月十五日。

（選自吳楚材、吳調侯選注，安平秋點校《古文觀止》，中華書局1987年版）

編選說明 ●●●

范仲淹（989—1052），字希文，蘇州吳縣（今江蘇吳縣）人，謚文正，故又稱為「范文正」。著有《范文正集》。

本篇作於慶曆六年（1046），乃應滕子京之請而作。《記》中首先簡敘重修岳陽樓的經過和作《記》的緣由；接著憑藉自己的想像鋪敘了岳陽樓周邊的壯觀優美景象，抒發了登臨中「不以物喜，不以己悲」的思想，同時點明全文的主旨——「先天下之憂而憂，後天下之樂而樂」。這一千古名句，既是作者的自抒懷抱，又是勸勉當時遭受貶謫的滕子京，應有胸懷天下之志。文章語言流暢曉達，景色描寫靈動而凝練，其中的名句「先天下之憂而憂，後天下之樂而樂」，更是鼓舞了後世眾多仁人志士為國分憂、為國盡瘁。

4 居廟堂之高：指在朝廷做官。處江湖之遠：指貶謫在外做閒官或在野不做官。
5 微：無，沒有。

歐陽修

醉翁亭記

環滁皆山也。其西南諸峰，林壑尤美。望之蔚然而深秀者，琅琊也。山行六七里，漸聞水聲潺潺[1]，而泄出於兩峰之間者，釀泉也。峰迴路轉，有亭翼然臨於泉上者，醉翁亭也。作亭者誰？山之僧智仙也。名之者誰？太守自謂也。太守與客來飲於此，飲少輒醉，而年又最高，故自號曰醉翁也。醉翁之意不在酒，在乎山水之間也。山水之樂，得之心而寓之酒也。

若夫日出而林霏開，雲歸而岩穴暝，晦明變化者，山間之朝暮也。野芳發而幽香，佳木秀而繁陰，風霜高潔，水落而石出者，山間之四時也。朝而往，暮而歸，四時之景不同，而樂亦無窮也。

至於負者歌於塗，行者休於樹，前者呼，後者應，傴僂[2]提攜，往來而不絕者，滁人遊也。臨溪而漁，溪深而魚肥；釀泉為酒，泉香而酒冽。山肴野蔌，雜然而前陳者，太守宴也。宴酣之樂，非絲非竹，射者中，弈者勝，觥籌交錯，坐起而喧嘩者，眾賓歡也。蒼顏白髮，頹乎其中者，太守醉也。

已而夕陽在山，人影散亂，太守歸而賓客從也。樹林陰翳，鳴聲上下，遊人去而禽鳥樂也。然而禽鳥知山林之樂，而不知人之樂；人

1 潺潺：形容溪流、泉水等流動的聲音。
2 傴僂：彎腰駝背的人。後借指老年人。

知從太守游而樂，而不知太守之樂其樂也。醉能同其樂，醒能述其文者，太守也。太守謂誰？廬陵歐陽修也。

（選自吳楚材、吳調侯選注，安平秋點校《古文觀止》，中華書局 1987 年版）

編選說明 •••

歐陽修（1007—1073），字永叔，號醉翁，又號六一居士，廬陵（今江西永豐）人，謚號文忠，世稱文忠公。北宋著名的文學家、史學家，北宋古文運動的宣導者和領袖，被稱為「一代文宗」，「唐宋八大家」之一。著有《歐陽文忠公文集》，編有《新唐書》《五代史》等。

本篇作於慶曆六年（1046），作者當時貶官滁州。文章以「環滁皆山也」振起全文，隨後寫到醉翁亭的得名，接著轉到「醉」與「樂」兩字上，即：「醉翁之意不在酒，在乎山水之間也。山水之樂，得之心而寓之酒也。」然後作者以「樂」字貫穿全文，寫到了四時之景不同，而樂亦無窮；宴會之樂；醉歸之樂；人知從太守游而樂，而不知太守之樂其樂也。最後，作者隱晦地點出了醉翁之樂在於與民同樂這一主旨。全篇用語簡練，而選用二十一個「也」字，更使文氣具有迴環往復之妙。

蘇洵

六國

六國破滅，非兵不利，戰不善，弊在賂秦[1]。賂秦而力虧，破滅之道也。或曰：「六國互喪[2]，率賂秦耶？」曰：「不賂者以賂者喪。蓋失強援，不能獨完。故曰『弊在賂秦』也！」

秦以攻取之外，小則獲邑，大則得城。較秦之所得，與戰勝而得者，其實百倍；諸侯之所亡，與戰敗而亡者，其實亦百倍。則秦之所大欲，諸侯之所大患，固不在戰矣。思厥[3]先祖父，暴霜露，斬荊棘，以有尺寸之地。子孫視之不甚惜，舉以予人，如棄草芥。今日割五城，明日割十城，然後得一夕安寢。起視四境，而秦兵又至矣。然則諸侯之地有限，暴秦之欲無厭，奉之彌繁，侵之愈急。故不戰而強弱勝負已判矣。至於顛覆，理固宜然。古人云：「以地事秦，猶抱薪救火，薪不盡，火不滅。」此言得之。

齊人未嘗賂秦，終繼五國遷滅，何哉？與嬴[4]而不助五國也。五國既喪，齊亦不免矣。燕趙之君，始有遠略，能守其土，義不賂秦。是故燕雖小國而後亡，斯用兵之效也。至丹以荊卿為計，始速禍焉。

1 賂秦：賄賂秦國，此指割地求和。
2 互喪：指相繼喪國。
3 厥：他們的，此指六國君王。
4 與：交往，友好。嬴：秦王姓，此指秦國。

趙嘗五戰於秦，二敗而三勝。後秦擊趙者再，李牧連卻之。洎[5]牧以讒誅，邯鄲為郡，惜其用武而不終也。且燕趙處秦革滅殆盡之際，可謂智力孤危，戰敗而亡，誠不得已。向使三國[6]各愛其地，齊人勿附於秦，刺客不行，良將猶在，則勝負之數，存亡之理，當與秦相較，或未易量。

嗚呼！以賂秦之地封天下之謀臣，以事秦之心禮天下之奇才，並力西向，則吾恐秦人食之不得下嚥也。悲夫！有如此之勢，而為秦人積威之所劫，日削月割，以趨於亡。為國者無使為積威之所劫哉！

夫六國與秦皆諸侯，其勢弱於秦，而猶有可以不賂而勝之之勢。苟以天下之大，而從六國破亡之故事，是又在六國下矣！

（選自蔣凡主編《古代十大散文流派》第三卷，湖南文藝出版社 1997 年版）

編選說明 ●●●

蘇洵（1009—1066），字明允，號老泉，眉州眉山（今四川眉山）人。與蘇軾、蘇轍合稱為「三蘇」，「唐宋八大家」之一。著有《嘉祐集》。

六國，指的是戰國時期的韓、趙、魏、齊、楚、燕，後均被秦國所滅。此文旨在探討六國破滅的的原因，即作者開篇所說：「六國破

5　洎：等到。
6　三國：此指韓、魏、楚三國。

滅，非兵不利，戰不善，弊在賂秦。」此後，在文中，作者反覆申説六國破滅，「弊在賂秦」這一觀點。結語「苟以天下之大，而從六國破亡之故事，是又在六國下矣」，則暗示當時朝廷在與契丹和西夏交往中不應割地輸幣以求安，而應以六國破滅為鑒，不至重蹈六國之覆轍。全文借古鑒今，有感而發，論點鮮明，語言犀利。明代茅坤論之曰：「一篇議論，由《戰國策》縱人之説來，卻能與《戰國策》相伯仲。」

周敦頤

愛蓮說

水陸草木之花，可愛者甚蕃[1]。晉陶淵明獨愛菊；自李唐來，世人甚愛牡丹；予獨愛蓮之出淤泥而不染，濯清漣而不妖[2]，中通外直，不蔓不枝，香遠益清，亭亭淨植，可遠觀而不可褻玩[3]焉。

予謂菊，花之隱逸者也；牡丹，花之富貴者也；蓮，花之君子者也。噫！菊之愛，陶後鮮有聞；蓮之愛，同予者何人？牡丹之愛，宜乎眾矣！

（選自蔣凡等編著《古典散文今譯與評析》，上海教育出版社 2003 年版）

編選說明

周敦頤（1017—1073），字茂叔，號濂溪，營道（今湖南道縣）人，理學派開山鼻祖。著有《周元公集》《通書》等。

文章從陶淵明獨愛菊、世人甚愛牡丹，引出自己獨愛蓮花「出淤泥而不染，濯清漣而不妖」。最後，作者抒發了自己愛蓮而少有同道

1 蕃：繁多，眾多。
2 濯：洗滌。清漣：謂水清而有微波貌，亦代指清水。
3 褻玩：玩弄。

的感慨，以此表明自己潔身自愛、不同流合污的高尚情操。全文僅一百二十字，文筆精練，形象鮮明。蓮出淤泥而不染的品格，亦為後世文人高士所推崇。

曾鞏

墨池記

臨川之城東，有地隱然而高，以臨於溪，曰新城。新城之上，有池窪然而方以長，曰王羲之之墨池者，荀伯子《臨川記》云也。羲之嘗慕張芝[1]，臨池學書，池水盡黑，此為其故跡，豈信然邪彝方羲之之不可強以仕[2]，而嘗極東方，出滄海，以娛其意於山水之間，豈其徜徉肆恣，而又嘗自休於此耶？

羲之之書，晚乃善；則其所能，蓋亦以精力自致者，非天成也。然後世未有能及者，豈其學不如彼邪？則學固豈可以少哉！況欲深造道德者耶？

墨池之上，今為州學舍。教授王君盛恐其不章[3]也，書「晉王右軍墨池」之六字於楹間以揭之，又告於鞏曰：「願有記。」推王君之心，豈愛人之善，雖一能不以廢，而因以及乎其跡耶？其亦欲推其事，以勉其學者耶？夫人之有一能，而使後人尚之如此，況仁人莊士之遺風餘思，被[4]於來世者如何哉！

慶曆八年九月十二日，曾鞏記。

---

1 張芝：字伯英，酒泉人，東晉著名書法家，有草聖之稱。

2 強以仕：勉強做官。據《晉書・王羲之傳》載，王羲之恥與驃騎將軍王述為伍，遂稱病辭職，並在父母墓前誓不再仕，此後隱居會稽山陰，縱情遊樂。

3 章：同「彰」，彰明。

4 被：施加，惠及。

（選自蔣凡主編《古代十大散文流派》第三卷，湖南文藝出版社 1997 年版）

編選說明 •••

曾鞏（1019—1083），字子固，建昌南豐（今江西南豐）人，世稱「曾南豐」，「唐宋八大家」之一。著有《南豐類稿》。

本篇乃作者於慶曆八年（1048）年應州學教授王君之請而作。此文首先交代了墨池的來由，作者雖對此表示疑問，但並未就此展開論述，而是筆鋒一轉寫到王羲之書法的高妙，其書法成就的取得並非天成，而是苦學的結果。「學固豈可以少哉！況欲深造道德者耶？」則又一轉，將論述的重點轉移到州學教育中應以道德修為的培養為重這一主題上來。全文因小見大，層層轉折，語簡意深，辭氣委婉紆徐，體現了作者獨特的文風。

王安石

遊褒禪山記

褒禪山亦謂之華山。唐浮圖慧褒始舍於其址，而卒葬之，以故其後名之曰褒禪。今所謂慧空禪院者，褒之廬冢也。距其院東五里，所謂華陽洞者，以其在華山之陽名之也。距洞百餘步，有碑僕道，其文漫滅[1]，獨其為文猶可識，曰「花山」。今言「華」如「華實」之華者，蓋音謬也。

其下平曠，有泉側出，而記遊者甚眾，所謂前洞也。由山以上五六里，有穴窈然，入之甚寒，問其深，則其好遊者不能窮也，謂之後洞。予與四人擁火以入，入之愈深，其進愈難，而其見愈奇。有怠而欲出者，曰：「不出，火且盡。」遂與之俱出。蓋予所至，比好游者尚不能十一，然視其左右，來而記之者已少。蓋其又深，則其至又加少矣。方是時，予之力尚足以入，火尚足以明也。既其出，則或咎其欲出者，而予亦悔其隨之而不得極夫游之樂也。

於是予有歎焉。古人之觀於天地、山川、草木、蟲魚、鳥獸，往往有得，以其求思之深而無不在也。夫夷以近，則遊者眾；險以遠，則至者少。而世之奇偉瑰怪非常之觀，常在於險遠，而人之所罕至焉，故非有志者不能至也。有志矣，不隨以止也，然力不足者，亦不

1　漫滅：磨滅，模糊不清。

能至也。有志與力，而又不隨以怠，至於幽暗昏惑而無物以相[2]之，亦不能至也。然力足以至焉，於人為可譏，而在己為有悔。盡吾志也而不能至者，可以無悔矣，其孰能譏之乎？此予之所得也。

予於僕碑，又以悲夫古書之不存，後世之謬其傳莫能名者，何可勝道也哉！此所以學者不可以不深思而慎取之也。

四人者：廬陵肖君圭君玉[3]、長樂王回深父、予弟安國平父、安上純父。

至和元年七月某日，臨川王某記。

（選自蔣凡主編《古代十大散文流派》第三卷，湖南文藝出版社 1997 年版）

編選說明 • • •

王安石（1021—1086），字介甫，號半山，臨川（今江西臨川）人，封荊國公，世稱「王荊公」。北宋傑出的政治家、文學家、改革家，「唐宋八大家」之一。著有《臨川先生文集》。

本篇作於至和元年（1054）。文章寫到自己遊歷褒禪山時，中途因為隨眾而出未能竟遊，由此悔而生感發表議論：古人觀察萬物而有所得，那是在於「求思之深而無不在」，並且「世之奇偉瑰怪非常之觀，常在於險遠」，只有通過不懈努力才能獲取。倘若人們經過努力

---

2 相：輔助。
3 肖君圭君玉：即肖君圭，字君玉。

而不能獲得，那自己也將無悔，人們也不會譏笑。本文以遊覽探勝為喻，實則告誡人們無論是治學還是創業，都要有深入探索、百折不回的精神。本文設喻巧妙，頗具哲理。

蘇軾

前赤壁賦

壬戌之秋，七月既望[1]，蘇子與客泛舟游於赤壁之下。清風徐來，水波不興。舉酒屬客，誦《明月》之詩，歌《窈窕》之章。少焉，月出於東山之上，徘徊於斗牛之間。白露橫江，水光接天。縱一葦之所如，淩萬頃之茫然。浩浩乎如馮[2]虛御風，而不知其所止；飄飄乎如遺世獨立，羽化而登仙。

於是飲酒樂甚，扣舷而歌之。歌曰：「桂棹兮蘭槳，擊空明兮溯流光。渺渺兮予懷，望美人兮天一方。」客有吹洞簫者，倚歌而和之，其聲嗚嗚然，如怨如慕，如泣如訴；餘音嫋嫋，不絕如縷，舞幽壑之潛蛟，泣孤舟之嫠婦[3]。蘇子愀然[4]，正襟危坐而問客曰：「何為其然也？」客曰：「『月明星稀，烏鵲南飛』，此非曹孟德之詩乎？西望夏口，東望武昌。山川相繆[5]，鬱乎蒼蒼，此非孟德之困於周郎者乎？方其破荊州，下江陵，順流而東也，舳艫[6]千里，旌旗蔽空，釃[7]酒臨江，橫槊賦詩，固一世之雄也，而今安在哉？況吾與子漁樵

---

1 既望：指農曆每月之十六日。望，每月十五日。
2 馮：同「憑」，依靠，憑藉。
3 嫠婦：孤居的婦女，寡婦。
4 愀然：形容神色變得嚴肅或不愉快的樣子。
5 繆：同「繚」，環繞。
6 舳艫：船頭和船尾的並稱，此指戰船。
7 釃：斟酒。

於江渚之上，侶魚蝦而友麋鹿，駕一葉之扁舟，舉匏樽[8]以相屬。寄蜉蝣於天地，渺滄海之一粟。哀吾生之須臾，羨長江之無窮。挾飛仙以遨遊，抱明月而長終。知不可乎驟得，托遺響於悲風。」

蘇子曰：「客亦知夫水與月乎？逝者如斯，而未嘗往也；盈虛者如彼，而卒莫消長也。蓋將自其變者而觀之，而天地曾不能以一瞬；自其不變者而觀之，則物與我皆無盡也，而又何羨乎？且夫天地之間，物各有主，苟非吾之所有，雖一毫而莫取。惟江上之清風，與山間之明月，耳得之而為聲，目遇之而成色，取之無禁，用之不竭，是造物者之無盡藏[9]也，而吾與子之所共適。」

客喜而笑，洗盞更酌，肴核既盡，杯盤狼藉。相與枕藉乎舟中，不知東方之既白。

（選自吳楚材、吳調侯選注，安平秋點校《古文觀止》，中華書局 1987 年版）

編選說明 ●●●

蘇軾（1037—1101），字子瞻，號東坡居士，眉州眉山（今四川眉山）人，與歐陽修並稱「歐蘇」，與黃庭堅並稱「蘇黃」，「唐宋八大家」之一。著有《東坡集》《東坡樂府》等。

本篇為元豐五年（1082）作者游黃岡城外赤壁時所作。此賦寫

8 匏樽：酒器。匏，葫蘆的一種。
9 無盡藏：指無盡的寶藏。

秋夜與客泛舟游於赤壁之下，恍然有「遺世獨立，羽化而登仙」之感。接下來，作者對歷史英雄人物的功業發出感歎，興發起一種人生無常的惆悵。最後，作者回悲為喜，以暢飲入睡作結。此時作者因「烏臺詩案」貶謫於黃州，心情極為苦悶，故在文中略抒自己的不平之氣，但又能以達觀處之，反映了蘇軾曠達的心胸。文中將情與景、主觀與客觀、古與今、幻想與現實有機地結合在一起，渾然一體。

蘇軾

石鍾山記

《水經》云：「彭蠡之口有石鍾山焉。」酈元以為下臨深潭，微風鼓浪，水石相搏，聲如洪鐘。是說也，人常疑之。今以鍾磬置水中，雖大風浪不能鳴也，而況石乎！至唐李渤始訪其遺蹤，得雙石於潭上，扣而聆之，南聲函胡，北音清越，枹止響騰，餘韻徐歇[1]。自以為得之矣。然是說也，余尤疑之。石之鏗然有聲者，所在皆是也，而此獨以鍾名，何哉？

元豐七年六月丁丑，余自齊安舟行適臨汝，而長子邁將赴饒之德興尉，送之至湖口，因得觀所謂石鍾者。寺僧使小童持斧，於亂石間擇其一二扣之，硿硿[2]然。餘固笑而不信也。至其夜月明，獨與邁乘小舟至絕壁下。大石側立千尺，如猛獸奇鬼，森然欲搏人；而山上棲鶻，聞人聲亦驚起，磔磔[3]雲霄間；又有若老人欬[4]且笑於山谷中者，或曰：「此鸛鶴也。」余方心動欲還，而大聲發於水上，噌吰[5]如鐘鼓不絕。舟人大恐。徐而察之，則山下皆石穴罅[6]，不知其淺深，微波入焉，涵澹澎湃而為此也。舟回至兩山間，將入港口，有大

1 函胡：即含糊。枹：同「桴」，鼓槌。
2 硿硿：撞擊金石的聲音。
3 磔磔：鳥鳴聲。
4 欬：大聲咳嗽。
5 噌吰：形容鐘鼓之聲。
6 罅：裂縫，縫隙。

石當中流，可坐百人，空中而多竅，與風水相吞吐，有窾坎鏜鞳[7]之聲，與嚮之噌吰者相應，如樂作焉。因笑謂邁曰：「汝識之乎？噌吰者，周景王之無射[8]也；窾坎鏜鞳者，魏莊子之歌鍾也。古之人不餘欺也！」

事不目見耳聞而臆斷其有無，可乎？酈元之所見聞殆與余同，而言之不詳；士大夫終不肯以小舟夜泊絕壁之下，故莫能知；而漁工水師雖知而不能言，此世所以不傳也。而陋者乃以斧斤考擊而求之，自以為得其實。余是以記之，蓋歎酈元之簡，而笑李渤之陋也。

（選自吳楚材、吳調侯選注，安平秋點校《古文觀止》，中華書局 1987 年版）

編選說明

本篇作於元豐七年（1084），作者遊歷石鍾山並探討石鍾山名稱的來由。作者經親身考察，否定了酈道元及李渤所說，最終獲得石鍾山之名的真正來歷。經過這一件事，作者不由發出「事不目見耳聞而臆斷其有無，可乎」的感歎，揭示了實踐的重要性。對於該文，清代方苞評價說：「瀟灑自得，子瞻諸記中特出者。」

---

7 窾坎：擊物聲。鏜鞳：鐘鼓聲。
8 無射：因鐘聲合乎無射的音律，故用無射作鐘名。

蘇轍

黃州快哉亭記

江出西陵，始得平地，其流奔放肆大；南合沅、湘，北合漢沔，其勢益張；至於赤壁之下，波流浸灌，與海相若。清河張君夢得謫居齊安，即其廬之西南為亭，以覽觀江流之勝，而余兄子瞻名之曰「快哉」。

蓋亭之所見，南北百里，東西一舍。濤瀾洶湧，風雲開闔；晝則舟楫出沒於其前，夜則魚龍悲嘯於其下；變化倏忽，動心駭目，不可久視。今乃得玩之几席之上，舉目而足。西望武昌諸山，岡陵起伏，草木行列，煙消日出，漁夫樵父之舍，皆可指數，此其所以為「快哉」者也。至於長洲之濱，故城之墟，曹孟德、孫仲謀之所睥睨[1]，周瑜、陸遜之所騁騖[2]，其流風遺跡，亦足以稱快世俗。

昔楚襄王從宋玉、景差於蘭臺之宮，有風颯然至者，王披襟當之，曰：「快哉此風！寡人所與庶人共者耶？」宋玉曰：「此獨大王之雄風耳，庶人安得共之！」玉之言蓋有諷焉。夫風無雌雄之異，而人有遇不遇之變。楚王之所以為樂，與庶人之所以為憂，此則人之變也，而風何與焉？士生於世，使其中不自得，將何往而非病？使其中

1 睥睨：側目窺視。
2 騁騖：同「馳騖」，奔走，追逐。

坦然，不以物傷性[3]，將何適而非快？今張君不以謫為患，收會稽之餘[4]，而自放山水之間，此其中宜有以過人者。將蓬戶甕牖，無所不快，而況乎濯長江之清流，揖西山之白雲，窮耳目之勝以自適也哉！不然，連山絕壑，長林古木，振之以清風，照之以明月，此皆騷人思士之所以悲傷憔悴而不能勝者，烏睹[5]其為快也哉！

（選自吳楚材、吳調侯選注，安平秋點校《古文觀止》，中華書局1987年版）

編選說明 ●●●

蘇轍（1039—1112），字子由，自號潁濱遺老，眉州眉山（今四川眉山）人，「唐宋八大家」之一。著有《欒城集》《龍川志略》等。

本篇作於元豐六年（1083），時張夢得謫居黃州，建亭以覽江流之勝，蘇軾為之題為「快哉」，蘇轍為之作記。此文由快哉亭的建造與命名經過、緣由說起，緊扣「快哉」二字申發議論，強調人「自得」而無往不樂，其目的在於快慰謫居者。文章寫景議論相結合，筆力酣暢。

3　不以物傷性：不因為外物的影響而傷害自己的心性。
4　收會稽之餘：《欒城集》作「竊會計之餘功」，謂工作的閒暇。
5　烏睹：哪裏看得出。

文天祥

《指南錄》後序

德祐二年二月十九日，予除右丞相兼樞密使，都督諸路軍馬。時北兵已迫修門[1]外，戰、守、遷皆不及施。縉紳、大夫、士萃於左丞相府，莫知計所出。會使轍交馳[2]，北邀當國者相見。眾謂予一行為可以紓禍[3]。國事至此，予不得愛身；意北亦尚可以口舌動也。初，奉使往來，無留北者，予更欲一覘[4]北，歸而求救國之策。於是辭相印不拜，翌日，以資政殿學士行。

初至北營，抗辭慷慨，上下頗驚動，北亦未敢遽輕吾國。不幸呂師孟構惡於前，賈餘慶獻諂於後，予羈縻[5]不得還，國事遂不可收拾。予自度不得脫，則直前詬虜帥失信，數呂師孟叔侄為逆。但欲求死，不復顧利害。北雖貌敬，實則憤怒。二貴酋名曰「館伴[6]」，夜則以兵圍所寓舍，而予不得歸矣。未幾，賈餘慶等以祈請使詣北。北驅予並往，而不在使者之目。予分當引決，然而隱忍以行。昔人云：「將以有為也」。

1　修門：本指楚國郢都的城門，這裏借指南宋都城臨安的城門。
2　使轍交馳：指雙方使臣往來頻繁。
3　紓禍：解除禍患。
4　覘：看，偷偷地察看。
5　羈縻：指拘禁。羈，馬籠頭。縻，牛韁繩。
6　館伴：古指招待使者的小吏。

至京口，得間[7]奔真州，即具以北虛實告東西二閫[8]，約以連兵大舉。中興機會，庶幾在此。留二日，維揚帥下逐客之令。不得已，變姓名，詭蹤跡，草行露宿，日與北騎相出沒於長淮間。窮餓無聊，追購又急，天高地迥，號呼靡及。已而得舟，避渚洲，出北海，然後渡揚子江，入蘇州洋，輾轉四明、天台，以至於永嘉。

嗚呼！予之及於死者不知其幾矣！詆大酋當死；罵逆賊當死；與貴酋處二十日，爭曲直，屢當死；去京口，挾匕首以備不測，幾自剄死；經北艦十餘里，為巡船所物色，幾從魚腹死；真州逐之城門外，幾彷徨死；如揚州，過瓜洲揚子橋，竟使遇哨，無不死；揚州城下，進退不由，殆例送死；坐桂公塘土圍中，騎數千過其門，幾落賊手死；賈家莊幾為巡徼所陵迫死；夜趨高郵，迷失道，幾陷死；質明，避哨竹林中，邏者數十騎，幾無所逃死；至高郵，制府檄下，幾以補繫死；行城子河，出入亂屍中，舟與哨相後先，幾邂逅死；至海陵，如高沙，常恐無辜死；道海安、如皋，凡三百里，北與寇往來其間，無日而非可死；至通州，幾以不納死；以小舟涉鯨波出，無可奈何，而死固付之度外矣！嗚呼！死生，晝夜事也，死而死矣，而境界危惡，層見錯出，非人世所堪。痛定思痛，痛何如哉！

予在患難中，間以詩記所遭，今存其本，不忍廢，道中手自抄錄。使北營，留北關外，為一卷；發北關外，歷吳門、毗陵，渡瓜洲，復還京口，為一卷；脫京口，趨真州、揚州、高郵、泰州、通州，為一卷；自海道至永嘉來三山，為一卷。將藏之於家，使來者讀

7 間：空隙。
8 閫：指統兵在外的將軍。

之，悲予志焉。

嗚呼！予之生也幸，而幸生也何所為？求乎為臣，主辱，臣死有餘僇[9]；所求乎為子，以父母之遺體行殆[10]，而死有餘責。將請罪於君，君不許；請罪於母，母不許。請罪於先人之墓，生無以救國難，死猶為厲鬼以擊賊，義也。賴天之靈，宗廟之福，修我戈矛，從王於師，以為前驅，雪九廟之恥，復高祖之業，所謂誓不與賊俱生，所謂鞠躬盡力，死而後已，亦義也。嗟夫，若予者，將無往而不得死所矣！向也，使予委骨於草莽，予雖浩然無所愧怍，然微以自文於君親，君親其謂予何？誠不自意返吾衣冠，重見日月，使旦夕得正丘首，復何憾哉！復何憾哉！

是年夏五，改元景炎，廬陵文天祥自序其詩，名曰《指南錄》。

（選自鄧碧清譯注《文天祥詩文選譯》，巴蜀書社 1990 年版）

編選說明 ●●●

文天祥（1236—1283），初名雲孫，字天祥，改字履善，號文山，吉州廬陵（今江西吉安）人。南宋著名愛國名臣，組織義兵勤王抗元，終以身殉國。

本篇首先敘述了自己出使元營，後被羈留，以及在元營抗爭、輾轉逃回的經過，其中歷數了種種幾瀕於死的險境。全文在敘述個人遭

9 僇：同「戮」，羞辱，愧疚。
10 殆：危險。

遇的過程中，抒發了自己的家國之痛，表現了作者堅貞不屈、視死如歸的民族主義和愛國精神。文中，作者還喊出了「生無以救國難，死猶為厲鬼以擊賊」的心聲，表達了自己對侵略者的無比痛恨，以及對南宋王朝的忠誠。全文記載史事翔實，極具沉鬱頓挫之氣。

宋濂

送東陽馬生序

余幼時即嗜學。家貧無從致書以觀，每假借於藏書之家，手自筆錄，計日以還[1]。天大寒，硯冰堅，手指不可屈伸，弗之怠。錄畢，走送之，不敢稍逾約。以是人多以書假余，餘因得遍觀群書。既加冠，益慕聖賢之道，又患無碩師、名人與游，嘗趨百里外，從鄉之先達執經叩問。先達德隆望尊，門人弟子填其室，未嘗稍降辭色[2]。餘立侍左右，援疑質理，俯身傾耳以請；或遇其叱咄，色愈恭，禮愈至，不敢出一言以復。俟其忻[3]悅，則又請焉。故餘雖愚，卒獲有所聞。

當余之從師也，負篋曳屣，行深山巨谷中。窮冬烈風，大雪深數尺，足膚皸裂而不知。至舍，四支僵勁不能動，媵人[4]持湯沃灌，以衾擁覆，久而乃和。寓逆旅主人，日再食，無鮮肥滋味之享[5]。同舍生皆被綺繡，戴朱纓寶飾之帽，腰白玉之環，左佩刀，右備容臭[6]，燁然若神人。餘則縕袍敝衣[7]處其間，略無慕豔意，以中有足樂者，

1　計日以還：按照規定的時間歸還。

2　未嘗稍降辭色：指言辭態度非常嚴肅。

3　忻：同「欣」，高興。

4　媵人：姬妾、婢女。

5　這句話的意思是：寄居在客舍主人那裏，每天只吃兩頓飯，而且沒有魚肉之類的美味享受。逆旅，客舍。再，兩次。

6　容臭：香囊。臭，氣味，後特指臭味。

7　縕袍：以亂麻為絮的袍子。敝衣：破舊的衣服。

不知口體之奉不若人也。蓋餘之勤且艱若此。今雖耄老，未有所成，猶幸預君子之列，而承天子之寵光，綴公卿之後，日侍坐備顧問，四海亦謬稱其氏名，況才之過於餘者乎！

今諸生學於太學，縣官日有廩稍[8]之供，父母歲有裘葛之遺，無凍餒之患矣；坐大廈之下而誦詩書，無奔走之勞矣；有司業、博士為之師，未有問而不告、求而不得者也。凡所宜有之書，皆集於此，不必若餘之手錄、假諸人而後見也。其業有不精、德有不成者，非天質之卑，則心不若餘之專耳，豈他人之過哉！東陽馬生君則，在太學已二年，流輩甚稱其賢。余朝京師，生以鄉人子謁餘，撰長書以為贄，辭甚暢達；與之論辨，言和而色夷。自謂少時用心於學甚勞，是可謂善學者矣。其將歸見其親也，餘故道為學之難以告之。謂余勉鄉人以學者，余之志也；詆我誇際遇之盛而驕鄉人者，豈知餘者哉！

（選自熊禮匯等選注《新古文觀止叢書·明清散文集粹》，湖北人民出版社 1999 年版）

編選說明 ●●●

宋濂（1310—1381），字景濂，號潛溪，別號玄真子，浦江（今浙江義烏）人。被朱元璋譽為「開國文臣之首」，與高啟、劉基並稱為「明初詩文三大家」。著有《宋學士文集》。

本文以自己少年時代求學的艱辛經歷來現身說法，勸告他人珍惜

8　廩稍：官府供給的伙食。

時間努力學習。文章用簡潔生動的語言敘述了自己的求學經歷，注重細節描寫，如通過硯池結冰和手指凍僵等細節，將求學的艱苦氛圍渲染而出。同時，通過對比的手法，闡述了年輕後生沒有理由不好好學習的道理。作者以事說理，語氣親切誠懇，具有很強的說服力。

劉基

賣柑者言

杭有賣果者，善藏柑，涉寒暑不潰，出之燁然[1]，玉質而金色。剖其中，乾[2]若敗絮。予怪而問之曰：「若所市於人者，將以實籩豆[3]，奉祭祀，供賓客乎？將衒[4]外以惑愚瞽乎？甚矣哉為欺也！」

賣者笑曰：「吾業是有年矣。吾賴是以食[5]吾軀。吾售之，人取之，未聞有言，而獨不足子所乎？世之為欺者不寡矣，而獨我也乎？吾子未之思也。今夫佩虎符、坐皋比者，洸洸乎干城之具也，果能授孫、吳之略耶[6]？峨大冠、拖長紳者，昂昂乎廟堂之器也，果能建伊、皋之業耶[7]？盜起而不知御，民困而不知救，吏奸而不知禁，法斁而不知理，坐糜廩粟而不知恥[8]。觀其坐高堂，騎大馬，醉醇醴而飫肥鮮者[9]，孰不巍巍乎可畏、赫赫乎可象也？又何往而不金玉其外、敗絮其中也哉！今子是之不察，而以察吾柑！」

予默然無以應。退而思其言，類東方生滑稽之流。豈其忿世疾邪

---

1 燁然：光彩鮮明的樣子。
2 乾：同「幹」，沒有水分或水分少。
3 籩豆：古代祭祀和宴會用來盛物的器皿。
4 衒：同「炫」，炫耀。
5 食：供養。
6 虎符：虎形的兵符，古代以此徵調兵將。皋比：虎皮。洸洸：威武的樣子。干城之具：指捍衛國家的將才。
7 峨大冠：指戴著高高的官帽。紳：古代士大夫束在腰間的帶子。
8 法斁：法令敗壞。坐糜廩粟：坐著消耗國家倉庫裏的糧食。糜，同「靡」，浪費。
9 醇醴：美酒。飫：飽食。

者耶？而託於柑以諷耶？

（選自吳楚材、吳調侯選注，安平秋點校《古文觀止》，中華書局 1987 年版）

編選説明 ●●●

劉基（1311—1375），字伯溫，謚文成，青田（今浙江文成）人，封誠意伯。著有《誠意伯文集》。

文中虛構作者同賣柑者的一場爭辯：賣柑者以外觀極好而卻難以入口的柑橘賣給作者，作者指責其為欺騙；而賣柑者則以「世之為欺者不寡矣」來為自己辯護。並進而以柑喻人，將矛頭直指那些欺世盜名、外強中乾的當政者。文章精幹潑辣，比喻貼切，切中要害，極具批判鋒芒。清吳楚材、吳調侯在《古文觀止》中評曰：「青田此言，為世人盜名者發，而借賣柑影喻。滿腔憤世之心，而以痛哭流涕出之。」

江盈科

一個雞蛋的家當

見卵求夜[1]，莊周以為早計；及觀恒人[2]之情，更有早計於莊周者。一市人貧甚，朝不謀夕。偶一日拾得一雞卵，喜而告其妻曰：「我有家當矣。」妻問安在，持卵示之，曰：「此是。然須十年，家當乃就。」因與妻計曰：「我持此卵，借鄰人伏雞乳之。待彼雛成，就中取一雌者，歸而生卵，一月可得十五雞，兩年之內，雞又生雞，可得雞三百，堪易十金。我以十金易五牸[3]，牸復生牸，三年可得二十五牛。牸所生者，又復生牸，三年可得百五十牛，堪易三百金矣。吾持此金舉責[4]，三年間，半千金可得也。就中以三之二市田宅，以三之一市僮僕，買小妻，我乃與爾優遊以終餘年，不亦快乎！」妻聞欲買小妻，怫然[5]大怒，以手擊卵碎之，曰：「毋留禍種。」夫怒撻[6]其妻，仍質於官，曰：「立敗我家者，此惡婦也。請誅之。」官司問家何在？敗何狀？其人歷數自雞卵起，至小妻止。官司曰：「爾家當尚未說完。」其人曰：「完矣。」官曰：「爾小妻生子，

1 見卵求夜：出自《莊子．齊物論》：「女亦大早計，見卵而求時夜，見彈而求鴞炙。」意思是，看到雞蛋，就希求蛋化為雞，來司晨報曉。比喻言之過早。

2 恒人：常人，一般人。

3 牸：母牛。

4 舉責：借貸。責，同「債」。

5 怫然：憤怒的樣子。

6 撻：用鞭子或棍子打。

讀書登科，出仕取富貴，獨不入算耶？如許大家當，碎於惡婦一拳，真可誅。」命烹之。妻號曰：「夫所言皆未然事，奈何見烹？」官司曰：「你夫言買妾，亦未然事，奈何見妒？」婦曰：「固然，第除禍欲早耳。」官笑而釋之。

噫，茲人之計利，貪心也；其妻之毀卵，妒心也；總之，皆妄心也。知其為妄，泊然無嗜，頹然無起，則見在者，且屬諸幻，況未來乎！嘻，世之妄意早計，希圖非望者，獨一算雞卵之人乎！

（選自黃仁生輯校《江盈科集》下冊，嶽麓書社 1997 年版）

編選說明

本篇原題作「妄心」，此題為編者所加。江盈科（1555—1605），字進之，號淥蘿山人，桃源（今屬湖南）人。著有《江盈科集》《雪濤小說》等。

本文作者圍繞一個雞蛋所引起的「家當事件」闡發開來，批判了世人的貪妄之心。並指出「世之妄意早計，希圖非望者」，在我們周圍還大量存在，並不僅僅只是一個「算雞卵之人」。文章看似滑稽可笑，但在笑過之後卻能給人以深刻的反思。

文中的這一故事，在鄧拓《一個雞蛋的家當》（《燕山夜話》）中曾被作者所引用。並且，他在文中最後指出：歷來只有真正老實的勞動者，才懂得勞動產生財富的道理，才能夠摒除一切想入非非的發財夢想，而踏踏實實地用自己的辛勤勞動，為社會也為自己創造財富和積纍財富。鄧拓之文，使這一故事在新的時代煥發出了新的生命力。

袁枚

黃生借書說

黃生允修借書，隨園主人授以書而告之曰：「書非借不能讀也。子不聞藏書者乎？七略四庫，天子之書，然天子讀書者有幾？汗牛塞屋，富貴家之書，然富貴人讀書者有幾？其它祖父積、子孫棄者無論焉。非獨書為然，天下物皆然。非夫人之物，而強假焉，必慮人逼取，而惴惴焉摩玩之不已，曰今日存，明日去，吾不得而見之矣。若業為吾所有，必高束焉，庋藏焉[1]，曰姑俟異日觀云爾。」

餘幼好書，家貧難致。有張氏藏書甚富，往借不與，歸而形諸夢，其切如是。故有所覽，輒省記。通籍[2]後，俸去書來，落落大滿，素蟫[3]灰絲，時蒙卷軸。然後歎借者之用心專，而少時之歲月為可惜也。

今黃生貧類予，其借書亦類予，惟予之公書，與張氏之吝書，若不相類。然則予固不幸而遇張乎，生固幸而遇予乎。知幸與不幸，則其讀書也必專，而其歸書也必速，為一說，使與書俱。

（選自熊禮匯等選注《新古文觀止叢書・明清散文集粹》，湖北人民出版社 1999 年版）

---

1 業：已經。庋藏：收藏，放置保存。
2 通籍：指做官。
3 蟫：一種啃噬書籍的昆蟲。

編選說明 ●●●

袁枚（1716—1797），字子才，號簡齋，隨園老人，浙江錢塘（今浙江杭州）人，與趙翼、蔣士銓合稱為「乾隆三大家」，性靈派代表人物。著有《小倉山房集》《隨園詩話》等。

本篇圍繞「書非借不能讀」這一論點展開論述。首先作者認為，那些富有藏書的人往往不會認真去讀書，總以為書是自己的，可以「姑俟異日觀」。接下來，作者講述了自身的讀書經歷，年少無書時，通過借書往往能夠認真讀書，後來做官以後，書多了，反而書讀得少了。通過以上這些事實，作者深刻認識到「書非借不能讀」這一觀點。最後，作者以黃生與自己進行對比，「知幸與不幸」，勉勵借書之黃生能夠珍惜時光，專心讀書。本文以事見理，層次分明，委婉道來，頗感親切。

姚鼐

登泰山記

泰山之陽，汶水西流；其陰[1]，濟水東流；陽谷皆入汶，陰谷皆入濟；當其南北分者，古長城也。最高日觀峰，在長城南十五里。

餘以乾隆三十九年十二月，自京師乘風雪，歷齊河、長清，穿泰西北谷，越長城之限，至於泰安。是月丁未，與知府朱孝純子穎由南麓登。四十五里，道皆砌石為磴[2]，其級七千有餘。泰山正南面有三谷：中谷繞泰安城下，酈道元所謂環水也。餘始循以入，道少半，越中嶺，復循西谷，遂至其巔。古時登山，循東谷入，道有天門。東谷者，古謂之天門溪水，餘所不至也。今所經中嶺及山巔崖限當道者，世皆謂之天門雲。道中迷霧冰滑，磴幾不可登。及既上，蒼山負雪，明燭天南，望晚日照城廓，汶水、徂徠如畫，而半山居霧若帶然。

戊申晦，五鼓，與子穎坐日觀亭待日出。大風揚積雪擊面，亭東自足下皆云漫。稍見雲中白若樗蒲[3]數十立者，山也。極天雲一線異色，須臾成五彩。日上，正赤如丹，下有紅光，動搖承之。或曰：「此東海也。」回視日觀以西峰，或得日，或否，絳皓駁色[4]，而皆若僂。亭西有岱祠，又有碧霞元君祠。皇帝行宮在碧霞元君祠東。

1　陽：古時山的南面或水的北面稱陽。陰：古時山的北面或水的南面稱陰。
2　磴：石頭臺階。
3　樗蒲：一種賭具，像後來的骰子。
4　絳皓駁色：指紅白色相雜。

是日，觀道中石刻，自唐顯慶以來，其遠古刻盡漫失，僻不當道者皆不及往。山多石少土，石蒼黑色，多平方，少圜[5]。少雜樹，多松，生石罅，皆平頂。冰雪，無瀑水，無鳥獸音跡。至日觀數里內無樹，而雪與人膝齊。桐城姚鼐記。

（選自蔣凡主編《古代十大散文流派》第五卷，湖南文藝出版社 1997 年版）

編選說明 • ● ●

姚鼐（1732—1815），字姬傳，一字夢谷，世稱「惜抱先生」，安徽桐城（今安徽桐城）人。與方苞、劉大櫆並稱為「桐城三祖」，乃桐城派集大成者。著有《惜抱軒全集》。

本篇作於乾隆四十年（1775）。全文敘寫了泰山的地勢、登山的經過以及在觀日亭所見的日出景象。本文記敘精練準確，寫景頗具特色，採用了側面烘託的手法。例如，寫泰山的高峻，先用「其級七千有餘」暗暗點出，然後借山頂俯視所見「雲中白若樗蒲數十立者，山也」，從側面加以烘託。又如寫雪，除「冰雪」「雪與人膝齊」等正面描寫外，又以「絳皓駁色」等作側面烘託，給人以想像，生動有趣。作者論文標舉「義理、考證、辭章」並重，本文可以說很好地體現了他的這一主張。王先謙在《續古文辭類纂》中評價該文說：「字字精確，移置他山不得。」該文可與薛福成《登泰山記》參照閱讀。

---

5 圜：同「圓」。

龔自珍

病梅館記

江寧之龍蟠，蘇州之鄧尉，杭州之西谿，皆產梅。或曰：梅以曲為美，直則無姿；以欹[1]為美，正則無景；以疏為美，密則無態。固也。此文人畫士，心知其意，未可明詔大號，以繩[2]天下之梅也；又不可以使天下之民，斫直、刪密，鋤正，以夭梅、病梅為業以求錢也[3]。梅之欹、之疏、之曲，又非蠢蠢求錢之民，能以其智力為也。有以文人畫士孤癖之隱，明告鬻[4]梅者，斫其正，養其旁條，刪其密，夭其稚枝，鋤其直，遏其生氣，以求重價，而江、浙之梅皆病。文人畫士之禍之烈至此哉！

予購三百盆，皆病者，無一完者。既泣之三日，乃誓療之，縱之，順之，毀其盆，悉埋於地，解其棕縛；以五年為期，必復之全之。予本非文人畫士，甘受詬厲[5]。闢病梅之館以貯之。嗚呼！安得使予多暇日，又多閒田，以廣貯江寧、杭州、蘇州之病梅，窮予生之光陰以療梅也哉！

（選自熊禮匯等選注《新古文觀止叢書・明清散文集粹》，湖北人民

1　欹：傾斜。
2　繩：衡量之意。
3　斫：用刀、斧等砍劈。殀：同「夭」，使……夭折。
4　鬻：賣。
5　詬厲：辱罵，憎惡。

出版社 1999 年版）

編選說明 ●●●

龔自珍（1792—1841），一名鞏祚，字璱人，號定庵，浙江仁和（今浙江杭州）人。主張革除弊政，抵制外國侵略，曾全力支持林則徐禁除鴉片。著有《龔自珍全集》。

在文中，作者記述了由於當時文人畫士以病梅為審美取向，導致育梅者將健康之梅摧殘成病梅。作者對於這種摧殘本性的行為深感痛心，於是建病梅館作為治療病梅之所。作者以病梅為喻，揭示了當時社會千方百計壓抑、摧殘人才甚至毀滅人才的現象，表達了作者追求個性發展，力圖改革的迫切願望。全篇託物言志，極具衝擊力。

薛福成

巴黎觀油畫記

光緒十六年春閏二月甲子，余遊巴黎蠟人館，見所制蠟人，悉仿生人，形體態度髮膚顏色長短豐瘠，無不畢肖。自王公卿相以至工藝雜流，凡有名者，往往留像於館，或立或臥，或坐或俯，或笑或哭，或飲或博，驟視之，無不驚為生人者。餘亟[1]歎其技之奇妙。

譯者稱：「西人絕技，尤莫逾油畫，盍[2]馳往油畫院，一觀普法交戰圖乎？」其法為一大圜室，以巨幅懸之四壁，由屋頂放光明入室。人在室中，極目四望，則見城堡岡巒、溪澗樹林，森然布列。兩軍人馬雜沓[3]；馳者、伏者、奔者、追者、開槍者、燃炮者、搴[4]大旗者、挽炮車者，絡繹相屬。每一巨彈墮地，則火光迸裂，煙焰迷漫。其被轟擊者，則斷壁危樓，或黔其廬，或赭其垣[5]。而軍士之折臂斷足，血流殷地，偃仰僵僕者，令人目不忍睹。仰視天，則明月斜掛，雲霞掩映；俯視地，則綠草如茵，川原無際。幾自疑身外即戰場，而忘其在一室中者。迨以手捫之，始知其為壁也，畫也，皆幻也。

1 亟：屢屢，連連。
2 盍：何不。
3 雜沓：眾多雜亂的樣子。
4 搴：舉。
5 或黔其廬，或赭其垣：意為有的房屋被燒焦了，有的牆壁被燒成了紅色。

余聞法人好勝，何以自繪敗狀，令人喪氣若此？譯者曰：「所以昭炯戒[6]，激眾憤、圖報復也。」則其意深長矣。夫普法之戰，迄今雖為陳跡，而其事信而有徵。然則此畫果真邪？幻邪？幻者而同於真邪？真者而同於幻邪？斯二者蓋皆有之。

（選自蔣凡主編《古代十大散文流派》第五卷，湖南文藝出版社 1997 年版）

編選説明 •••

薛福成（1838—1894），字叔耘，號庸庵，江蘇無錫人。近代外交家，曾出任英、法、比、意四國大使，與張裕釗、黎庶昌、吳汝倫並稱為「曾門四弟子」。著有《庸庵全集》《出使日記》等。

本篇作於 1890 年 4 月 13 日，作者參觀巴黎蠟人館和油畫院後，寫下這篇觀後感。文章先寫蠟人館所制蠟人無不畢肖，令作者不得不歎服其技之奇妙。接下來文章重點寫參觀油畫院，觀看巨幅油畫《普法戰爭圖》，並詳細描繪了油畫中驚心動魄的戰爭場景。作者通過法國人自繪敗狀之事，借譯者之口，寄寓了作者「昭炯戒，激眾憤、圖報復」的思想。文章文筆生動，詳略得當，繪聲繪色，結尾更是令人深思。

6　炯戒：彰明昭著的警戒。

梁啟超

少年中國說（節選）

日本人之稱我中國也，一則曰老大帝國，再則曰老大帝國。是語也，蓋襲譯歐西人之言也。嗚呼！我中國其果老大矣乎？梁啟超曰：惡[1]是何言！是何言！吾心目中有一少年中國在。

欲言國之老少，請先言人之老少。老年人常思既往，少年人常思將來。惟思既往也，故生留戀心；惟思將來也，故生希望心。惟留戀也，故保守；惟希望也，故進取。惟保守也，故永舊；惟進取也，故日新。惟思既往也，事事皆其所已經者，故惟知照例；惟思將來也，事事皆其所未經者，故常敢破格。老年人常多憂慮，少年人常好行樂。惟多憂也，故灰心；惟行樂也，故盛氣。惟灰心也，故怯懦；惟盛氣也，故豪壯。惟怯懦也，故苟且；惟豪壯也，故冒險。惟苟且也，故能滅世界；惟冒險也，故能造世界。老年人常厭事，少年人常喜事。惟厭事也，故常覺一切事無可為者；惟好事也，故常覺一切事無不可為者。老年人如夕照，少年人如朝陽；老年人如瘠牛[2]，少年人如乳虎；老年人如僧，少年人如俠；老年人如字典，少年人如戲文；老年人如鴉片煙，少年人如潑蘭地酒[3]；老年人如別行星之隕

1 惡：歎詞，表示驚訝。
2 瘠牛：瘦弱的牛。
3 潑蘭地酒：即白蘭地酒。

石，少年人如大洋海之珊瑚島；老年人如埃及沙漠之金字塔，少年人如西伯利亞之鐵路；老年人如秋後之柳，少年人如春前之草；老年人如死海之瀦[4]為澤，少年人如長江之初發源。此老年人與少年人性格不同之大略也。梁啟超曰：人固有之，國亦宜然。

……

梁啟超曰：造成今日之老大中國者，則中國老朽之冤業也；制出將來之少年中國者，則中國少年之責任也。彼老朽者何足道，彼與此世界作別之日不遠矣，而我少年乃新來而與世界為緣。如僦[5]屋者然，彼明日將遷居他方，而我今日始入此室處。將遷居者，不愛護其窗櫳，不潔治其庭廡，俗人恒情，亦何足怪。若我少年者前程浩浩，後顧茫茫，中國而為牛、為馬、為奴、為隸，則烹臠鞭棰[6]之慘酷，惟我少年當之；中國如稱霸宇內，主盟地球，則指揮顧盼之尊榮，惟我少年享之。於彼氣息奄奄、與鬼為鄰者何與焉？彼而漠然置之，猶可言也；我而漠然置之，不可言也。使舉國之少年而果為少年也，則吾中國為未來之國，其進步未可量也；使舉國之少年而亦為老大也，則吾中國為過去之國，其澌亡[7]可翹足而待也。故今日之責任，不在他人，而全在我少年。少年智則國智，少年富則國富，少年強則國強，少年獨立則國獨立，少年自由則國自由，少年進步則國進步；少年勝於歐洲，則國勝於歐洲，少年雄於地球，則國雄於地球。紅日初升，其道大光；河出伏流，一瀉汪洋；潛龍騰淵，鱗爪飛揚；乳虎嘯

4　瀦：水積聚的地方。
5　僦：租賃。
6　烹臠鞭棰：古代的四種酷刑。
7　澌亡：滅絕消亡。

谷，百獸震惶；鷹隼試翼，風塵吸張；奇花初胎，矞矞皇皇[8]；干將發硎[9]，有作其芒；天戴其蒼，地履其黃；縱有千古，橫有八荒；前途似海，來日方長。美哉，我少年中國，與天不老！壯哉，我中國少年，與國無疆！

（節選自蔣凡主編《古代十大散文流派》第五卷，湖南文藝出版社 1997 年版）

編選說明 ●●●

梁啟超（1873—1929），字卓如，號任公，又號飲冰室主人，廣東新會人。曾宣導文體改良的「詩界革命」和「小說界革命」。著作合編為《飲冰室合集》。

本篇通過老年人與少年人的對比，指出「造成今日之老大中國者，則中國老朽之冤業也，制出將來之少年中國者，則中國少年之責任也」。作者對中國少年和未來中國充滿信心，希望少年能夠擔負起中國復興強盛的偉大歷史責任，以實際行動駁斥外國人的「老大帝國」之稱，樹立起新的少年中國形象。文章感情熾烈，充滿強烈的愛國情感，使用大量的排比句式，增強了文章的氣勢，使全篇讀來氣勢恢宏。

---

8 矞矞皇皇：形容色彩豔麗的樣子。
9 發硎：意謂刀刃剛磨好。硎，磨刀石。

擴展閱讀•••

1. 程俊英譯注：《詩經》，上海古籍出版社 2006 年版。
2. 夏延章、唐滿先、劉方元譯注：《四書今譯》，江西人民出版社 1986 年版。
3. 孫武著：《孫子兵法》，上海古籍出版社 2006 年版。
4. 劉向著：《戰國策》，中華書局 2006 年版。
5. 司馬遷著：《史記》，湖北辭書出版社 2010 年版。
6. 饒尚寬譯注：《老子》，中華書局 2006 年版。
7. 方勇譯注：《莊子》，中華書局 2010 年版。
8. 孟二東譯注：《陶淵明集譯注》，吉林文史出版社 1996 年版。
9. 沈海波譯注：《世說新語》，中華書局 2009 年版。
10. 陳延嘉、王同策、左振坤編著：《全上古三代秦漢三國六朝文》，河北教育出版社 1997 年版。
11. 梁滿倉譯注：《人物志》，中華書局 2009 年版。
12. 馬銀琴、周廣榮譯注：《搜神記》，中華書局 2009 年版。
13. 魯迅校錄：《古小說鈎沉》，齊魯書社 1997 年版。
14. 羅貫中著：《三國演義》，人民文學出版社 1973 年版。
15. 施耐庵著：《水滸傳》，人民文學出版社 1997 年版。
16. 吳承恩著：《西遊記》，人民文學出版社 2009 年版。
17. 馮夢龍、淩濛初著：《批評本三言二拍》，齊魯書社 1995 年版。
18. 蒲松齡著：《全本新注聊齋誌異》，朱其鎧主編，人民文學出版社 1989 年版。

19. 吳敬梓著，張慧劍校注：《儒林外史》，人民文學出版社 1958 年版。

20. 曹雪芹著，高鶚續：《紅樓夢》，人民文學出版社 2008 年版。

21. 吳楚材、吳調侯選注：《古文觀止》，中華書局 1987 年版。

22. 吳趼人著：《二十年目睹之怪現狀》，人民文學出版社 1959 年版。

23. 李寶嘉著：《官場現形記》，人民文學出版社 1957 年版。

24. 劉鶚著：《老殘遊記》，人民文學出版社 2006 年版。

25. 曾樸著：《孽海花》，人民文學出版社 2006 年版。

26. 袁枚著：《隨園詩話》，人民文學出版社 2006 年版。

27. 王實甫著：《西廂記》，齊魯出版社 2004 年版。

28. 湯顯祖著：《牡丹亭》，人民文學出版社 2005 年版。

29. 孔尚任著：《桃花扇》，人民文學出版社 2005 年版。

30. 洪昇著：《長生殿》，人民文學出版社 2005 年版。

二 ●●● 中國現代文學

魯迅

藤野先生

東京也無非是這樣。上野的櫻花爛熳的時節，望去確也像緋紅的輕雲，但花下也缺不了成群結隊的「清國留學生」的速成班，頭頂上盤著大辮子，頂得學生制帽的頂上高高聳起，形成一座富士山。也有解散辮子，盤得平的，除下帽來，油光可鑒，宛如小姑娘的髮髻一般，還要將脖子扭幾扭。實在標緻極了。

中國留學生會館的門房裏有幾本書買，有時還值得去一轉；倘在上午，裏面的幾間洋房裏倒也還可以坐坐的。但到傍晚，有一間的地板便常不免要咚咚咚地響得震天，兼以滿房煙塵鬥亂；問問精通時事的人，答道：「那是在學跳舞。」

到別的地方去看看，如何呢？

我就往仙臺的醫學專門學校去。從東京出發，不久便到一處驛站，寫道：日暮裏。不知怎地，我到現在還記得這名目。其次卻只記得水戶了，這是明的遺民朱舜水先生客死的地方。

仙臺是一個市鎮，並不大；冬天冷得厲害；還沒有中國的學生。

大概是物以稀為貴罷。北京的白菜運往浙江，便用紅頭繩係住菜根，倒掛在水果店頭，尊為「膠菜」；福建野生著的蘆薈，一到北京就請進溫室，且美其名曰「龍舌蘭」。我到仙臺也頗受了這樣的優待，不但學校不收學費，幾個職員還為我的食宿操心。我先是住在監獄旁邊一個客店裏的，初冬已經頗冷，蚊子卻還多，後來用被蓋了全身，用衣服包了頭臉，只留兩個鼻孔出氣。在這呼吸不息的地方，蚊子竟無從插嘴，居然睡安穩了。飯食也不壞。但一位先生卻以為這客店也包辦囚人的飯食，我住在那裏不相宜，幾次三番，幾次三番地說。我雖然覺得客店兼辦囚人的飯食和我不相干，然而好意難卻，也只得別尋相宜的住處了。於是搬到別一家，離監獄也很遠，可惜每天總要喝難以下嚥的芋梗湯。

從此就看見許多陌生的先生，聽到許多新鮮的講義。解剖學是兩個教授分任的。最初是骨學。其時進來的是一個黑瘦的先生，八字須，戴著眼鏡，挾著一迭大大小小的書。一將書放在講臺上，便用了緩慢而很有頓挫的聲調，嚮學生介紹自己道——

「我就是叫做藤野嚴九郎的……」

後面有幾個人笑起來了。他接著便講述解剖學在日本發達的歷史，那些大大小小的書，便是從最初到現今關於這一門學問的著作。起初有幾本是線裝的；還有翻刻中國譯本的，他們的翻譯和研究新的醫學，並不比中國早。

那坐在後面發笑的是上學年不及格的留級學生，在校已經一年，掌故頗為熟悉的了。他們便給新生講演每個教授的歷史。這藤野先生，據說是穿衣服太模胡了，有時竟會忘記帶領結；冬天是一件舊外套，寒顫顫的，有一回上火車去，致使管車的疑心他是扒手，叫車裏的客人大家小心些。

他們的話大概是真的，我就親見他有一次上講堂沒有帶領結。

過了一星期，大約是星期六，他使助手來叫我了。到得研究室，見他坐在人骨和許多單獨的頭骨中間，——他其時正在研究著頭骨，後來有一篇論文在本校的雜誌上發表出來。

「我的講義，你能抄下來麼？」他問。

「可以抄一點。」

「拿來我看！」

我交出所抄的講義去，他收下了，第二三天便還我，並且說，此後每一星期要送給他看一回。我拿下來打開看時，很吃了一驚，同時也感到一種不安和感激。原來我的講義已經從頭到末，都用紅筆添改過了，不但增加了許多脫漏的地方，連文法的錯誤，也都一一訂正。這樣一直繼續到教完了他所擔任的功課：骨學、血管學、神經學。

可惜我那時太不用功，有時也很任性。還記得有一回藤野先生將我叫到他的研究室裏去，翻出我那講義上的一個圖來，是下臂的血管，指著，向我和藹地說道：

「你看，你將這條血管移了一點位置了。——自然，這樣一移，的確比較的好看些，然而解剖圖不是美術，實物是那麼樣的，我們沒法改換它。現在我給你改好了，以後你要全照著黑板上那樣的畫。」

但是我還不服氣，口頭答應著，心裏卻想道：

「圖還是我畫的不錯；至於實在的情形，我心裏自然記得的。」

學年試驗完畢之後，我便到東京玩了一夏天，秋初再迴學校，成績早已發表了，同學一百餘人之中，我在中間，不過是沒有落第。這回藤野先生所擔任的功課，是解剖實習和局部解剖學。

解剖實習了大概一星期，他又叫我去了，很高興地，仍用了極有抑揚的聲調對我說道：

「我因為聽說中國人是很敬重鬼的，所以很擔心，怕你不肯解剖屍體。現在總算放心了，沒有這回事。」

但他也偶有使我很為難的時候。他聽說中國的女人是裹腳的，但不知道詳細，所以要問我怎麼裹法，足骨變成怎樣的畸形，還歎息道：「總要看一看才知道。究竟是怎麼一回事呢？」

有一天，本級的學生會幹事到我寓裏來了，要借我的講義看。我檢出來交給他們，卻只翻檢了一通，並沒有帶走。但他們一走，郵差就送到一封很厚的信，拆開看時，第一句是：

「你改悔罷！」

這是《新約》上的句子罷，但經托爾斯泰新近引用過的。其時正值日俄戰爭，托老先生便寫了一封給俄國和日本的皇帝的信，開首便是這一句。日本報紙上很斥責他的不遜，愛國青年也憤然，然而暗地裏卻早受了他的影響了。其次的話，大略是說上年解剖學試驗的題目，是藤野先生講義上做了記號，我預先知道的，所以能有這樣的成績。末尾是匿名。

我這才回憶到前幾天的一件事。因為要開同級會，幹事便在黑板上寫廣告，末一句是「請全數到會勿漏為要」，而且在「漏」字旁邊加了一個圈。我當時雖然覺到圈得可笑，但是毫不介意，這回才悟出那字也在譏刺我了，猶言我得了教員漏泄出來的題目。

我便將這事告知了藤野先生；有幾個和我熟識的同學也很不平，一同去詰責幹事託辭檢查的無禮，並且要求他們將檢查的結果，發表出來。終於這流言消滅了，幹事卻又竭力運動，要收回那一封匿名信去。結末是我便將這托爾斯泰式的信退還了他們。

中國是弱國，所以中國人當然是低能兒，分數在六十分以上，便不是自己的能力了：也無怪他們疑惑。但我接著便有參觀槍斃中國人的命運了。第二年添教黴菌學，細菌的形狀是全用電影來顯示的，一段落已完而還沒有到下課的時候，便影幾片時事的片子，自然都是日本戰勝俄國的情形。但偏有中國人夾在裏邊：給俄國人做偵探，被日本軍捕獲，要槍斃了，圍著看的也是一群中國人；在講堂裏的還有一個我。

「萬歲！」他們都拍掌歡呼起來。

這種歡呼，是每看一片都有的，但在我，這一聲卻特別聽得刺耳。此後回到中國來，我看見那些閒看槍斃犯人的人們，他們也何嘗不酒醉似的喝彩，——嗚呼，無法可想！但在那時那地，我的意見卻變化了。

到第二學年的終結，我便去尋藤野先生，告訴他我將不學醫學，並且離開這仙臺。他的臉色彷彿有些悲哀，似乎想說話，但竟沒有說。

「我想去學生物學，先生教給我的學問，也還有用的。」其實我並沒有決意要學生物學，因為看得他有些淒然，便說了一個慰安他的謊話。

「為醫學而教的解剖學之類，怕於生物學也沒有什麼大說明。」他歎息說。

將走的前幾天，他叫我到他家裏去，交給我一張照相，後面寫著兩個字道「惜別」，還說希望將我的也送他。但我這時適值沒有照相了；他便叮囑我將來照了寄給他，並且時時通信告訴他此後的狀況。

我離開仙臺之後，就多年沒有照過相，又因為狀況也無聊，說起來無非使他失望，便連信也怕敢寫了。經過的年月一多，話更無從說起，所以雖然有時想寫信，卻又難以下筆，這樣的一直到現在，竟沒有寄過一封信和一張照片。從他那一面看起來，是一去之後，杳無消息了。

但不知怎地，我總還時時記起他，在我所認為我師的之中，他是最使我感激，給我鼓勵的一個。有時我常常想：他的對於我的熱心的希望，不倦的教誨，小而言之，是為中國，就是希望中國有新的醫學；大而言之，是為學術，就是希望新的醫學傳到中國去。他的性格，在我的眼裏和心裏是偉大的，雖然他的姓名並不為許多人所知道。

他所改正的講義，我曾經訂成三厚本，收藏著的，將作為永久的紀念。不幸七年前遷居的時候，中途毀壞了一口書箱，失去半箱書，恰巧這講義也遺失在內了。責成運送局去找尋，寂無回信。只有他的照相至今還掛在我北京寓居的東牆上，書桌對面。每當夜間疲倦，正想偷懶時，仰面在燈光中瞥見他黑瘦的面貌，似乎正要說出抑揚頓挫的話來，便使我忽又良心發現，而且增加勇氣了，於是點上一支煙，再繼續寫些為「正人君子」之流所深惡痛疾的文字。

（選自魯迅著《朝花夕拾》，人民文學出版社 1979 年 12 月版）

編選說明 ●●●

魯迅（1881—1936），原名周樹人，字豫才，浙江紹興人。中國現代文學的奠基人。主要代表作有：小說集《吶喊》《彷徨》《故事新編》，散文詩集《野草》，散文集《朝花夕拾》，雜文集《墳》等。《藤野先生》是一篇回憶散文，記錄了作者從東京到仙臺學醫的幾個生活片段，以藤野先生為中心，通過直接描寫和間接表現、正面記敘與反面襯托，深情地讚頌了藤野先生正直熱誠、治學嚴謹、沒有狹隘的民族偏見的高尚品質，同時也追述了自己棄醫從文的思想變化歷程，流露出強烈的愛國主義感情。本文通過選取「我」與先生交往的四件小事來表現先生的人格魅力，語言樸實無華，卻感人至深。

魯迅

秋夜

在我的後園，可以看見牆外有兩株樹，一株是棗樹，還有一株也是棗樹。

這上面的夜的天空，奇怪而高，我生平沒有見過這樣的奇怪而高的天空，他彷彿要離開人間而去，使人們仰面不再看見。然而現在卻非常之藍，閃閃地目夾著幾十個星星的眼，冷眼。他的口角上現出微笑，似乎自以為大有深意，而將繁霜灑在我的園裏的野花草上。

我還不知道那些花草真叫什麼名字，人們叫他們什麼名字。我記得有一種開過極細小的粉紅花，現在還在開著，但是更極細小了，她在冷的夜氣中，瑟縮地做夢，夢見春的到來，夢見秋的到來，夢見瘦的詩人將眼淚擦在她最末的花瓣上，告訴她秋雖然來，冬雖然來，而此後接著還是春，蝴蝶亂飛，蜜蜂都唱起春詞來了。她於是一笑，雖然顏色凍得紅慘慘地，仍然瑟縮著。

棗樹，他們簡直落盡了葉子。先前，還有一兩個孩子來打別人打剩的棗子，現在是一個也不剩了，連葉子也落盡了。他知道小粉紅花的夢，秋後要有春。他也知道落葉的夢，春後面還是秋。他簡直落盡葉子，單剩幹子，然而脫了當初滿樹是果實和葉子時候的弧形，欠伸得倒很舒服。但是，有幾枝還低亞著，護定他從打棗的竿梢所得的皮傷，而最直最長的幾枝，卻已默默地鐵似地直刺著奇怪而高的天空，使天空閃閃地鬼眨眼；直刺著天空中圓滿的月亮，使月亮窘得發白。

鬼眨眼的天空越加非常之藍，不安了，彷彿想離去人間，避開棗樹，只將月亮剩下。然而月亮也暗暗地躲到東邊去了。而一無所有的幹子，卻仍然默默地鐵似地直刺著奇怪而高的天空，一意要制他的死命，不管他各式各樣地夾著許多蠱惑的眼睛。

哇的一聲，夜遊的惡鳥飛過了。

我忽而聽到夜半笑聲，吃吃地，似乎不願意驚動睡著的人，然而四周的空氣都應和著笑。夜半，沒有別的人，我即刻聽出這聲音就在我嘴裏，我也即刻被這笑聲所驅逐，回進自己的房。燈火的帶子也即刻被我旋高了。

後窗的玻璃上丁丁地響，還有許多小飛蟲亂撞。不多久，幾個進來了，許是從窗紙的破孔進來的。他們一進來，又在玻璃的燈罩上撞得丁丁地響。一個從上面撞進去了，他於是遇到火，而且我以為這火是真的。兩三個卻休息在燈的紙罩上喘氣。那罩是昨晚新換的罩，雪白的紙，折出波浪紋的疊痕，一角還畫出一枝猩紅色的梔子。

猩紅的梔子開花時，棗樹又要做小粉紅花的夢，青蔥地彎成弧形了……我又聽到夜半的笑聲；我趕緊砍斷我的心緒，看那老在白紙罩上的小青蟲，頭大尾小，向日葵似的，只有半粒小麥那麼大，遍身的顏色蒼翠得可愛，可憐。

我打一個呵欠，點起一支紙煙，噴出煙來，對著燈默默地敬奠這些蒼翠精緻的英雄們。

（選自高永年編著《二十世紀中國現當代文學作品選·散文卷》，江蘇教育出版社 2003 年 2 月版）

編選說明

《秋夜》是魯迅散文詩集《野草》的第一篇。《野草》寫於「五四」退潮後的苦悶彷徨期，表現了作者苦悶中求索、失望中抗爭、孤獨中前行的韌性鬥爭精神。《秋夜》描繪了一幅嚴霜肅殺的深秋圖景，以此象徵當時的社會現實。棗樹是一個頑強抗拒黑暗、不克厥敵戰鬥不止的清醒、冷靜、有韌性的戰鬥者形象，也是魯迅人格精神和戰鬥豪情的詩意寫照。小粉紅花靠「做著春天的夢」來生存，象徵那些既想反抗又缺乏勇氣，既嚮往未來又感到前途渺茫的一類人。小青蟲則是為追求光明而英勇獻身的烈士象徵。與棗樹相比，它們不夠成熟，對於它們的犧牲，作者表示了敬意。本文運用寫實與象徵相結合的手法，融情入景，創造了一個冷峻幽深的藝術境界。

周作人

烏篷船

子榮君：

接到手書，知道你要到我的故鄉去，叫我給你一點什麼指導。老實說，我的故鄉，真正覺得可懷戀的地方，並不是那裏；但是因為在那裏生長，住過十多年，究竟知道一點情形，所以寫這一封信告訴你。

我所要告訴你的，並不是那裏的風土人情，那是寫不盡的，但是你到那裏一看也就會明白的，不必囉唆地多講。我要說的是一種很有趣的東西，這便是船。你在家鄉平常總坐人力車、電車，或是汽車，但在我的故鄉那裏這些都沒有，除了在城內或山上是用轎子以外，普通代步都是用船。船有兩種，普通坐的都是「烏篷船」，白篷的大抵作航船用，坐夜航船到西陵去也有特別的風趣，但是你總不便坐，所以我就可以不說了。烏篷船大的為「四明瓦」（Symenngoa），小的為腳划船（劃讀 uoa）亦稱小船。但是最適用的還是在這中間的「三道」，亦即三明瓦。篷是半圓形的，用竹片編成，中夾竹箬，上塗黑油，在兩扇「定篷」之間放著一扇遮陽，也是半圓的，木作格子，嵌著一片片的小魚鱗，徑約一寸，頗有點透明，略似玻璃而堅韌耐用，這就稱為明瓦。三明瓦者，謂其中艙有兩道，後艙有一道明瓦也。船尾用櫓，大抵兩支，船首有竹篙，用以定船。船頭著眉目，狀如老虎，但似在微笑，頗滑稽而不可怕，唯白篷船則無之。三道船篷之高大約可以使你直立，艙寬可以放下一頂方桌，四個人坐著打馬將，——這個恐怕你也已學會了罷？小船則真是一葉扁舟，你坐在船底席上，篷頂離你的頭有兩三寸，你的兩手可以擱在左右的舷上，還把手都露出在外邊。在這種船裏彷彿是在水面上坐，靠近田岸去時泥土便和你的眼鼻接近，而且遇著風浪，或是坐得少不小心，就會船底朝天，發生危險，但是也頗有趣味，是水鄉的一種特色。不過你總可以不必去坐，最好還是坐那三道船罷。

你如坐船出去，可是不能像坐電車的那樣性急，立刻盼望走到。倘若出城，走三四十里路（我們那裏的里程是很短，一里才及英哩三分之一），來回總要預備一天。你坐在船上，應該是遊山的態度，看看四周物色，隨處可見的山，岸旁的烏桕，河邊的紅蓼和白、漁舍，各式各樣的橋，困倦的時候睡在艙中拿出隨筆來看，或者沖一碗清茶喝喝。偏門外的鑒湖一帶，賀家池，壺筋左近，我都是喜歡的，或者往婁公埠騎驢去游蘭亭（但我勸你還是步行，騎驢或者於你不很相宜），到得暮色蒼然的時候進城上都掛著薜荔的東門來，倒是頗有趣味的事。倘若路上不平靜，你往杭州去時可於下午開船，黃昏時候的景色正最好看，只可惜這一帶地方的名字我都忘記了。夜間睡在艙中，聽水聲櫓聲，來往船隻的招呼聲，以及鄉間的犬吠雞鳴，也都很有意思。雇一隻船到鄉下去看廟戲，可以瞭解中國舊戲的真趣味，而且在船上行動自如，要看就看，要睡就睡，要喝酒就喝酒，我覺得也可以算是理想的行樂法。只可惜講維新以來這些演劇與迎會都已禁止，中產階級的低能人別在「布業會館」等處建起「海式」的戲場來，請大家買票看上海的貓兒戲。這些地方你千萬不要去。——你到我那故鄉，恐怕沒有一個人認得，我又因為在教書不能陪你去玩，坐夜船，談閒天，實在抱歉而且惆悵。川島君夫婦現在偁山下，本來可以給你紹介，但是你到那裏的時候他們恐怕已經離開故鄉了。初寒，善自珍重，不盡。

十五年十一月十八日夜，於北京。

〔選自錢穀融編著《中國現當代文學作品選》（上下卷），華東師範大學出版社 2008 年 6 月版〕

編選説明

周作人（1885—1967），浙江紹興人，魯迅胞弟，散文集主要有《自己的園地》《雨天的書》等。《烏篷船》是周作人小品文的代表作之一。它以書信體的形式，在親切隨意的話語中娓娓道出自己家鄉的一種很有趣的東西——烏篷船。不但説明「烏篷」與「白篷」的區別，烏篷船中大船和小船的不同，而且連它的形狀、材料、結構、用途等都作了具體描述。如數家珍的介紹中流露出對家鄉的深情，表達了一種隱逸閒適的人生態度。周作人是五四時期「美文」理論的宣導者和實踐者。他的作品平和沖淡，舒卷自如，樸素雋永，對五四以來的散文創作產生了重要影響。

郁達夫

故都的秋

秋天，無論在什麼地方的秋天，總是好的；可是啊，北國的秋，卻特別地來得清，來得靜，來得悲涼。我的不遠千里，要從杭州趕上青島，更要從青島趕上北平來的理由，也不過想飽嘗一嘗這「秋」，這故都的秋味。

江南，秋當然也是有的，但草木凋得慢，空氣來得潤，天的顏色顯得淡，並且又時常多雨而少風；一個人夾在蘇州上海杭州，或廈門香港廣州的市民中間，混混沌沌地過去，只能感到一點點清涼，秋的味，秋的色，秋的意境與姿態，總看不飽，嘗不透，賞玩不到十足。秋並不是名花，也並不是美酒，那一種半開、半醉的狀態，在領略秋的過程上，是不合適的。

不逢北國之秋，已將近十餘年了。在南方每年到了秋天，總要想起陶然亭的蘆花，釣魚臺的柳影，西山的蟲唱，玉泉的夜月，潭柘寺的鐘聲。在北平即使不出門去吧，就是在皇城人海之中，租人家一椽破屋來住著，早晨起來，泡一碗濃茶，向院子一坐，你也能看得到很高很高的碧綠的天色，聽得到青天下馴鴿的飛聲。從槐樹葉底，朝東細數著一絲一絲漏下來的日光，或在破壁腰中，靜對著像喇叭似的牽牛花（朝榮）的藍朵，自然而然地也能夠感覺到十分的秋意。說到了牽牛花，我以為以藍色或白色者為佳，紫黑色次之，淡紅色最下。最好，還要在牽牛花底，教長著幾根疏疏落落的尖細且長的秋草，使作陪襯。

北國的槐樹，也是一種能使人聯想起秋來的點綴。像花而又不是花的那一種落蕊，早晨起來，會鋪得滿地。腳踏上去，聲音也沒有，氣味也沒有，只能感出一點點極微細極柔軟的觸覺。掃街的在樹影下一陣掃後，灰土上留下來的一條條掃帚的絲紋，看起來既覺得細膩，又覺得清閒，潛意識下並且還覺得有點兒落寞，古人所說的梧桐一葉而天下知秋的遙想，大約也就在這些深沉的地方。

秋蟬的衰弱的殘聲，更是北國的特產，因為北平處處全長著樹，屋子又低，所以無論在什麼地方，都聽得見它們的啼唱。在南方是非要上郊外或山上去才聽得到的。這嘶叫的秋蟬，在北方可和蟋蟀、耗子一樣，簡直像是家家戶戶都養在家裏的家蟲。

還有秋雨哩。北方的秋雨，也似乎比南方的下得奇，下得有味，下得更像樣。

在灰沉沉的天底下，忽而來一陣涼風，便息列索落地下起雨來了。一層雨過，雲漸漸地卷向了西去，天又晴了，太陽又露出臉來了，著著很厚的青布單衣或夾襖的都市閒人，咬著煙管，在雨後的斜橋影裏，上橋頭樹底下去一立，遇見熟人，便會用了緩慢悠閒的聲調，微歎著互答著地說：

「唉，天可真涼了……」（這了字念得很高，拖得很長。）

「可不是嗎？一層秋雨一層涼了！」

北方人念陣字，總老像是層字，平平仄仄起來，這念錯的歧韻，倒來得正好。

北方的果樹，到秋天，也是一種奇景。第一是棗子樹，屋角，牆頭，茅房邊上，灶房門口，它都會一株株地長大起來。像橄欖又像鴿蛋似的這棗子顆兒，在小橢圓形的細葉中間，顯出淡綠微黃的顏色的時候，正是秋的全盛時期，等棗樹葉落，棗子紅完，西北風就要起來了，北方便是沙塵灰土的世界，只有這棗子、柿子、葡萄，成熟到八九分的七八月之交，是北國的清秋的佳日，是一年之中最好也沒有的 Golden Days。

有些批評家說，中國的文人學士，尤其是詩人，都帶著很濃厚的頹廢的色彩，所以中國的詩文裏，讚頌秋的文字特別的多。但外國的詩人，又何嘗不然？我雖則外國詩文念的不多，也不想開出賬來，做一篇秋的詩歌散文鈔，但你若去一翻英德法意等詩人的集子，或各國的詩文的 Anthology 來，總能夠看到許多關於秋的歌頌和悲啼。各著名的大詩人的長篇田園詩或四季詩裏，也總以關於秋的部分，寫得最出色而最有味。足見有感覺的動物，有情趣的人類，對於秋，總是一樣地特別能引起深沉、幽遠、嚴厲、蕭索的感觸來的。不單是詩人，就是被關閉在牢獄裏的囚犯，到了秋天，我想也一定能感到一種不能自已的深情。秋之於人，何嘗有國別，更何嘗有人種階級的區別呢？不過在中國，文字裏有一個「秋士」的成語，讀本裏又有著很普遍的歐陽子的《秋聲》與蘇東坡的《赤壁賦》等，就覺得中國的文人，與秋的關係特別深了。可是這秋的深味，尤其是中國的秋的深味，非要在北方，才感受得到底。

南國之秋，當然也是有它的特異的地方的，比如廿四橋的明月，錢塘江的秋潮，普陀山的涼霧，荔枝灣的殘荷等等，可是色彩不濃，回味不永。比起北國的秋來，正像是黃酒之與白乾，稀飯之與饃饃，鱸魚之與大蟹，黃犬之與駱駝。

秋天，這北國的秋天，若留得住的話，我願把壽命的三分之二折去，換得一個三分之一的零頭。

一九三四年八月，在北平

（選自高永年編著《二十世紀中國現當代文學作品選·散文卷》，江蘇教育出版社 2003 年 2 月版）

編選說明 ●●●

郁達夫（1896—1945），原名郁文，浙江富陽人。提倡「自敘傳」的小說觀念，在新文學運動中影響甚大，是中國現代抒情小說的開創者，《沉淪》是其成名作同時也是其代表作。《故都的秋》典型地體現了郁達夫散文的獨特個性和美學價值。文章開頭和結尾都以北國之秋和江南之秋作對比，表達對北國之秋的嚮往之情。中間部分按照「清」「靜」「悲涼」三個層次逐一展開，描繪了北國秋的「色」「味」「意境」和「姿態」，表達了對故都的眷戀之情和對美的追求，流露出沉靜、落寞的心境。作品情景交相融會，語言清新典雅，具有詩一樣的韻律美。

徐志摩

翡冷翠山居閒話

在這裏出門散步去，上山或是下山，在一個晴好的五月的向晚，正像是去赴一個美的宴會，比如去一果子園，那邊每株樹上都是滿掛著詩情最秀逸的果實，假如你單是站著看還不滿意時，只要你一伸手就可以採取，可以恣嘗鮮味，足夠你性靈的迷醉。陽光正好暖和，決不過暖；風息是溫馴的，而且往往因為他是從繁花的山林裏吹度過來，他帶來一股幽遠的淡香，連著一息滋潤的水氣，摩挲著你的顏面，輕繞著你的肩腰，就這單純的呼吸已是無窮的愉快；空氣總是明淨的，近谷內不生煙，遠山上不起靄，那美秀風景的全部正像畫片似的展露在你的眼前供你閒暇的鑒賞。

作客山中的妙處，尤在你永不須躊躇你的服色與體態；你不妨搖曳著一頭的蓬草，不妨縱容你滿腮的苔蘚；你愛穿什麼就穿什麼；扮一個牧童，扮一個漁翁，裝一個農夫，裝一個走江湖的桀卜閃，裝一個獵戶；你再不必提心整理你的領結，你盡可以不用領結，給你的頸根與胸膛一半日的自由，你可以拿一條這邊豔色的長巾包在你的頭上，學一個太平軍的頭目，或是拜倫那埃及裝的姿態；但最要緊的是穿上你最舊的舊鞋，別管他模樣不佳，他們是頂可愛的好友，他們承著你的體重卻不叫你記起你還有一雙腳在你的底下。

這樣的玩頂好是不要約伴，我竟想嚴格的取締，只許你獨身；因為有了伴多少總得叫你分心，尤其是年輕的女伴，那是最危險最專制不過的旅伴，你應得躲避她像你躲避青草裏一條美麗的花蛇！平常我們從自己家裏走到朋友的家裏，或是我們執事的地方，那無非是在同一個大牢裏從一間獄室移到另一間獄室去，拘束永遠跟著我們，自由永遠尋不到我們；但在這春夏間美秀的山中或鄉間你要是有機會獨身閒逛時，那才是你福星高照的時候，那才是你實際領受，親口嘗味，自由與自在的時候，那才是你肉體與靈魂行動一致的時候；朋友們，我們多長一歲年紀往往只是加重我們頭上的枷，加緊我們腳脛上的鏈，我們見小孩子在草裏在沙堆裏在淺水裏打滾作樂，或是看見小貓追他自己的尾巴，何嘗沒有羨慕的時候，但我們的枷，我們的鏈永遠是制定我們行動的上司！所以只有你單身奔赴大自然的懷抱時，像一個裸體的小孩撲入他母親的懷抱時，你才知道靈魂的愉快是怎樣的，單是活著的快樂是怎樣的，單就呼吸單就走道單就張眼看聳耳聽的幸福是怎樣的。因此你得嚴格的為己，極端的自私，只許你，體魄與性靈，與自然同在一個脈搏裏跳動，同在一個音波裏起伏，同在一個神奇的宇宙裏自得。我們渾樸的天真是像含羞草似的嬌柔，一經同伴的牴觸，他就卷了起來，但在澄靜的日光下，和風中，他的恣態是自然的，他的生活是無阻礙的。

你一個人漫遊的時候，你就會在青草裏坐地仰臥，甚至有時打滾，因為草的和暖的顏色自然的喚起你童稚的活潑；在靜僻的道上你就會不自主的狂舞，看著你自己的身影幻出種種詭異的變相，因為道旁樹木的陰影在他們紆徐的婆娑裏暗示你舞蹈的快樂；你也會得信口的歌唱，偶而記起斷片的音調，與你自己隨口的小曲，因為樹林中的鶯燕告訴你春光是應得讚美的；更不必說你的胸襟自然會跟著漫長的山徑開拓，你的心地會看著澄藍的天空靜定，你的思想和著山壑間的水聲，山罅裏的泉響，有時一澄到底的清澈，有時激起成章的波動，流，流，流入涼爽的橄欖林中，流入嫵媚的阿諾河去……

並且你不但不須約伴，每逢這樣的旅行，你也不必帶書。書是理想的伴侶，但你應得帶書，是在火車上，在你住處的客室裏，不是在你獨身漫步的時候。什麼偉大的深沉的鼓舞的清明的優美的思想的根源不是可以在風籟中，雲彩裏，山勢與地形的起伏裏，花草的顏色與香息裏尋得？自然是最偉大的一部書，葛德說，在他每一頁的字句裏我們讀得最深奧的消息。並且這書上的文字是人人懂得的；阿爾帕斯與五老峰，雪西里與普陀山，萊茵河與揚子江，梨夢湖與西子湖，建蘭與瓊花，杭州西溪的蘆雪與威尼市夕照的紅潮，百靈與夜鶯，更不提一般黃的黃麥，一般紫的紫藤，一般青的青草同在大地上生長，同在和風中波動——他們應用的符號是永遠一致的，他們的意義是永遠明顯的，只要你自己心靈上不長瘡瘢，眼不盲，耳不塞，這無形跡的最高等教育便永遠是你的名分，這不取費的最珍貴的補劑便永遠供你的受用；只要你認識了這一部書，你在這世界上寂寞時便不寂寞，窮困時不窮困，苦惱時有安慰，挫折時有鼓勵，軟弱時有督責，迷失時有南針。

〔選自錢穀融編著《中國現當代文學作品選》（上下卷），華東師範大學出版社 2008 年版〕

編選說明 ●●●

徐志摩（1897—1931），浙江海寧人，新月派代表詩人，著有詩集《志摩的詩》《裴冷翠的一夜》等，其散文成就不亞於詩歌。「翡冷翠」即意大利著名城市佛羅倫斯。本文是一篇富有田園牧歌情調的詩化小品散文。全文以與隱含讀者「你」閒話的口吻展開寫景和抒情，抒發了做客山中親近大自然所帶來的自由與快樂，「你永不須躊躇你的膚色與體態」，「你不但不須約伴，每逢這樣的旅行，你也不必帶書」，因為「自然是最偉大的一部書」！文章寫得悠閒紆徐，從容自適。徐志摩曾把自己的筆比成「一匹最不受羈絆的野馬」，但從此文可以看出，他也並非信馬由韁。開頭寫景為下文抒情作鋪墊，中間部分從外在行動和內在思想兩方面書寫投入自然的感受，結尾昇華主題，收束全篇。

沈從文

鴨窠圍的夜

天快黃昏時落了一陣雪子，不久就停了。天氣真冷，在寒氣中一切都彷彿結了冰。便是空氣，也像快要凍結的樣子。我包定的那一隻小船，在天空大拋撒著雪子時已泊了岸，從桃源縣沿河而上這已是第五個夜晚。看情形晚上還會有風有雪，故船泊岸邊時候便從各處挑選好地方。沿岸除了某一處有片沙岨宜於泊船以外，其餘地方全是黛色如屋的大岩石。石頭既然那麼大，船又那麼小，我們都希望尋覓得到一個能作小船風雪屏障，同時要上岸又還方便的處所。凡是可以泊船的地方早已被當地漁船占去了。小船上的水手，把船上下各處撐去，鋼鑽頭敲打著沿岸大石頭，發出好聽的聲音，結果這只小船，還是不能不同許多大小船隻一樣，在正當泊船處插了篙子，把當做錨頭用的石碇拋到沙上去，盡那行將來到的風雪，攤派到這只船上。

這地方是個長潭的轉折處，兩岸是高大壁立千丈的山，山頭上長著小小竹子，長年翠色逼人。這時節兩山只剩餘一抹深黑，賴天空微明為畫出一個輪廓。但在黃昏裏看來如一種奇跡的，卻是兩岸高處去水已三十丈上下的弔腳樓。這些房子莫不儼然懸掛在半空中，借著黃昏的餘光，還可以把這稀奇的樓房形體，看得出個大略。這些房子同沿河一切房子有個共通相似處，便是從結構上說來，處處顯出對於木材的浪費。房屋子既在半山上，不用那麼多木料，便不能成為房子嗎？半山上也用弔腳樓形式，這形式是必須的嗎？然而這條河水的大宗出口是木料，木材比石塊還不值價。因此，即或是河水永遠長不到處，弔腳樓房子依然存在，似乎也不應當有何惹眼驚奇了。但沿河因為有了這些樓房，長年與流水鬥爭的水手，寄身船中枯悶成疾的旅行者，以及其它過路人，卻有了落腳處了。這些人的疲勞與寂寞是從這些房子中可以一律解除的。地方既好看，也好玩。

河面大小船隻泊定後，莫不點了小小的油燈，拉了篷。各個船上皆在後艙燒了火，用鐵鼎罐煮紅米飯。飯燜熟後，又換鍋子熬油，嘩的把菜蔬倒進熱鍋裏去。一切齊全了，各人蹲在艙板上三碗五碗把腹中填滿後，天已夜了。水手們怕冷怕動的。收拾碗盞後，就莫不在艙板上攤開了被蓋，把身體鑽進那個預先卷成一筒又冷又濕的硬棉被裏去休息。至於那些想喝一杯的，發了煙癮得靠靠燈，船上煙灰又翻盡了的，或一無所為，只是不甘寂寞，好事好玩想到岸上去烤烤火談談天的，便莫不提了桅燈，或燃一段廢纜子，搖晃著從船頭跳上了岸，從一堆石頭間的小路徑，爬到半山上弔腳樓房子那邊去，找尋自己的熟人，找尋自己的熟地。陌生人自然也有來到這條河中來到這種弔腳樓房子裏的時節，但一到地，在火堆旁小柏樹凳上一坐，便是陌生人，即刻也就可以稱為熟人鄉親了。

這河邊兩岸除了停泊有上下行的大小船隻三十左右以外，還有無數在日前趁融雪漲水放下形體大小不一的木筏。較小的木筏，上面供給人住宿過夜的棚子也不見，一到了碼頭，便各自上岸找住處去了。大一些的木筏呢，則有房屋，有船隻，有小小菜園與養豬養雞柵欄，還有女眷和小孩子。

黑夜佔領了全個河面時，還可以看到木筏上的火光，弔腳樓視窗的燈光，以及上岸下船在河岸大石間飄忽動人的火炬紅光。這時節岸上船上都有人說話，弔腳樓上且有婦人在黯淡燈光下唱小曲的聲音，每次唱完一支小曲時，就有人笑嚷。什麼人家弔腳樓下有匹小羊叫，固執而且柔和的聲音，使人聽來覺得憂鬱。我心中想著：「這一定是從別一處牽來的，另外一個地方，那小畜生的母親，一定也那麼固執的鳴著吧。」算算日子，再過十一天便過年了。「小畜生明不明白只能在這個世界上活過十天八天？明白也罷，不明白也罷，這小畜生是為了過年而趕來，應在這個地方死去的。此後固執而又柔和的聲音，將在我耳邊永遠不會消失。我覺得憂鬱起來了。我彷彿觸著了世界上一點東西，看明白了這世界上一點東西，心裏軟和得很。

但我不能這樣子打發這個長夜。我把我的想像，追隨了一個唱曲時清中夾沙的婦女聲音，到她的身邊去了。於是彷彿看到了一個床鋪，下面是草薦，上面攤了一床用舊帆布或別的舊貨做成髒而又硬的棉被，擱在床正中被單上面的是一個長方木托盤，盤中有一把小茶盞，一個小煙盒，一支煙槍，一塊小石頭，一盞燈。盤邊躺著一個人在燒煙。唱曲子的婦人，或是袖了手捏著自己的膀子站在吃煙者的面前，或是靠在男子對面的床頭，為客人燒煙。房子分兩進，前面臨街，地是土地，後面臨河，便是所謂弔腳樓了。這些人房子視窗既一面臨河，可以憑了視窗呼喊河下船中人，當船上人過了癮，胡鬧已夠，下船時，或者尚有些事情囑託，或有其它原因，一個晃著火炬停頓在大石間，一個便憑立在視窗：「大老你記著，船下行時又來。」「好，我來的，我記著的。」「你見了順順就說：會呢，完了；孩子大牛呢，腳膝骨好了。細粉帶三斤。」「記得到，記得到，大娘你放心，我見了順順大爺就說：會呢，完了。大牛呢，好了。細粉來三斤，冰糖來三斤。」「楊氏，楊氏，一共四弔七，莫錯賬！」「是的，放心呵，你說四弔七就四弔七，年三十夜莫會要你多的！你自己記著就是了！」這樣那樣的說著，我一一都可聽到，而且一面還可以聽著黑暗中某一處咩咩的羊鳴。我明白這些回船的人是上岸吃過「葷煙」了的。

我還估計得出，這些人不吃「葷煙」，上岸時只去烤烤火的，到了那些屋子裏時，便多數隻在臨街那一面鋪子裏。這時節天氣太冷，大門必已上好了，屋裏一隅或點了小小油燈，屋中土地上必就地掘了淺凹火爐膛，燒了些樹根柴聲。火光煜煜，且時時刻刻爆炸著一種難於形容的聲音。火旁矮板凳上坐有船上人，木筏上人，有對河住家的熟人。且有雖為天所厭棄還不自棄年過七十的老婦人，閉著眼睛蜷成一團蹲在火邊，悄悄的從大袖筒裏取出一片薯乾或一枚紅棗，塞到嘴裏去咀嚼。有穿著骯髒身體瘦弱的孩子，手擦著眼睛傍著火旁的母親打盹。屋主人有為退伍的老軍人，有翻船揹運的老水手，有單身寡婦，借著火光燈光，可以看得出這屋中的大略情形，三堵木板壁上，一面必有個供奉祖宗的神龕，神龕下空處或另一面，必貼了一些大小不一的紅白名片。這些名片倘若有那些好事者加以注意，用小油燈照著，去仔細檢查檢查，便可以發現許多動人的名銜，軍隊上的連副，上士，一等兵，商號中的管事，當地的團總，保正，催租吏，以及照例姓滕的船主，洪江的木牌商人，與其它各行各業人物，無所不有。這是近一二十年來經過此地若干人中一小部分的題名錄。這些人各用一種不同的生活，來到這個地方且同樣的來到這些屋子裏，坐在火邊或靠近床邊，逗留過若干時間。這些人離開了此地後，在另一世界裏還是繼續活下去，但除了同自己的生活圈子中人發生關係以外，與一同在這個世界上其它的人，卻彷彿便毫無關係可言了。他們如今也許早已死掉了；水淹死的，槍打死的，被外妻用砒霜謀殺的，然而這些名片卻依然將好好的保留下去。也許有些人已成了富人名人，成了當地的小軍閥；這些名片卻仍然寫著催租人，上士等等的銜頭。……除了這些名片，那屋子裏是不是還有比它更引人注意的東西呢？鋸子，小撈兜，香煙大畫片，裝幹栗子的口袋……

提起這些問題時使人心中很激動。我到船頭上去眺望了一陣，河面靜靜的，木筏上火光小了，船上的燈光已很少了，遠近一切只能借著水面微光看出個大略情形。另外一處的吊腳樓上，又有了婦人唱小曲的聲音，燈光搖搖不定，且有猜拳聲音。我估計那些燈光同聲音所在處，不是木筏上的牌頭在取樂，就是水手們和商人在喝酒。婦人手指上說不定還戴了水手特別為她從常德府捎帶來的鍍金戒指，一面唱曲一面把那隻手理著鬢角，多動人的一幅畫圖！我認識他們的哀樂，這一切我也有份。看他們在那裏把每個日子打發下去，也是眼淚也是笑，離我雖那麼遠，同時又與我那麼相近。這正是同讀一篇描寫西伯利亞的農人生活動人作品一樣，使人掩卷引起無言的哀戚。我如今只用想像去領味這些人生活的表面姿態，卻用過去一分經驗，接觸著了這種人的靈魂。

羊還固執的鳴著。遠處不知什麼地方有鑼鼓聲音，那一定是某個人家禳土酬神還願巫師的鑼鼓。聲音所在處必有燈火與九品蠟燭照耀爭輝。眩目火光下必有頭包紅布的老巫師獨立作旋風舞，門上架上有黃錢，平地有裝滿了穀米的平鬥。有新宰的豬羊伏在木架上，頭上插著小小五色紙旗。有行將為巫師用口把頭咬下的活生公雞，縛了雙腳與翼翅，在土壇邊無可奈何的躺臥。主人鍋灶邊則熱了滿鍋豬血稀粥，灶中正火光熊熊。

鄰近一隻在船上，水手們已靜靜的睡下了，只剩餘一個人吸著煙，且時時刻刻把煙管敲著船舷。也像聽著弔腳樓的聲音，為那點聲音所激動，引起種種聯想，忽然按捺自己不住了，只聽到他輕輕的罵著野話，擦了支自來火，點上一段廢纜，跳上岸往弔腳樓那裏去了。他在岸上大石間走動時，火光便從船篷空處漏進我的船中。也是同樣的情形吧，在一隻裝載棉軍服向上行駛的船上，泊到同樣的岸邊，躺在成束成捆的軍服上面，夜既太長，水手們愛玩牌的各蹲坐在艙板上小油燈光下玩天九，睡既不成，便胡亂穿了兩套棉軍服，空手上岸，借著石塊間還未融盡殘雪返照的微光，直向高岸上有火光處走去。到了街上，除了從人家門罅裏露出的燈光成一條長線橫臥著，此外一無所有。在計算中以為應可見到的小攤上成堆的花生，用哈德門長煙盒裝著乾癟癟的小橘子，切成小方塊的片糖，以及在燈光下看守攤子把眉毛扯得極細的婦人（這些婦人無事可做時還會在燈光下做點針線的），如今什麼也沒有，既不敢冒昧闖進一個人家裏面去，便只好又回轉河邊船上了。但上山時向燈光凝聚處走去，方向不會錯誤。下河時可糟了。糊糊塗塗在大石小石間走了許久，且大聲喊著，才走近自己所坐的一隻船。上船時，兩腳全是泥，剛攀上船舷還不及脫鞋落艙，就有人在棉被中大喊：「夥計哥子們，脫鞋呀！」把鞋脫了還不即睡，便鑲到水手身旁去看牌，一直看到半夜，——十五年前自己的事，在這樣地方溫習起來，使人對命運感到十分驚異。我懂得那個忽然獨自跑上岸去的人，為什麼上去的理由！

等了一會，鄰船上那人還不回到他自己的船上來，我明白他所得的必比我多了一些。我想聽聽他回來時，是不是也像別的船上人，有一個婦人在弔腳樓覗窗喊叫他。許多人都陸續回到船上了，這人卻沒有下船。我記起「柏子」。但是同樣是水上人，一個那麼快樂的趕到岸上去，一個是那麼寂寞的跟著別人後面走上岸去，到了那些地方，情形不會同柏子一樣，也是很顯然的事了。

為了我想聽聽那人上船時那點推篷聲音，我打算著，在一切聲音全已安靜時，我仍然不能睡覺。我等待那點聲音。大約到午夜十二點，水面上卻起了另外一種聲音。彷彿鼓聲，也彷彿汽油船馬達轉動聲，聲音慢慢的近了，可是慢慢的又遠了。像是一個有魔力的歌唱，單純到不可比方，也便是那種固執的單調，以及單調的延長，使一個身臨其境的人，想用一組文字去捕捉那點聲音，以及捕捉在那長潭深夜一個人為那聲音所迷惑時節的心情，實近於一種徒勞無功的努力。那點聲音使我不得不再從那個業已用被單塞好原空罅的艙門，到船頭去搜索它的來源。河面一片紅光，古怪聲音也就從紅光一面掠水而來。原來日裏隱藏在大岩石下的一些小漁船，在半夜前早已靜悄悄的下了攔江網。到了半夜，把一個從船頭伸在水面的鐵兜，盛上燃著熊熊烈火的油柴，一面用木棒槌有節奏的敲著船舷各處漂去。身在水中見了火光而來與受了柝聲吃驚的四竄的魚類，便在這種情形中觸了網，成為漁人的俘虜。當地人把這種捕魚方法叫「趕白」。

一切光，一切聲音，到這時節已為黑夜所撫慰而安靜了，只有水面上那一分紅光與那一派聲音。那種聲音與光明，正為著水中的魚和水面的漁人生存的搏戰，已在這河面上存在了若干年，且將在接連而來的每個夜晚依然繼續存在。我弄明白了，回到艙中以後，依然默聽著那個單調的聲音。我所看到的彷彿是一種原始人與自然戰爭的情景。那聲音，那火光，都近於原始人類的戰爭，把我帶到四五千年那個「過去」時間裏去。

不知在什麼時候開始落了很大的雪，船上人細語著，我心想，第二天我一定可以看到鄰船上那個人上船時節，在岸邊雪地上留下那一行足跡，那寂寞的足跡，事實上我卻不曾見到，因為第二天到我醒來時，小船已離開那個泊船處很遠了。

〔選自錢穀融編著《中國現當代文學作品選》（上下卷），華東師範大學出版社 2008 年版〕

編選說明 ●●●

沈從文（1902—1988），原名沈岳煥，湖南鳳凰人，現代小說家，散文家。他用小說《邊城》、散文《湘行散記》構築的「湘西」是中國現代文學中最具特色與光彩的文學世界之一。《湘行散記》是由作者於 1934 年 1 月回鄉探親途中寫給妻子張兆和的近五十封信整理而成的。本文是其中一篇，描寫了夜宿鴨窠圍的所見所聞及其引發的聯想與沉思。他的弟子汪曾祺曾說：「沈先生擅長用一些顏色、一些聲音來描繪這種安靜的詩情。在這方面，他在近代散文作家中可稱聖手。」譬如文中弔腳樓視窗邊充滿人間煙火味的叮嚀，即將被屠宰的小羊那固執而柔和的叫聲等。沈從文常以「鄉下人」自居，批判都市文明，堅持從鄉村中尋找人性之美，「我要表現的本是一種『人生的形式』，一種『優美，健康，自然，而又不悖乎人性的人生形式』」。

葉聖陶

藕與蓴菜

同朋友喝酒，嚼著薄片的雪藕，忽然懷念起故鄉來了。若在故鄉，每當新秋的早晨，門前經過許多的鄉人：男的紫赤的臂膊和小腿肌肉突起，軀幹高大且挺直，使人想起健康的感覺；女的往往裹著白地青花的頭巾，雖然赤腳，卻穿短短的夏布裙，軀幹固然不及男的這樣高，但是別有一種健康的美的風致；他們各挑著一副擔子，盛著鮮嫩玉色的長節的藕。在產藕的池塘裏，在城外曲曲彎彎的小河邊，他們把這些藕一再洗濯，所以這樣潔白。彷彿他們以為這是供人品味的珍品，這是清晨的畫境裏的重要題材，倘若塗滿污泥，就把人家欣賞的渾凝之感打破了；這是一件罪過的事，他們不願意擔在身上，故而先把它們濯得這樣潔白了，才挑進城裏來。他們要稍稍休息的時候，就把竹扁擔橫在地上，自己坐在上面，隨便揀擇擔裏的過嫩的藕或是較老的藕，大口地嚼著解渴。過路的人就站住了，紅衣衫的小姑娘揀一節，白頭髮的老公公買兩支，清淡的甘美的滋味於是普遍於家家戶戶了。這種情形差不多是平常的日課，要到葉落秋深的時候。

在這裏上海，藕這東西幾乎是珍品了。大概也是從我們的故鄉運來的。但是數量不多，自有那些伺候豪華公子碩腹巨賈的幫閒茶房們把大部分搶去了；其餘的便要供在較大一點的水果鋪裏，位置在金山蘋果呂宋香芒之間，專待善價而沽。至於挑著擔子在街上叫賣的，也並不是沒有，但不是瘦得像乞丐的臂和腿，便澀得像未熟的柿子，實在無從欣羨。因此，除了僅有的一回，我們今年竟不曾吃過藕。

這僅有的一回不是買來吃的，是鄰舍送給我們吃的。他們也不是自己買的，是從故鄉來的親戚帶來的。這藕離開它的家鄉大約有好些時候了，所以不復呈玉樣的顏色，卻滿被著許多鏽斑。削去皮的時候，刀鋒過處，很不爽利。切成片送入口裏嚼著，有些兒甘味，但是沒有一種鮮嫩的感覺，而且似乎含了滿口的渣，第二片就不想吃了。只有孩子很高興，他把這許多片嚼完，居然有半點鐘工夫不再作別的要求。

想起了藕就聯想到蓴菜。在故鄉的春天，幾乎天天吃蓴菜。蓴菜本身沒有味道，味道全在於好的湯。但這樣嫩綠的顏色與豐富的詩意，無味之味真足令人心醉。在每條街旁的小河裏，石埠頭總歇著一兩條沒篷船，滿艙盛著蓴菜，是從太湖裏撈來的。當然能得日餐一碗了。

而在這裏上海又不然，非上館子就難以吃到這東西。我們當然不上館子，偶然有一兩回去叨擾朋友的酒席，恰又不是蓴菜上市的時候，所以今年竟不曾吃過。直到最近，伯祥的杭州親戚來了，送他幾瓶裝瓶的西湖蓴菜，他送給我一瓶，我才算也嘗了新了。

向來不戀故鄉的我，想到這裏，覺得故鄉可愛極了。我自己也不明白，為什麼會起這麼深濃的情緒？再一思索，實在很淺顯的：因為在故鄉有所戀，而所戀又只在故鄉有，就縈係著不能割捨了。譬如親密的家人在那裏，知心的朋友在那裏，怎得不戀戀？怎得不懷念？但是僅僅為了愛故鄉麼？不是的，不過在故鄉的幾個人把我們牽著罷了。若無所牽繫，更何所戀念？像我現在，偶然被藕與蓴菜所牽繫，所以就懷念起故鄉來了。

所戀在哪裏，哪裏就是我們的故鄉了。

〔選自錢穀融編著《中國現當代文學作品選》（上下卷），華東師範大學出版社 2008 年版〕

編選說明 ●●●

葉聖陶（1894—1988），原名葉紹鈞，江蘇蘇州人，著名作家、教育家、出版家、社會活動家。代表作有長篇小說《倪煥之》，童話集《稻草人》等。本文是一篇借物抒情、託物言志的美文。作者開篇由偶然嚼著薄片的雪藕引發對故鄉的懷念，在想像中描繪了一幅故鄉新秋圖，接下來將這裏的藕與故鄉的藕在數量、價格、外形和口感上進行對比，抒發對故鄉的藕的懷念，進而又由故鄉的藕聯想到故鄉的蓴菜，又將這裏的蓴菜與故鄉的蓴菜作了一番對比。被藕與蓴菜所牽，向來不戀故鄉的「我」，覺得故鄉可愛極了，「所戀在哪裏，哪裏就是我們的故鄉了」。葉聖陶先生的散文以寫實為主，很少直接抒情，只把一些瑣事用親切樸素的語言娓娓道來，真情至性自然流露其中。

朱自清

槳聲燈影裏的秦淮河

一九二三年八月的一晚，我和平伯同遊秦淮河；平伯是初泛，我是重來了。我們雇了一隻「七板子」，在夕陽已去，皎月方來的時候，便下了船。於是槳聲汩——汩，我們開始領略那晃蕩著薔薇色的歷史的秦淮河的滋味了。

秦淮河裏的船，比北京頤和園的船好，比西湖的船好，比揚州瘦西湖的船也好。這幾處的船不是覺著笨，就是覺著簡陋、局促；都不能引起乘客們的情韻，如秦淮河的船一樣。秦淮河的船約略可分為兩種：一是大船；二是小船，就是所謂「七板子」。大船艙口闊大，可容二三十人。裏面陳設著字畫和光潔的紅木傢俱，桌上一律嵌著冰涼的大理石面。窗格雕鏤頗細，使人起柔膩之感。窗格裏映著紅色藍色的玻璃；玻璃上有精緻的花紋，也頗悅人目。「七板子」規模雖不及大船，但那淡藍色的欄干，空敞的艙，也足係人情思。而最出色處卻在它的艙前。艙前是甲板上的一部。上面有弧形的頂，兩邊用疏疏的欄干支著。裏面通常放著兩張藤的躺椅。躺下，可以談天，可以望遠，可以顧盼兩岸的河房。大船上也有這個，便在小船上更覺清雋罷了。艙前的頂下，一律懸著燈彩；燈的多少，明暗，彩蘇的精粗，豔晦，是不一的。但好歹總還你一個燈彩。這燈彩實在是最能鉤人的東西。夜幕垂垂地下來時，大小船上都點起燈火。從兩重玻璃裏映出那輻射著的黃黃的散光，反暈出一片朦朧的煙靄；透過這煙靄，在黯黯的水波裏，又逗起縷縷的明漪。在這薄靄和微漪裏，聽著那悠然的間歇的槳聲，誰能不被引入他的美夢去呢？只愁夢太多了，這些大小船兒如何載得起呀？我們這時模模糊糊的談著明末的秦淮河的豔跡，如《桃花扇》及《板橋雜記》裏所載的。我們真神往了。我們彷彿親見那時華燈映水，畫舫淩波的光景了。於是我們的船便成了歷史的重載了。我們終於恍然秦淮河的船所以雅麗過於他處，而又有奇異的吸引力的，實在是許多歷史的影像使然了。

秦淮河的水是碧陰陰的；看起來厚而不膩，或者是六朝金粉所凝麼？我們初上船的時候，天色還未斷黑，那漾漾的柔波是這樣的恬靜，委婉，使我們一面有水闊天空之想，一面又憧憬著紙醉金迷之境了。等到燈火明時，陰陰的變為沉沉了：黯淡的水光，像夢一般；那偶然閃爍著的光芒，就是夢的眼睛了。我們坐在艙前，因了那隆起的頂棚，彷彿總是昂著首向前走著似的；於是飄飄然如御風而行的我們，看著那些自在的灣泊著的船，船裏走馬燈般的人物，便像是下界一般，迢迢的遠了，又像在霧裏看花，盡朦朦朧朧的。這時我們已過了利涉橋，望見東關頭了。沿路聽見斷續的歌聲：有從沿河的妓樓飄來的，有從河上船裏度來的。我們明知那些歌聲，只是些因襲的言詞，從生澀的歌喉裏機械的發出來的；但它們經了夏夜的微風的吹漾和水波的搖拂，嫋娜著到我們耳邊的時候，已經不單是她們的歌聲，而混著微風和河水的密語了。於是我們不得不被牽惹著，震撼著，相與浮沉於這歌聲裏了。從東關頭轉彎，不久就到大中橋。大中橋共有三個橋拱，都很闊大，儼然是三座門兒；使我們覺得我們的船和船裏的我們，在橋下過去時，真是太無顏色了。橋磚是深褐色，表明它的歷史的長久；但都完好無缺，令人太息於古昔工程的堅美。橋上兩旁都是木壁的房子，中間應該有街路？這些房子都破舊了，多年煙熏的跡，遮沒了當年的美麗。我想像秦淮河的極盛時，在這樣宏闊的橋上，特地蓋了房子，必然是髹漆得富富麗麗的；晚間必然是燈火通明的。現在卻只剩下一片黑沉沉！但是橋上造著房子，畢竟使我們多少可以想見往日的繁華；這也慰情聊勝無了。過了大中橋，便到了燈月交輝，笙歌徹夜的秦淮河；這才是秦淮河的真面目哩。

大中橋外，頓然空闊，和橋內兩岸排著密密的人家的大異了。一眼望去，疏疏的林，淡淡的月，襯著藍蔚的天，頗像荒江野渡光景；那邊呢，郁叢叢的，陰森森的，又似乎藏著無邊的黑暗：令人幾乎不信那是繁華的秦淮河了。但是河中眩暈著的燈光，縱橫著的畫舫，悠揚著的笛韻，夾著那吱吱的胡琴聲，終於使我們認識綠如茵陳酒的秦淮水了。此地天裸露著的多些，故覺夜來的獨遲些；從清清的水影裏，我們感到的只是薄薄的夜——這正是秦淮河的夜。大中橋外，本來還有一座復成橋，是船夫口中的我們的遊蹤盡處，或也是秦淮河繁華的盡處了。我的腳曾踏過復成橋的脊，在十三四歲的時候。但是兩次遊秦淮河，卻都不曾見著復成橋的面；明知總在前途的，卻常覺得有些虛無縹緲似的。我想，不見倒也好。這時正是盛夏。我們下船後，借著新生的晚涼和河上的微風，暑氣已漸漸消散；到了此地，豁然開朗，身子頓然輕了——習習的清風荏苒在面上，手上，衣上，這便又感到了一縷新涼了。南京的日光，大概沒有杭州猛烈；西湖的夏夜老是熱蓬蓬的，水像沸著一般，秦淮河的水卻盡是這樣冷冷地綠著。任你人影的憧憧，歌聲的擾擾，總像隔著一層薄薄的綠紗面冪似的；它盡是這樣靜靜的，冷冷的綠著。我們出了大中橋，走不上半裏路，船夫便將船劃到一旁，停了槳由它宕著。他以為那里正是繁華的極點，再過去就是荒涼了；所以讓我們多多賞鑒一會兒。他自己卻靜靜的蹲著。他是看慣這光景的了，大約只是一個無可無不可。這無可無不可，無論是升的沉的，總之，都比我們高了。

那時河裏鬧熱極了；船大半泊著，小半在水上穿梭似的來往。停泊著的都在近市的那一邊，我們的船自然也夾在其中。因為這邊略略的擠，便覺得那邊十分的疏了。在每一隻船從那邊過去時，我們能畫出它的輕輕的影和曲曲的波，在我們的心上；這顯著是空，且顯著是靜了。那時處處都是歌聲和淒厲的胡琴聲，圓潤的喉嚨，確乎是很少的。但那生澀的，尖脆的調子能使人有少年的，粗率不拘的感覺，也正可快我們的意。況且多少隔開些兒聽著，因為想像與渴慕的做美，總覺更有滋味；而競發的喧囂，抑揚的不齊，遠近的雜沓，和樂器的嘈嘈切切，合成另一意味的諧音，也使我們無所適從，如隨著大風而走。這實在因為我們的心枯澀久了，變為脆弱；故偶然潤澤一下，便瘋狂似的不能自主了。但秦淮河確也膩人。即如船裏的人面，無論是和我們一堆兒泊著的，無論是從我們眼前過去的，總是模模糊糊的，甚至渺渺茫茫的；任你張圓了眼睛，揩淨了眥垢，也是枉然。這真夠人想呢。在我們停泊的地方，燈光原是紛然的；不過這些燈光都是黃而有暈的。黃已經不能明瞭，再加上了暈，便更不成了。燈愈多，暈就愈甚；在繁星般的黃的交錯裏，秦淮河彷彿籠上了一團光霧。光芒與霧氣騰騰的暈著，什麼都只剩了輪廓了；所以人面的詳細的曲線，便消失於我們的眼底了。但燈光究竟奪不了那邊的月色；燈光是渾的，月色是清的，在渾沌的燈光裏，滲入了一派清輝，卻真是奇跡！那晚月兒已瘦削了兩三分。她晚妝才罷，盈盈的上了柳梢頭。天是藍得可愛，彷彿一汪水似的；月兒便更出落得精神了。岸上原有三株兩株的垂楊樹，淡淡的影在水裏搖曳著。它們那柔細的枝條浴著月光，就像一支支美人的臂膊，交互的纏著，挽著；又像是月兒披著的髮。而月兒偶然也從它們的交叉處偷偷窺看我們，大有小姑娘怕羞的樣子。岸上另有幾株不知名的老樹，光光的立著；在月光裏照起來，卻又儼然是精神矍鑠的老人。遠處——快到天際線了，才有一兩片白雲，亮得現出異彩，像美麗的貝殼一般。白雲下便是黑黑的一帶輪廓；是一條隨意畫的不規則的曲線。這一段光景，和河中的風味大異了。但燈與月竟能並存著，交融著，使月成了纏綿的月，燈射著渺渺的靈輝；這正是天之所以厚秦淮河，也正是天之所以厚我們了。

這時卻遇著了難解的糾紛。秦淮河上原有一種歌妓，是以歌為業的。從前都在茶舫上，唱些大麯之類。每日午後一時起；什麼時候止，卻忘記了。晚上照樣也有一回，也在黃暈的燈光裏。我從前過南京時，曾隨著朋友去聽過兩次。因為茶舫裏的人臉太多了，覺得不大適意，終於聽不出所以然。前年聽說歌妓被取締了，不知怎的，頗涉想了幾次——卻想不出什麼。這次到南京，先到茶舫上去看看，覺得頗是寂寥，令我無端的悵悵了。不料她們卻仍在秦淮河裏掙扎著，不料她們竟會糾纏到我們，我於是很張惶了。她們也乘著「七板子」，她們總是坐在艙前的。艙前點著石油汽燈，光亮眩人眼目：坐在下面的，自然是纖毫畢見了——引誘客人們的力量，也便在此了。艙裏躲著槳工等人，映著汽燈的餘輝蠕動著；他們是永遠不被注意的。每船的歌妓大約都是二人；天色一黑，她們的船就在大中橋外往來不息的兜生意。無論行著的船，泊著的船，都要來兜攬的。這都是我後來推想出來的。那晚不知怎樣，忽然輪著我們的船了。我們的船好好的停著，一隻歌舫劃向我們來的；漸漸和我們的船並著了。鑠鑠的燈光逼得我們皺起了眉頭；我們的風塵色全給它托出來了，這使我踧踖不安了。那時一個夥計跨過船來，拿著攤開的歌折，就近塞向我的手裏，說：「點幾齣吧！」他跨過來的時候，我們船上似乎有許多眼光跟著。同時相近的別的船上也似乎有許多眼睛炯炯的向我們船上看著。我真窘了！我也裝出大方的樣子，向歌妓們瞥了一眼，但究竟是不成的！我勉強將那歌折翻了一翻，卻不曾看清了幾個字；便趕緊遞還那夥計，一面不好意思地說：「不要，我們……不要。」他便塞給平伯。平伯掉轉頭去，搖手說：「不要！」那人還膩著不走。平伯又回過臉來，搖著頭道：「不要！」於是那人重到我處。我窘著再拒絕了他。他這才有所不屑似的走了。我的心立刻放下，如釋了重負一般。我們就開始自白了。

我說我受了道德律的壓迫，拒絕了她們；心裏似乎很抱歉的。這所謂抱歉，一面對於她們，一面對於我自己。她們於我們雖然沒有很奢的希望；但總有些希望的。我們拒絕了她們，無論理由如何充足，卻使她們的希望受了傷；這總有幾分不做美了。這是我覺得很悵悵的。至於我自己，更有一種不足之感。我這時被四面的歌聲誘惑了，降服了；但是遠遠的，遠遠的歌聲總彷彿隔著重衣搔癢似的，越搔越搔不著癢處。我於是憧憬著貼耳的妙音了。在歌舫劃來時，我的憧憬，變為盼望；我固執地盼望著，有如饑渴。雖然從淺薄的經驗裏，也能夠推知，那貼耳的歌聲，將剝去了一切的美妙；但一個平常的人像我的，誰願憑了理性之力去醜化未來呢？我寧願自己騙著了。不過我的社會感性是很敏銳的；我的思想能拆穿道德律的西洋鏡，而我的感情卻終於被它壓服著，我於是有所顧忌了，尤其是在眾目昭彰的時候。道德律的力，本來是民眾賦予的；在民眾的面前，自然更顯出它的威嚴了。我這時一面盼望，一面卻感到了兩重的禁制：一，在通俗的意義上，接近妓者總算一種不正當的行為；二，妓是一種不健全的職業，我們對於她們，應有哀矜勿喜之心，不應賞玩的去聽她們的歌。在眾目睽睽之下，這兩種思想在我心裏最為旺盛。她們暫時壓倒了我的聽歌的盼望，這便成就了我的灰色的拒絕。那時的心實在異常狀態中，覺得頗是昏亂。歌舫去了，暫時寧靜之後，我的思緒又如潮湧了。兩個相反的意思在我心頭往復：賣歌和賣淫不同，聽歌和狎妓不同，又乾道德甚事？——但是，但是，她們既被逼的以歌為業，她們的歌必無藝術味的；況她們的身世，我們究竟該同情的。所以拒絕倒也是正當。但這些意思終於不曾撇開我的聽歌的盼望。它力量異常堅強；它總想將別的思緒踏在腳下。從這重重的爭鬥裏，我感到了濃厚的不足之感。這不足之感使我的心盤旋不安，起坐都不安寧了。唉！我承認我是一個自私的人！平伯呢，卻與我不同。他引周啟明先生的詩：「因為我有妻子，所以我愛一切的女人，因為我有子女，所以我愛一切的孩子。」他的意思可以見了。他因為推及的同情，愛著那些歌妓，並且尊重著她們，所以拒絕了她們。在這種情形下，他自然以為聽歌是對於她們的一種侮辱。但他也是想聽歌的，雖然不和我一樣，所以在他的心中，當然也有一番小小的爭鬥；爭鬥的結果，是同情勝了。至於道德律，在他是沒有什麼的；因為他很有蔑視一切的傾向，民眾的力量在他是不大覺著的。這時他的心意的活動比較簡單，又比較松弱，故事後還怡然自若；我卻不能了。這裏平伯又比我高了。

在我們談話中間，又來了兩隻歌舫。夥計照前一樣的請我們點戲，我們照前一樣的拒絕了。我受了三次窘，心裏的不安更甚了。清豔的夜景也為之減色。船夫大約因為要趕第二趟生意，催著我們回去；我們無可無不可地答應了。我們漸漸和那些暈黃的燈光遠了，只有些月色冷清清的隨著我們的歸舟。我們的船竟沒個伴兒，秦淮河的夜正長哩！到大中橋近處，才遇著一隻來船。這是一隻載妓的板船，黑漆漆的沒有一點光。船頭上坐著一個妓女；暗裏看出，白地小花的衫子，黑的下衣。她手裏拉著胡琴，口裏唱著青衫的調子。她唱得響亮而圓轉；當她的船箭一般駛過去時，餘音還嫋嫋的在我們耳際，使我們傾聽而嚮往。想不到在弩末的遊蹤裏，還能領略到這樣的清歌！這時船過大中橋了，森森的水影，如黑暗張著巨口，要將我們的船吞了下去，我們回顧那渺渺的黃光，不勝依戀之情；我們感到了寂寞了！ 這一段地方夜色甚濃，又有兩頭的燈火招邀著；橋外的燈火不用說了，過了橋另有東關頭疏疏的燈火。我們忽然仰頭看見依人的素月，不覺深悔歸來之早了！走過東關頭，有一兩隻大船灣泊著，又有幾隻船向我們來著。囂囂的一陣歌聲人語，彷彿笑我們無伴的孤舟哩。東關頭轉彎，河上的夜色更濃了；臨水的妓樓上，時時從簾縫裏射出一線一線的燈光；彷彿黑暗從酣睡裏眨了一眨眼。我們默然的對著，靜聽那汩——汩的槳聲，幾乎要入睡了；朦朧裏卻溫尋著适才的繁華的餘味。我那不安的心在靜裏愈顯活躍了！這時我們都有了不足之感，而我的更其濃厚。我們卻只不願回去，於是只能由懊悔而悵惘了。船裏便滿載著悵惘了。直到利涉橋下，微微嘈雜的人聲，才使我豁然一驚；那光景卻又不同。右岸的河房裏，都大開了窗戶，裏面亮著晃晃的電燈，電燈的光射到水上，蜿蜒曲折，閃閃不息，正如跳舞著的仙女的臂膊。我們的船已在她的臂膊裏了；如睡在搖籃裏一樣，倦了的我們便又入夢了。那電燈下的人物，只覺像螞蟻一般，更不去縈念。這是最後的夢；可惜是最短的夢！黑暗重複落在我們面前，我們看見傍岸的空船上一星兩星的，枯燥無力又搖搖不定的燈光。我們的夢醒了，我們知道就要上岸了；我們心裏充滿了幻滅的情思。

1923 年 10 月 11 日作完，於溫州。

〔選自錢穀融編著《中國現當代文學作品選》（上下卷），華東師範大學出版社 2008 年 6 月版〕

編選說明 ●●●

朱自清（1898—1948），字佩弦，江蘇東海人，散文集主要有《蹤跡》《背影》《歐遊雜記》等。《槳聲燈影裏的秦淮河》記敘了作者與俞平伯夏夜泛舟秦淮河的見聞感受，細膩地描繪了秦淮河的綽約風姿，畫舫、橋涵、碧水、燈光、月影……如詩如畫的美景引發著作者的思古幽情。歷史的影子依然徘徊在秦淮河上，歌妓們正忙著兜攬生意呢。作者把自己那種想聽歌又礙於道德律的束縛，想超越現實又不能忘卻現實的矛盾心理剖析得淋漓盡致，真摯感人。朱自清長於對自然風光的精確觀察，對聲、色、光、影的感受非常敏銳，其筆下的風景常常具有工筆劃的特色。

朱自清

荷塘月色

這幾天心裏頗不寧靜。今晚在院子裏坐著乘涼，忽然想起日日走過的荷塘，在這滿月的光裏，總該另有一番樣子吧。月亮漸漸地升高了，牆外馬路上孩子們的歡笑，已經聽不見了；妻在屋裏拍著閏兒，迷迷糊糊地哼著眠歌。我悄悄地披了大衫，帶上門出去。

沿著荷塘，是一條曲折的小煤屑路。這是一條幽僻的路；白天也少人走，夜晚更加寂寞。荷塘四面，長著許多樹，蓊蓊鬱鬱的。路的一旁，是些楊柳，和一些不知道名字的樹。沒有月光的晚上，這路上陰森森的，有些怕人。今晚卻很好，雖然月光也還是淡淡的。

路上只我一個人，背著手踱著。這一片天地好像是我的；我也像超出了平常的自己，到了另一個世界裏。我愛熱鬧，也愛冷靜；愛群居，也愛獨處。像今晚上，一個人在這蒼茫的月下，什麼都可以想，什麼都可以不想，便覺是個自由的人。白天裏一定要做的事，一定要說的話，現在都可不理。這是獨處的妙處，我且受用這無邊的荷香月色好了。

曲曲折折的荷塘上面，彌望的是田田的葉子。葉子出水很高，像亭亭的舞女的裙。層層的葉子中間，零星地點綴著些白花，有嫋娜地開著的，有羞澀地打著朵兒的；正如一粒粒的明珠，又如碧天裏的星星，又如剛出浴的美人。微風過處，送來縷縷清香，彷彿遠處高樓上渺茫的歌聲似的。這時候葉子與花也有一絲的顫動，像閃電般，霎時傳過荷塘的那邊去了。葉子本是肩並肩密密地挨著，這便宛然有了一道凝碧的波痕。葉子底下是脈脈的流水，遮住了，不能見一些顏色；而葉子卻更見風致了。

月光如流水一般，靜靜地瀉在這一片葉子和花上。薄薄的青霧浮起在荷塘裏。葉子和花彷彿在牛乳中洗過一樣；又像籠著輕紗的夢。雖然是滿月，天上卻有一層淡淡的雲，所以不能朗照；但我以為這恰是到了好處——酣眠固不可少，小睡也別有風味的。月光是隔了樹照過來的，高處叢生的灌木，落下參差的斑駁的黑影，峭楞楞如鬼一般；彎彎的楊柳的稀疏的倩影，卻又像是畫在荷葉上。塘中的月色並不均勻；但光與影有著和諧的旋律，如梵婀玲(英語 violin 小提琴的譯音)上奏著的名曲。

荷塘的四面，遠遠近近，高高低低都是樹，而楊柳最多。這些樹將一片荷塘重重圍住；只在小路一旁，漏著幾段空隙，像是特為月光留下的。樹色一例是陰陰的，乍看像一團煙霧；但楊柳的丰姿，便在煙霧裏也辨得出。樹梢上隱隱約約的是一帶遠山，只有些大意罷了。樹縫裏也漏著一兩點路燈光，沒精打採的，是渴睡人的眼。這時候最熱鬧的，要數樹上的蟬聲與水裏的蛙聲；但熱鬧是他們的，我什麼也沒有。

忽然想起採蓮的事情來了。採蓮是江南的舊俗，似乎很早就有，而六朝時為盛；從詩歌裏可以約略知道。採蓮的是少年的女子，她們是蕩著小船，唱著豔歌去的。採蓮人不用說很多，還有看採蓮的人。那是一個熱鬧的季節，也是一個風流的季節。梁元帝《採蓮賦》裏說得好：

於是妖童媛女，蕩舟心許；鷁首徐回，兼傳羽杯；櫂將移而藻掛，船欲動而萍開。爾其纖腰束素，遷延顧步；夏始春余，葉嫩花初，恐沾裳而淺笑，畏傾船而斂裾。

可見當時嬉遊的光景了。這真是有趣的事，可惜我們現在早已無福消受了。

於是又記起《西洲曲》裏的句子：

採蓮南塘秋，蓮花過人頭；低頭弄蓮子，蓮子清如水。

今晚若有採蓮人，這兒的蓮花也算得「過人頭」了；只不見一些流水的影子。這令我到底惦著江南了。

這樣想著，猛一抬頭，不覺已是自己的門前；輕輕地推門進去，什麼聲息也沒有，妻已睡熟好久了。

（選自高永年編著《二十世紀中國現當代文學作品選・散文卷》，江蘇教育出版社 2003 年 2 月版）

編選說明 •••

《荷塘月色》寫於 1927 年 7 月，正值「四・一二」蔣介石背叛革命之時。作者借對「荷塘月色」的細膩描繪，含蓄而委婉地抒發了不滿現實，渴望自由，想超脫現實而又不能的複雜感情，表達了內心的苦悶、彷徨與寂寞。朱自清認為，要使景物顯得自然逼真，就要寫得「氣韻生動」，「惟其『氣韻生動』，才能自然，才是活的不是死的」。

本文寫月下荷塘之景，就在「活」字上做足了功夫。田田荷葉，亭亭荷花，縷縷荷香，脈脈流水，再點染上淡淡月光，如夢如幻，如詩如畫。本文語言樸素典雅，優美生動，意蘊豐富，多種修辭手法特別是通感手法的運用給人一種新異之感。

冰心

寄小讀者（七）

親愛的小朋友：

八月十七的下午，約克遜號郵船無數的窗眼裏，飛出五色飄揚的紙帶，遠遠的拋到岸上，任憑送別的人牽住的時候，我的心是如何的飛揚而淒惻！

癡絕的無數的送別者，在最遠的江岸，僅僅牽著這終於斷絕的紙條兒，放這龐然大物，載著最重的離愁，飄然西去！

船上生活，是如何的清新而活潑。除了三餐外，只是隨意遊戲散步。海上的頭三日，我竟完全回到小孩子的境地中去了，套圈子，拋沙袋，樂此不疲，過後又絕然不玩了。後來自己回想很奇怪，無他，海喚起了我童年的回憶，海波聲中，童心和遊伴都跳躍到我腦中來。我十分的恨這次舟中沒有幾個小孩子，使我童心來復的三天中，有無猜暢好的遊戲！

我自少住在海濱，卻沒有看見過海平如鏡。這次出了吳淞口，一天的航程，一望無際盡是粼粼的微波。涼風習習，舟如在冰上行。到過了高麗界，海水竟似湖光。藍極綠極，凝成一片。斜陽的金光，長蛇般自天邊直接到闌旁人立處。上自穹蒼，下至船前的水，自淺紅至於深翠，幻成幾十色，一層層，一片片的漾開了來。……小朋友，恨我不能畫，文字竟是世界上最無用的東西，寫不出這空靈的妙景！

八月十八夜，正是雙星渡河之夕。晚餐後獨倚闌旁，涼風吹衣。銀河一片星光，照到深黑的海上。遠遠聽得樓闌下人聲笑語，忽然感到家鄉漸遠。繁星閃爍著，海波吟嘯著，凝立悄然，只有惆悵。

十九日黃昏，已近神戶，兩岸青山，不時的有漁舟往來。日本的小山多半是圓扁的，大家說笑，便道是「饅頭山」。這饅頭山沿途點綴，直到夜裏，遠望燈光燦然，已抵神戶。船徐徐停住，便有許多人上岸去。我因太晚，只自己又到最高層上，初次看見這般璀璨的世界，天上微月的光，和星光，岸上的燈光，無聲相映。不時的還有一串光明從山上橫飛過，想是火車周行。……舟中寂然，今夜沒有海潮音，靜極心緒忽起：「倘若此時母親也在這裏……」我極清晰的憶起北京來。小朋友，恕我，不能往下再寫了。

冰心

一九二三年八月二十日，神戶

朝陽下轉過一碧無際的草坡，穿過深林，已覺得湖上風來，湖波不是昨夜欲睡如醉的樣子了。——悄然的坐在湖岸上，伸開紙，拿起筆，抬起頭來，四圍紅葉中，四面水聲裏，我要開始寫信給我久違的小朋友。小朋友猜我的心情是怎樣的呢？

水面閃爍著點點的銀光，對岸意大利花園裏亭亭層列的松樹，都證明我已在萬里外。小朋友，到此已逾一月了，便是在日本也未曾寄過一字，說是對不起呢，我又不願！

我平時寫作，喜在人靜的時候。船上卻處處是公共的地方，艙面闌邊，人人可以來到。海景極好，心胸卻難得清平。我只能在晨間絕早，船面無人時，隨意寫幾個字，堆積至今，總不能整理，也不願草草整理，便遲延到了今日。我是尊重小朋友的，想小朋友也能尊重原諒我！

許多話不知從哪裏說起，而一聲聲打擊湖岸的微波，一層層的沒上雜立的潮石，直到我蔽膝的氈邊來，似乎要求我將她介紹給我的小朋友。小朋友，我真不知如何的形容介紹她！她現在橫在我的眼前。湖上的月明和落日，湖上的濃陰和微雨，我都見過了，真是儀態萬千。小朋友，我的親愛的人都不在這裏，便只有她——海的女兒，能慰安我了。Lake Waban，諧音會意，我便喚她做「慰冰」。每日黃昏的遊泛，舟輕如羽，水柔如不勝槳。岸上四圍的樹葉，綠的，紅的，黃的，白的，一叢一叢的倒影到水中來，覆蓋了半湖秋水。夕陽下極其豔冶，極其柔媚。將落的金光，到了樹梢，散在湖面。我在湖上光霧中，低低的囑咐它，帶我的愛和慰安，一同和它到遠東去。

小朋友！海上半月，湖上也過半月了，若問我愛哪一個更甚，這卻難說。——海好像我的母親，湖是我的朋友。我和海親近在童年，和湖親近是現在。海是深闊無際，不著一字，她的愛是神秘而偉大的，我對她的愛是歸心低首的。湖是紅葉綠枝，有許多襯托，她的愛是溫和嫵媚的，我對她的愛是清淡相照的。這也許太抽象，然而我沒有別的話來形容了！

小朋友，兩月之別，你們自己寫了多少，母親懷中的樂趣，可以說來讓我聽聽麼？——這便算是沿途書信的小序。此後仍將那寫好的信，按序寄上，日月和地方，都因其舊，「弱遊」的我，如何自太平洋東岸的上海繞到大西洋東岸的波士頓來，這些信中說得很清楚，請在那裏看罷！

不知這幾百個字，何時方達到你們那裏，世界真是太大了！

冰心

1932 年 10 月 14 日，慰冰湖畔，威爾斯利

〔選自錢穀融編著《中國現當代文學作品選》（上下卷），華東師範大學出版社 2008 年 6 月版〕

編選說明 ●●●

冰心（1900—1999），原名謝婉瑩，福建福州人。冰心的小說、散文有一個共同的主題——「愛的哲學」，即歌頌母愛、童真和自然。《寄小讀者》是冰心 1923 年至 1926 年旅美期間為《晨報副刊》的「兒童世界」專欄所寫的通訊集。此篇上文寫海之美，海的空靈妙景，月、星、燈光交相輝映的璀璨世界；下文寫湖之美，湖的儀態萬千，夕陽下湖的豔冶與柔媚；最後將海與湖對比，大自然在作者筆下具有了人的靈性。在對自然的歌頌中，融入了對祖國、故鄉、親人的懷念。「愛的哲學」，抒情詩和風景畫的情致，纖細澄澈的感情，溫柔的憂傷，輕靈的筆調，清麗典雅的語言，這就是常為人稱道的「冰心體」。

茅盾

風景談

前夜看了《塞上風雲》的預告片，便又回憶起猩猩峽外的沙漠來了。那還不能被稱為「戈壁」，那在普通地圖上，還不過是無名的小點，但是人類的肉眼已經不能望到它的邊際，如果在中午陽光正射的時候，那單純而強烈的返光會使你的眼睛不舒服；沒有隆起的沙丘，也不見有半間泥房，四顧只是茫茫一片，那樣的平坦，連一個「坎兒井」也找不到；那樣的純然一色，即使偶而有些駝馬的枯骨，它那微小的白光，也早溶入了周圍的蒼茫；又是那樣的寂靜，似乎只有熱空氣在作哄哄的火響。然而，你不能說，這裏就沒有「風景」。當地平線上出現了第一個黑點，當更多的黑點成為線，成為隊，而且當微風把鈴鐺的柔聲，丁當，丁當，送到你的耳鼓，而最後，當那些昂然高步的駱駝，排成整齊的方陣，安詳然而堅定地愈行愈近，當駱駝隊中領隊駝所掌的那一杆長方形猩紅大旗耀入你眼簾，而且大小丁當的諧和的合奏充滿了你耳管，——這時間，也許你不出聲，但是你的心裏會湧上了這樣的感想的：多麼莊嚴，多麼嫵媚呀！這裏是大自然的最單調最平板的一面，然而加上了人的活動，就完全改觀，難道這不是「風景」嗎？自然是偉大的，然而人類更偉大。

於是我又回憶起另一個畫面，這就在所謂「黃土高原」！那邊的山多數是禿頂的，然而層層的梯田，將禿頂裝扮成稀稀落落有些黃毛的癲頭，特別是那些高稈植物頎長而整齊，等待檢閱的隊伍似的，在晚風中搖曳，別有一種惹人憐愛的姿態。可是更妙的是三五月明之夜，天是那樣的藍，幾乎透明似的，月亮離山頂，似乎不過幾尺，遠看山頂的小米叢密挺立，宛如人頭上的怒發，這時候忽然從山脊上長出兩支牛角來，隨即牛的全身也出現，揹著犁的人形也出現，並不多，只有三兩個，也許還跟著個小孩，他們姍姍而下，在藍的天，黑的山，銀色的月光的背景上，成就了一幅剪影，如果給田園詩人見了，必將讚歎為絕妙的題材。可是沒有完。這幾位晚歸的種地人，還把他們那粗獷的短歌，用愉快的旋律，從山頂上撲下來，直到他們沒入了山坳，依舊只有藍天明月黑漆漆的山，歌聲可是繚繞不散。

另一個時間。另一個場面。夕陽在山，幹坼的黃土正吐出它在一天內所吸收的熱，河水湯湯急流，似乎能把淺淺河床中的鵝卵石都沖走了似的。這時候，沿河的山坳裏有一隊人，從「生產」歸來，興奮的談話中，至少有七八種不同的方音。忽然間，他們又用同一的音調，唱起雄壯的歌曲來了，他們的爽朗的笑聲，落到水上，使得河水也似在笑。看他們的手，這是慣拿調色板的，那是昨天還拉著提琴的弓子伴奏著《生產曲》的，這是經常不離木刻刀的，那又是洋洋灑灑下筆如有神的，但現在，一律都被鋤鍬的木柄磨起了老繭了。他們在山坡下，被另一群所迎住。這裏正燃起熊熊的野火，多少曾調朱弄粉的手兒，已經將金黃的小米飯，翠綠的油菜，準備齊全。這時候，太陽已經下山，卻將它的余暉幻成了滿天的彩霞，河水喧嘩得更響了，跌在石上的便噴出了雪白的泡沫，人們把沾著黃土的腳伸在水裏，任它沖刷，或者掬起水來，洗一把臉。在背山面水這樣一個所在，靜穆的自然和彌滿著生命力的人，就織成了美妙的圖畫。

在這裏，藍天明月，禿頂的山，單調的黃土，淺瀨的水，似乎都是最恰當不過的背景，無可更換。自然是偉大的，人類是偉大的，然而充滿了崇高精神的人類的活動，乃是偉大中之尤其偉大者！

我們都曾見過西裝革履燙髮旗袍高跟鞋的一對兒，在公園的角落，綠蔭下長椅上，悄悄兒說話，但是試想一想，如果在一個下雨天，你經過一邊是黃褐色的濁水，一邊是怪石峭壁的崖岸，馬蹄很小心地探入泥漿裏，有時還不免打了一下跌撞，四面是靜寂灰黃，沒有一般所謂的生動鮮豔，然而，你忽然抬頭看見高高的山壁上有幾個天然的石洞，三層樓的亭子間似的，一對人兒促膝而坐，只憑剪髮式樣的不同，你方能辨認出一個是女的，他們被雨趕到了那裏，大概聊天也聊夠了，現在是攤開著一本札記簿，頭湊在一處，一同在看，——試想一想，這樣一個場面到了你眼前時，總該和在什麼公園裏看見了長椅上有一對兒在偎倚低語，頗有點味兒不同罷！如果在公園時你一眼督見，首先第一會是「這裏有一對戀人」，那麼，此時此際，倒是先感到那樣一個沉悶的雨天，寂寞的荒山，原始的石洞，安上這麼兩個人，是一個「奇跡」，使大自然頓時生色！他們之是否戀人，落在問題之外。你所見的，是兩個生命力旺盛的人，是兩個清楚明白生活意義的人，在任何情形之下，他們不倦怠，也不會百無聊賴，更不至於從胡鬧中求刺激，他們能夠在任何情況之下，拿出他們那一套來，怡然自得。但是什麼能使他們這樣呢？

不過仍舊回到「風景」罷；在這裏，人依然是「風景」的構成者，沒有了人，還有什麼可以稱道的？再者，如果不是內生活極其充滿的人作為這裏的主宰，那又有什麼值得懷念？

再有一個例子：如果你同意，二三十棵桃樹可以稱為林，那麼這裏要說的，正是這樣一個桃林。花時已過，現在綠葉滿株，卻沒有一個桃子。半爿舊石磨，是最漂亮的圓桌面，幾尺斷碑，或是一截舊階石，那又是難得的几案。現成的大小石塊作為凳子，——而這樣的石凳也還是以奢侈品的姿態出現。這些怪樣的傢俱之所以成為必要，是因為這裏有一個茶社。桃林前面，有老百姓種的蕎麥，也有大麻和玉米這一類高稈植物。蕎麥正當開花，遠望去就像一張粉紅色的地毯，大麻和玉米就像是屏風，靠著地毯的邊緣。太陽光從樹葉的空隙落下來，在泥地上，石傢俱上，一抹一抹的金黃色。偶而也聽得有草蟲在叫，帶住在林邊樹上的馬兒伸長了脖子就樹幹搔癢，也許是樂了，便長嘶起來。「這就不壞！」你也許要這樣說。可不是，這裏是有一般所謂「風景」的一些條件的！然而，未必盡然。在高原的強烈陽光下，人們喜歡把這一片樹蔭作為戶外的休息地點，因而添上了什麼茶社，這是這個「風景區」成立的因緣，但如果把那二三十棵桃樹，半爿磨石，幾尺斷碣，還有蕎麥和大麻玉米，這些其實到處可遇的東西，看成了此所謂風景區的主要條件，那或者是會貽笑大方的。中國之大，比這美得多的所謂風景區，數也數不完，這個值得什麼？所以應當從另一方面去看。現在請你坐下，來一杯清茶，兩毛錢的棗子，也作一次桃園的茶客罷。如果你願意先看女的，好，那邊就有三四個，大概其中有一位剛接到家裏寄給她的一點錢，今天來請請同伴。那邊又有幾位，也圍著一個石桌子，但只把隨身帶來的書籍代替了棗子和茶了。更有兩位虎頭虎腦的青年，他們走過「天下最難走的路」，現在卻靜靜地坐著，溫雅得和閨女一般。男女混合的一群，有坐的，也有蹲的，爭論著一個哲學上的問題，時時譁然大笑，就在他們近邊，長石條上躺著一位，一本書掩住了臉。這就夠了，不用再多看。總之，這裏有特別的氛圍，但並不古怪。人們來這裏，只為恢復工作後的疲勞，隨便喝點，要是袋裏有錢；或不喝，隨便談談天；在有閒的只想找一點什麼來消磨時間的人們看來，這裏坐的不舒服，吃的喝的也太粗糙簡單，也沒有什麼可以供賞玩，至多來一次，第二次保管厭倦。但是不知道消磨時間為何物的人們卻把這一片簡陋的綠蔭看得很可愛，因此，這桃林就很出名了。

因此，這裏的「風景」也就值得留戀，人類的高貴精神的輻射，填補了自然界的貧乏，增添了景色，形式的和內容的。人創造了第二自然！

最後一段回憶是五月的北國。清晨，窗紙微微透白，萬籟俱靜，嘹亮的喇叭聲，破空而來。我忽然想起了白天在一本貼照簿上所見的第一張，銀白色的背景前一個淡黑的側影，一個號兵舉起了喇叭在吹，嚴肅，堅決，勇敢，和高度的警覺，都表現在小號兵的挺直的胸膛和高高的眉棱上邊。我讚美這攝影家的藝術，我回味著，我從當前的喇叭聲中也聽出了嚴肅，堅決，勇敢，和高度的警覺來，於是我披衣出去，打算看一看。空氣非常清冽，朝霞籠住了左面的山，我看見山峰上的小號兵了。霞光射住他，只覺得他的額角異常發亮，然而，使我驚歎叫出聲來的，是離他不遠有一位荷槍的戰士，面向著東方，嚴肅地站在那裏，猶如雕像一般。晨風吹著喇叭的紅綢子，只這是動的，戰士槍尖的刺刀閃著寒光，在粉紅的霞色中，只這是剛性的。我看得呆了，我彷彿看見了民族的精神化身而為他們兩個。

如果你也當它是「風景」，那便是真的風景，是偉大中之最偉大者！

1940 年 12 月，於棗子嵐埡

（選自孫中田編著《茅盾散文．雜文》，吉林文史出版社 2004 年 4 月版）

編選說明 •••

茅盾(1896—1981)，原名沈德鴻，字雁冰，浙江桐鄉人。宣導「為人生」的文學主張，其社會剖析小說為大時代的變革留下了鮮活的記錄。代表作有小說《子夜》《春蠶》等。《風景談》與稍後創作的被譽為姐妹篇的《白楊禮讚》是現代散文發展史上有口皆碑的名篇。本文寫於 1940 年 12 月，此時的茅盾已離開延安置身於國統區重慶的白色恐怖之中，在沒有言論自由的情況下，只能「把政治寓於風景之中」，表面上談的是自然風景，實際上談的是主宰風景的人。通過對沙漠駝鈴、高原晚歸、延河夕照、石洞雨景、桃林小憩、北國晨號等六幅風景的描寫，讚頌延安軍民火熱的戰鬥生活，讚頌具有崇高革命精神的延安兒女。

茅盾

白楊禮讚

白楊樹實在不是平凡的，我讚美白楊樹！

汽車在望不到邊際的高原上奔馳，撲入你的視野的，是黃綠錯綜的一條大氈子；黃的是土，未開墾的荒地，幾十萬年前由偉大的自然力堆積成功的黃土高原的外殼；綠的呢，是人類勞力戰勝自然的成果，是麥田。和風吹送，翻起了一輪一輪的綠波，——這時你會真心佩服昔人所造的兩個字「麥浪」，若不是妙手偶得，便確是經過錘鍊的語言的精華。黃與綠主宰著，無邊無垠，坦蕩如砥，這時如果不是宛若並肩的遠山的連峰提醒了你，你會忘記了汽車是在高原上行駛，這時你湧起來的感想也許是「雄壯」，也許是「偉大」，諸如此類的形容詞，然而同時你的眼睛也許覺得有點倦怠，你對當前的「雄壯」或「偉大」閉了眼，而另一種味兒在你心頭潛滋暗長了——「單調」。可不是，單調，有一點兒吧？

然而剎那間，要是你猛抬眼看見了前面遠遠地有一排，——不，或者甚至只是三五株，一株，傲然地聳立，像哨兵似的樹木的話，那你的懨懨欲睡的情緒又將如何？我那時是驚奇地叫了一聲的！

那就是白楊樹，西北極普通的一種樹，然而實在是不平凡的一種樹！

那是力爭上游的一種樹，筆直的幹，筆直的枝。它的幹通常是丈把高，像加過人工似的，一丈以內，絕無旁枝。它所有的丫枝一律向上，而且緊緊靠攏，也像加過人工似的，成為一束，絕不旁逸斜出。它的寬大的葉子也是片片向上，幾乎沒有斜生的，更不用說倒垂了；它的皮光滑而有銀色的暈圈，微微泛出淡青色。這是雖在北方風雪的壓迫下卻保持著倔強挺立的一種樹。哪怕只有碗那樣粗細，它卻努力向上發展，高到丈許，兩丈，參天聳立，不折不撓，對抗著西北風。

這就是白楊樹，西北極普通的一種樹，然而決不是平凡的樹！

它沒有婆娑的姿態，沒有屈曲盤旋的虯枝，也許你要說它不美，如果美是專指「婆娑」或「旁逸斜出」之類而言，那麼，白楊樹算不得樹中的好女子；但是它偉岸，正直，樸質，嚴肅，也不缺乏溫和，更不用提它的堅強不屈與挺拔，它是樹中的偉丈夫！當你在積雪初融的高原上走過，看見平坦的大地上傲然挺立這麼一株或一排白楊樹，難道你就只覺得它只是樹彝難道你就不想到它的樸質，嚴肅，堅強不屈，至少也象徵了北方的農民？難道你竟一點也不聯想到，在敵後的廣大土地上，到處有堅強不屈，就像這白楊樹一樣傲然挺立的守衛他們家鄉的哨兵？難道你又不更遠一點想到這樣枝枝葉葉靠緊團結，力求上進的白楊樹，宛然象徵了今天在華北平原縱橫決蕩，用血寫出新中國歷史的那種精神和意志？

白楊樹不是平凡的樹。它在西北極普遍，不被人重視，就跟北方的農民相似；它有極強的生命力，折磨不了，壓迫不倒，也跟北方的農民相似。我讚美白楊樹，就因為它不但象徵了北方的農民，尤其象徵了今天我們民族解放鬥爭中所不可缺的樸質，堅強，力求上進的精神。

讓那些看不起民眾，賤視民眾，頑固的倒退的人們去讚美那貴族化的楠木（那也是直挺秀頎的)，去鄙視這極常見，極易生長的白楊吧，我要高聲讚美白楊樹！

（選自孫中田編著《茅盾散文・雜文》，吉林文史出版社 2004 年 4 月版）

編選說明

《白楊禮讚》寫於抗日戰爭時期。茅盾從國統區到解放區，目睹了兩個世界後，激情而作此文。他運用借物詠懷、託物言志的手法，以西北黃土高原上「參天聳立，不折不撓，對抗著西北風」的白楊樹來象徵堅韌、勤勞的北方農民，歌頌他們在民族解放鬥爭中表現出來的樸質、堅強和力求上進的精神，同時對於那些「賤視民眾，頑固的倒退的人們」也給予了辛辣的諷刺。文章抓住「不平凡」三個字，從生長環境、外部形態、內在氣質三個方面展開，運用欲揚先抑、正反對比等多種手法，一步步地將讀者引入勝境。結構巧妙，佈局嚴謹，運用複沓迴環的敘述，具有較強的音樂旋律感。

老舍

想北平

設若讓我寫一本小說，以北平作背景，我不至於害怕，因為我可以撿著我知道的寫，而躲開我所不知道的。但要讓我把北平一一道來，我沒辦法。北平的地方那麼大，事情那麼多，我知道的真是太少了，雖然我生在那裏，一直到廿七歲才離開。以名勝說，我沒到過陶然亭，這多可笑！以此類推，我所知道的那點只是「我的北平」，而我的北平大概等於牛的一毛。

可是，我真愛北平。這個愛幾乎是要說而說不出的。我愛我的母親。怎樣愛？我說不出。在我想做一件討她老人家喜歡的事情的時候，我獨自微微的笑著；在我想到她的健康而不放心的時候，我欲落淚。言語是不夠表現我的心情的，只有獨自微笑或落淚才足以把內心揭露在外面一些來。我之愛北平也近乎這個。誇獎這個古城的某一點是容易的，可是那就把北平看得太小了。我所愛的北平不是枝枝節節的一些什麼，而是整個兒與我的心靈相黏合的一段歷史，一大塊地方，多少風景名勝，從雨後什剎海的蜻蜓一直到我夢裏的玉泉山的塔影，都積湊到一塊，每一小的事件中有個我，我的每一思念中有個北平，這只有說不出而已。

真願成為詩人，把一切好聽好看的字都浸在自己的心血裏，像杜鵑似的啼出北平的俊偉。啊！我不是詩人！我將永遠道不出我的愛，一種像由音樂與圖畫所引起的愛。這不但辜負了北平，也對不住我自己，因為我的最初的知識與印象都得自北平，它是在我的血裏，我的性格與脾氣裏有許多地方是這古城所賜給的。我不能愛上海與天津，因為我心中有個北平。可是我說不出來！

倫敦，巴黎，羅馬與堪司坦丁堡，曾被稱為歐洲的四大「歷史的都城」。我知道一些倫敦的情形；巴黎與羅馬只是到過而已；堪司坦丁堡根本沒有去過。就倫敦、巴黎、羅馬來說，巴黎更近似北平——雖然「近似」兩字要拉扯得很遠——不過，假使讓我「家住巴黎」，我一定會和沒有家一樣的感到寂苦。巴黎，據我看，還太熱鬧。自然，那裏也有空曠靜寂的地方，可是又未免太曠；不像北平那樣既複雜而又有個邊際，使我能摸著——那長著紅酸棗的老城牆！面向著積水灘，背後是城牆，坐在石上看水中的小蝌蚪或葦葉上的嫩蜻蜓，我可以快樂的坐一天，心中完全安適，無所求也無可怕，像小兒安睡在搖籃裏。是的，北平也有熱鬧的地方，但是它和太極拳相似，動中有靜。巴黎有許多地方使人疲乏，所以咖啡與酒是必要的，以便刺激；在北平，有溫和的香片茶就夠了。

論說巴黎的布置已比倫敦羅馬匀調得多了，可是比上北平還差點事兒。北平在人為之中顯出自然，幾乎是什麼地方既不擠得慌，又不太僻靜：最小的胡同裏的房子也有院子與樹；最空曠的地方也離買賣街與住宅區不遠。這種分配法可以算——在我的經驗中——天下第一了。北平的好處不在處處設備得完全，而在它處處有空兒，可以使人自由的喘氣；不在有好些美麗的建築，而在建築的四周都有空閒的地方，使它們成為美景。每一個城樓，每一個牌樓，都可以從老遠就看見。況且在街上還可以看見北山與西山呢！

好學的，愛古物的，人們自然喜歡北平，因為這裏書多古物多。我不好學，也沒錢買古物。對於物質上，我卻喜愛北平的花多菜多果子多。花草是種費錢的玩藝，可是此地的「草花兒」很便宜，而且家家有院子，可以花不多的錢而種一院子花，即使算不了什麼，可是到底可愛呀。牆上的牽牛，牆根的靠山竹與草茉莉，是多麼省錢省事而也足以招來蝴蝶呀！至於青菜，白菜，扁豆，毛豆角，黃瓜，菠菜等等，大多數是直接由城外擔來而送到家門口的。雨後，韭菜葉上還往往帶著雨時濺起的泥點。青菜攤子上的紅紅綠綠幾乎有詩似的美麗。果子有不少是由西山與北山來的，西山的沙果，海棠，北山的黑棗，柿子，進了城還帶著一層白霜兒呀！哼，美國的橘子包著紙，遇到北平的帶霜兒的玉李，還不愧殺！

是的，北平是個都城，而能有好多自己產生的花，菜，水果，這就使人更接近了自然。從它裏面說，它沒有像倫敦的那些成天冒煙的工廠；從外面說，它緊連著園林，菜圃與農村。採菊東籬下，在這裏，確是可以悠然見南山的；大概把「南」字變個「西」或「北」，也沒有多少了不得的吧。像我這樣的一個貧寒的人，或者只有在北平能享受一點清福了。

好，不再說了吧；要落淚了，真想念北平呀！

（選自老舍著《老舍散文》，人民文學出版社 2008 年 1 月版）

編選說明 ●●●

老舍（1899—1966），原名舒慶春，字舍予，滿族，代表作有小說《駱駝祥子》《四世同堂》、話劇《龍鬚溝》等。本文寫於1936年，作者當時不在北平，又逢戰亂，更加想念北平了。但北平之大，歷史之久，風景之多，如何寫呢？作者另闢蹊徑，寫「我的北平」，寫我對北平的愛。這愛深得如同對母親的愛。「我所愛的北平不是枝枝節節的一些什麼，而是整個兒與我的心靈相黏合的一段歷史，一大塊地方」，北平的「每一小的事件中有個我，我的每一思念中有個北平」，「我」與北平血脈相連，融為一體。作者將北平與歐洲四大歷史都城相比較，從整體感覺、城市布置、生活情趣、環境氛圍等方面，歷數北平之好。老舍是一位語言大師，本文用最平易自然的語言表達了最真摯深厚的感情。

巴金

愛爾克的燈光

傍晚，我靠著逐漸暗淡的最後的陽光的指引，走過十八年前的故居。這條街、這個建築物開始在我的眼前隱藏起來，像在躲避一個久別的舊友。但是它們的改變了的面貌於我還是十分親切。我認識它們，就像認識我自己。還是那樣寬的街，寬的房屋。巍峨的門牆代替了太平缸和石獅子，那一對常常做我們坐騎的背脊光滑的雄獅也不知逃進了哪座荒山。然而大門開著，照壁上「長宜子孫」四個字卻是原樣地嵌在那裏，似乎連顏色也不曾被風雨剝蝕。我望著那同樣的照壁，我被一種奇異的感情抓住了，我彷彿要在這裏看出過去的十九個年頭，不，我彷彿要在這裏尋找十八年以前的遙遠的舊夢。

守門的衛兵用懷疑的眼光看我。他不瞭解我的心情。他不會認識十八年前的年輕人。他卻用眼光驅逐一個人的許多親密的回憶。

黑暗來了。我的眼睛失掉了一切。於是大門內亮起了燈光。燈光並不曾照亮什麼，反而增加了我心上的黑暗。我只得失望地走了。我向著來時的路回去。已經走了四五步，我忽然掉轉頭，再看那個建築物。依舊是陰暗中的一線微光。我好像看見一個盛滿希望的水碗一下子就落在地上打碎了一般，我痛苦地在心裏叫起來。在這條被夜幕覆蓋著的近代城市的靜寂的街中，我彷彿看見了哈立希島上的燈光。那應該是姐姐愛爾克點的燈吧。她用這燈光來給她航海的兄弟照路，每夜每夜燈光亮在她的窗前，她一直到死都在等待那個出遠門的兄弟回來。最後她帶著失望進入墳墓。

街道仍然是清靜的。忽然一個熟悉的聲音在我耳邊輕輕地唱起了這個歐洲的古傳說。在這裏不會有人歌詠這樣的故事。應該是書本在我心上留下的影響。但是這個時候我想起了自己的事情。

十八年前在一個春天的早晨，我離開這個城市、這條街的時候，我也曾有一個姐姐，也曾答應過有一天回來看她，跟她談一些外面的事情。我相信自己的諾言。那時我的姐姐還是一個出閣才只一個多月的新嫁娘，都說她有一個性情溫良的丈夫，因此也會有長久的幸福的歲月。

然而人的安排終於被「偶然」破壞了。這應該是一個「意外」。但是這「意外」卻毫無憐憫地打擊了年輕的心。我離家不過一年半光景，就接到了姐姐的死訊。我的哥哥用了顫抖的哭訴的筆敘說一個善良女性的悲慘的結局，還說起她死後受到的冷落的待遇。從此那個做過她丈夫的所謂溫良的人改變了，他往一條喪失人性的路走去。他想往上爬，結果卻不停地向下面落，終於到了用鴉片煙延續生命的地步。對於姐姐，她生前我沒有好好地愛過她，死後也不曾做過一樣紀念她的事。她寂寞地活著，寂寞地死去。死帶走了她的一切，這就是在我們那個地方的舊式女子的命運。

我在外面一直跑了十八年。我從沒有向人談過我的姐姐。只有偶而在夢裏我看見了愛爾克的燈光。一年前在上海我常常睜起睛睛做夢。我望著遠遠的在窗前發亮的燈，我面前橫著一片大海，燈光在呼喚我，我恨不得腋下生出翅膀，即刻飛到那邊去。沉重的夢壓住我的心靈，我好像在跟許多無形的魔鬼手掙扎。我望著那燈光，路是那麼遠，我又沒有翅膀。我只有一個渴望： 飛！飛！那些熬煎著心的日子！那些可怕的夢魘！

但是我終於出來了。我越過那堆積著像山一樣的十八年的長歲月，回到了生我養我而且讓我刻印了無數兒時回憶的地方。我走了很多的路。

十九年，似乎一切全變了，又似乎都沒有改變。死了許多人，毀了許多家。許多可愛的生命葬入黃土。接著又有許多新的人繼續扮演不必要的悲劇。浪費，浪費，還是那許多不必要的浪費——生命，精力，感情，財富，甚至歡笑和眼淚。我去的時候是這樣，回來時看見的還是一樣的情形。關在這個小圈子裏，我禁不住幾次問我自己：難道這十八年全是白費？難道在這許多年中間所改變的就只是裝束和名詞？我痛苦地搓自己的手，不敢給一個回答。

在這個我永不能忘記的城市裏，我度過了五十個傍晚。我花費了自己不少的眼淚和歡笑，也消耗了別人不少的眼淚和歡笑。我匆匆地來，也將匆匆地去。用留戀的眼光看我出生的房屋，這應該是最後的一次了。我的心似乎想在那裏尋覓什麼。但是我所要的東西絕不會在那裏找到。我不會像我的一個姑母或者嫂嫂，設法進到那所已經易了幾個主人的公館，對著園中的老樹垂淚，慨歎著一個家族的盛衰。摘吃自己栽種的樹上的苦果，這是一個人的本分。我沒有跟著那些人走一條路，我當然在這裏找不到自己的腳跡。幾次走過這個地方，我所看見的還只有那四個字：「長宜子孫。」

「長宜子孫」這四個字的年齡比我的不知大了多少。這也該是我祖父留下的東西吧。最近在家裏我還讀到他的遺囑。他用空空兩手造就了一份家業。到臨死還周到地為兒孫安排了舒適的生活。他叮囑後人保留著他修建的房屋和他辛苦地搜集起來的書畫。但是兒孫們回答他的還是同樣的字：分和賣。我很奇怪，為什麼這樣聰明的老人還不明白一個淺顯的道理：財富並不「長宜子孫」，倘使不給他們一個生活技能，不向他們指示一條生活道路？「家」 這個小圈子只能摧毀年輕心靈的發育成長，倘使不同時讓他們睜起眼睛去看廣大世界；財富只能毀滅崇高的理想和善良的氣質，要是它只消耗在個人的利益上面。

「長宜子孫」，我恨不能削去這四個字！許多可愛的年輕生命被摧踐了，許多有為的年輕心靈被囚禁了。許多人在這個小圈子裏面憔悴地捱著日子。這就是「家」！「甜蜜的家」！這不是我應該來的地方。愛爾克的燈光不會把我引到這裏來的。

於是在一個春天的早晨，依舊是十八年前的那些人把我送到門口，這裏面少了幾個，也多了幾個。還是和那次一樣，看不見我姐姐的影子，那次是我沒有等待她，這次是我找不到她的墳墓。一個叔父和一個堂兄弟到車站送我，十八年前他們也送過我一段路程。

我高興地來，痛苦地去。汽車離站時我心裏的確充滿了留戀。但是清晨的微風，路上的塵土，馬達的叫吼，車輪的滾動，和廣大田野裏一片盛開的菜子花，這一切驅散了我的離愁。我不顧同行者的勸告，把頭伸到車窗外面，去呼吸廣大天幕下的新鮮空氣。我很高興，自己又一次離開了狹小的家，走向廣大的世界中去！

忽然在前面田野裏一片綠的蠶豆和黃的菜花中間，我彷彿又看見了一線光，一個亮，這還是我常常看見的燈光。這不會是愛爾克的燈裏照出來的，我那個可憐的姐姐已經死去了。這一定是我的心靈的燈，它永遠給我指示我應該走的路。

〔選自錢穀融編著《中國現當代文學作品選》（上下卷），華東師範大學出版社 2008 年 6 月版〕

編選說明 ●●●

巴金（1904—2005），原名李堯棠，字芾甘，四川成都人，代表作有小說《激流三部曲》《寒夜》等。1923 年 5 月，為了反抗封建禮教，追求理想生活，巴金毅然衝出了封建家庭的牢籠。1941 年 1 月，已成長為一名反封建鬥士的他第一次回到故鄉，但令其悲哀的是，故鄉依然籠罩在舊制度的陰影下。於是巴金飽含深情地寫下了這篇散文，揭露了封建禮教對青年一代的毒害，表達了對舊制度的強烈憎恨，通過對「財富並不『長宜子孫』」的分析，指出青年人應該離開狹小的家，到社會中尋找光明的路。本文結構精巧，以燈光為線索貫穿全篇，大門裏的燈光、愛爾克的燈光、心靈的燈光分別具有不同的象徵意義。

巴金

懷念蕭珊

一・

今天是蕭珊逝世的六週年紀念日。六年前的光景還非常鮮明地出現在我的眼前。那一天我從火葬場回到家中，一切都是亂糟糟的，過了兩三天我漸漸地安靜下來了，一個人坐在書桌前，想寫一篇紀念她的文章。在五十年前我就有了這樣一種習慣：有感情無處傾吐時我經常求助於紙筆。可是一九七二年八月裏那幾天，我每天坐三四個小時望著面前攤開的稿紙，卻寫不出一句話。我痛苦地想，難道給關了幾年的「牛棚」，真的就變成「牛」了？頭上彷彿壓了一塊大石頭，思想好像凍結了一樣。我索性放下筆，什麼也不寫了。

六年過去了。林彪、「四人幫」及其爪牙們的確把我搞得很「狼狽」，但我還是活下來了，而且偏偏活得比較健康，腦子也並不糊塗，有時還可以寫一兩篇文章。最近我經常去火葬場，參加老朋友們的骨灰安放儀式。在大廳裏，我想起許多事情。同樣地奏著哀樂，我的思想卻從擠滿了人的大廳轉到只有二三十個人的中廳裏去了，我們正在用哭聲向蕭珊的遺體告別。我記起了《家》裏面覺新說過的一句話：「好像玨死了，也是一個不祥的鬼。」四十七年前我寫這句話的時候，怎麼想得到我是在寫自己！我沒有流眼淚，可是我覺得有無數鋒利的指甲在搔我的心。我站在死者遺體旁邊，望著那張慘白色的臉，那兩片咽下千言萬語的嘴唇，我咬緊牙齒，在心裏喚著死者的名字。我想，我比她大十三歲，為什麼不讓我先死？我想，這是多不公平！她究竟犯了什麼罪？她也給關進「牛棚」，掛上「牛鬼蛇神」的小紙牌，還掃過馬路。究竟為什麼？理由很簡單，她是我的妻子。她患了病，得不到治療，也因為她是我的妻子。想盡辦法一直到逝世前三個星期，靠開後門她才住進醫院。但是癌細胞已經擴散，腸癌變成了肝癌。

她不想死，她要活，她願意改造思想，她願意看到社會主義建成。這個願望總不能說是癡心妄想吧？她本來可以活下去，倘使她不是「黑老K」的「臭婆娘」。一句話，是我連累了她，是我害了她。

在我靠邊的幾年中間，我所受到的精神折磨她也同樣受到。但是我並未挨過打，她卻挨了「北京來的紅衛兵」的銅頭皮帶，留在她左眼上的黑圈好幾天後才褪盡。她挨打只是為了保護我，她看見那些年輕人深夜闖進來，害怕他們把我揪走，便溜出大門，到對面派出所去，請民警同志出來干預。那裏只有一個人值班，不敢管。當著民警的面，她被他們用銅頭皮帶狠狠抽了一下，給押了回來，同我一起關在馬桶間裏。

她不僅分擔了我的痛苦，還給了我不少的安慰和鼓勵。在「四害」橫行的時候，我在原單位（中國作家協會上海分會）給人當做「罪人」和「賊民」看待，日子十分難過，有時到晚上九、十點鐘才能回家。我進了門看到她的面容，滿腦子的烏雲都消散了。我有什麼委屈、牢騷，都可以向她盡情傾吐。有一個時期我和她每晚臨睡前要服兩粒眠爾通才能夠閉眼，可是天剛剛發白就都醒了。我喚她，她也喚我。我訴苦般地說：「日子難過啊！」她也用同樣的聲音回答：「日子難過啊！」但是她馬上加一句：「要堅持下去。」或者再加一句：「堅持就是勝利。」我說「日子難過」，因為在那一段時間裏，我每天在「牛棚」裏面勞動、學習、寫交代、寫檢查、寫思想彙報。任何人都可以責　我、教訓我、指揮我。從外地到「作協分會」來串聯的人可以隨意點名叫我出去「示眾」，還要自報罪行。上下班不限時間，由管理「牛棚」的「監督組」隨意決定。任何人都可以闖進我家裏來，高興拿什麼就拿走什麼。這個時候大規模的群眾性批鬥和電視批斗大會還沒有開始，但已經越來越逼近了。

她說「日子難過」，因為她給兩次揪到機關，靠邊勞動，後來也常常參加陪鬥。在淮海中路「大批判專欄」上張貼著批判我的罪行的大字報，我一家人的名字都給寫出來「示眾」，不用說「臭婆娘」的大名占著顯著的地位。這些文字像蟲子一樣咬痛她的心。她讓上海戲劇學院「狂妄派」學生突然襲擊、揪到「作協分會」去的時候，在我家大門上還貼了一張揭露她的所謂罪行的大字報。幸好當天夜裏我兒子把它撕毀，否則這一張大字報就會要了她的命！

人們的白眼，人們的冷嘲熱罵蠶蝕著她的身心。我看出來她的健康逐漸遭到損害。表面上的平靜是虛假的。內心的痛苦像一鍋煮沸的水，她怎麼能遮蓋住！怎樣能使它平靜！她不斷地給我安慰，對我表示信任，替我感到不平。然而她看到我的問題一天天地變得嚴重，上面對我的壓力一天天地增加，她又非常擔心。有時同我一起上班或者下班，走進鉅鹿路口，快到「作協分會」，或者走進南湖路口，快到我們家，她總是抬不起頭。我理解她，同情她，也非常擔心她經受不起沉重的打擊。我記得有一天到了平常下班的時間，我們沒有受到留難，回到家裏她比較高興，到廚房去燒菜。我翻看當天的報紙，在第三版上看到當時做了「作協分會」的「頭頭」的兩個工人作家寫的文章《徹底揭露巴金的反革命真面目》。真是當頭一棒！我看了兩三行，連忙把報紙藏起來，我害怕讓她看見。她端著燒好的菜出來，臉上還帶笑容，吃飯時她有說有笑。飯後她要看報，我企圖把她的注意力引到別處。但是沒有用，她找到了報紙。她的笑容一下子完全消失。

這一夜她再沒有講話，早早地進了房間。我後來發現她躺在床上小聲哭著。一個安靜的夜晚給破壞了。今天回想當時的情景，她那張滿是淚痕的臉還在我的眼前。我多麼願意讓她的淚痕消失，笑容在她憔悴的臉上重現，即使減少我幾年的生命來換取我們家庭生活中一個寧靜的夜晚，我也心甘情願！

二・

我聽周信芳同志的媳婦說，周的夫人在逝世前經常被打手們拉出去當作皮球推來推去，打得遍體鱗傷。有人勸她躲開，她說：「我躲開，他們就要這樣對付周先生了。」蕭珊並未受到這種新式體罰。可是她在精神上給別人當皮球打來打去。她也有這樣的想法：她多受一點精神折磨，可以減輕對我的壓力。其實這是她一片癡心，結果只苦了她自己。我看見她一天天地憔悴下去，我看見她的生命之火逐漸熄滅，我多麼痛心。我勸她，我安慰她，我想拉住她，一點也沒有用。

她常常問我：「你的問題什麼時候才解決呢？」我苦笑說：「總有一天會解決的。」她歎口氣說：「我恐怕等不到那個時候了。」後來她病倒了，有人勸她打電話找我回家，她不知從哪裏得來的消息，她說：「他在寫檢查，不要打岔他。他的問題大概可以解決了。」等到我從五・七幹校回家休假，她已經不能起床。她還問我檢查寫得怎樣，問題是否可以解決。我當時的確在寫檢查，而且已經寫了好幾次了。他們要我寫，只是為了消耗我的生命。但她怎麼能理解呢？

這時離她逝世不過兩個多月，癌細胞已經擴散，可是我們不知道，想找醫生給她認真檢查一次，也毫無辦法。平日去醫院掛號看門診，等了許久才見到醫生或者實習醫生，隨便給開個藥方就算解決問題。只有在發燒到攝氏三十九度才有資格掛急診號，或者還可以在病人擁擠的觀察室裏待上一天半天。當時去醫院看病找交通工具也很困難，常常是我女婿借了自行車來，讓她坐在車上，他慢慢地推著走。有一次她雇到小三輪車去看病，看好門診回家雇不到車了，只好同陪她看病的朋友一起慢慢地走回來，走走停停，走到街口，她快要倒下了，只得請求行人到我們家通知，她一個表侄正好來探病，就由他去把她背了回家。她希望拍一張 X 光片子查一查腸子有什麼病，但是辦不到。後來靠了她一位親戚幫忙開後門兩次拍片，才查出她患腸癌。以後又靠朋友設法開後門住進了醫院。她自己還很高興，以為得救了。只有她一個人不知道真實的病情，她在醫院裏只活了三個星期。

我休假回家假期滿了，我又請過兩次假，留在家裏照料病人。最多也不到一個月。我看見她病情日趨嚴重，實在不願意把她丟開不管，我要求延長假期的時候，我們那個單位的一個「工宣隊」頭頭逼著我第二天就回幹校去。我回到家裏，她問起來，我無法隱瞞。她歎了口氣，說：「你放心去吧。」 她把臉掉過去，不讓我看見她。我女兒、女婿看到這種情景，自告奮勇地跑到鉅鹿路向那位「工宣隊」頭頭解釋，希望同意我在市區多留些日子照料病人。可是那個頭頭「執法如山」，還說：他不是醫生，留在家裏，有什麼用！「留在家裏對他改造不利！」他們氣憤地回到家中，只說機關不同意，後來才對我傳達了這句「名言」。我還能講什麼呢？明天回幹校去！

整個晚上她睡不好，我更睡不好。出乎意外，第二天一早我那個插隊落戶的兒子在我們房間裏出現了，他是昨天半夜裏到的。他得了家信，請假回家看母親，卻沒有想到母親病成這樣。我見了他一面，把他母親交給他，就回幹校去了。

在車上我的情緒很不好。我實在想不通為什麼會有這樣的事情。我在幹校待了五天，無法同家裏通消息。我已經猜到她的病不輕了。可是人們不讓我過問她的事情。這五天是多麼難熬的日子！到第五天晚上在幹校的造反派頭頭通知我們全體第二天一早回市區開會。這樣我才又回到了家，見到了我的愛人。靠了朋友幫忙，她可以住進中山醫院肝癌病房，一切都準備好，她第二天就要住院了。她多麼希望住院前見我一面，我終於回來了。連我也沒有想到她的病情發展得這麼快。我們見了面，我一句話也講不出來。她說了一句：「我到底住院了。」我答說：「你安心治療吧。」她父親也來看她，老人家雙目失明，去醫院探病有困難，可能是來同他的女兒告別了。

我吃過中飯，就去參加給別人戴上反革命帽子的大會，受批判、戴帽子的不止一個，其中有一個我的熟人王若望同志，他過去也是作家，不過比我年輕。我們一起在「牛棚」裏關過一個時期，他的罪名是「摘帽右派」。他不服，不聽話，他貼出大字報，聲明「自己解放自己」，因此罪名越搞越大，給捉去關了一個時期不算，還戴上了反革命的帽子監督勞動。

在會場裏我一直像在做怪夢。開完會回家，見到蕭珊我感到格外親切，彷彿重回人間。可是她不舒服，不想講話，偶而講一句半句。我還記得她講了兩次：「我看不到了。」我連聲問她看不到什麼？她後來才說：「看不到你解放了。」我還能再講什麼呢？

我兒子在旁邊，垂頭喪氣，精神不好，晚飯只吃了半碗，像是患感冒。她忽然指著他小聲說：「他怎麼辦呢？」他當時在安徽山區已經待了三年半，政治上沒有人管，生活上不能養活自己，而且因為是我的兒子，給剝奪了好些公民權利。他先學會沉默，後來又學會抽煙。我懷著內疚的心情看看他，我後悔當初不該寫小說，更不該生兒育女。我還記得前兩年在痛苦難熬的時候她對我說：「孩子們說爸爸做了壞事，害了我們大家。」這好像用刀子在割我身上的肉。我沒有出聲，我把淚水全吞在肚裏。她睡了一覺醒過來忽然問我：「你明天不去了？」我說：「不去了。」就是那個「工宣隊」頭頭今天通知我不用再去幹校就留在市區。他還問我：「你知道蕭珊是什麼病？」我答說：「知道。」其實家裏瞞住我，不給我知道真相，我還是從他這句問話裏猜到的。

三・

第二天早晨她動身去醫院，一個朋友和我女兒、女婿陪她去。她穿好衣服等候車來。她顯得急躁，又有些留戀，東張張西望望，她也許在想是不是能再看到這裏的一切。我送走她，心上反而加了一塊大石頭。

將近二十天裏，我每天去醫院陪伴她大半天。我照料她，我坐在病床前守著她，同她短短地談幾句話。她的病情惡化，一天天衰弱下去，肚子卻一天天大起來，行動越來越不方便。當時病房裏沒有人照料，生活方面除飯食外一切都必須自理。

後來聽同病房的人稱讚她「堅強」，說她每天早晚都默默地掙扎著下了床，走到廁所。醫生對我們談起，病人的身體經不住手術，最怕的是她腸子堵塞，要是不堵塞，還可以拖延一個時期。她住院後的半個月是一九六六年八月以來我既感痛苦又感到幸福的一段時間，是我和她在一起度過的最後的平靜的時刻，我今天還不能將它忘記。但是半個月以後，她的病情有了發展，一天吃中飯的時候，醫生通知我兒子找我去談話。他告訴我：病人的腸子給堵住了，必須開刀。開刀不一定有把握，也許中途出毛病。但是不開刀，後果更不堪設想。他要我決定，並且要我勸她同意。我作了決定，就去病房對她解釋。我講完話，她只說了一句：「看來，我們要分別了。」她望著我，眼睛裏全是淚水。我說：「不會的……」我的聲音啞了。接著護士長來安慰她，對她說：「我陪你，不要緊的。」她回答：「你陪我就好。」時間很緊迫，醫生、護士們很快作好準備，她給送進手術室去了，是她表侄把她推到手術室門口的，我們就在外面走廊上等了好幾個小時，等到她平安地給送出來，由兒子把她推回到病房去。兒子還在她身邊守過一個夜晚。過兩天他也病倒了，查出來他患肝炎，是從安徽農村帶回來的。本來我們想瞞住他的母親，可是無意間讓他母親知道了。她不斷地問：「兒子怎麼樣？」我自己也不知道兒子怎麼樣，我怎麼能使她放心呢？晚上回到家，走進空空的、靜靜的房間，我幾乎要叫出聲來：「一切都朝我的頭打下來吧，讓所有的災禍都來吧。我受得住！」

我應當感謝那位熱心而又善良的護士長，她同情我的處境，要我把兒子的事情完全交給她辦。她作好安排，陪他看病、檢查，讓他很快住進別處的隔離病房，得到及時的治療和護理。他在隔離房裏苦苦地等候母親病情的好轉。母親躺在病床上，只能有氣無力地說幾句短短的話，她經常問：「棠棠怎麼樣？」從她那雙含淚的眼睛裏我明白她多麼想看見她最愛的兒子。但是她已經沒有精力多想了。

她每天給輸血，打鹽水針。她看見我去就斷斷續續地問我：「輸多少西西的血？該怎麼辦？」我安慰她：「你只管放心。沒有問題，治病要緊。」她不止一次地說：「你辛苦了。」我有什麼苦呢？我能夠為我最親愛的人做事情，哪怕做一件小事，我也高興！後來她的身體更不行了。醫生給她輸氧氣，鼻子裏整天插著管子。她幾次要求拿開，這說明她感到難受，但是聽了我們的勸告，她終於忍受下去了。開刀以後她只活了五天。誰也想不到她會去得這麼快！五天中間我整天守在病床前，默默地望著她在受苦（我是設身處地感覺到這樣的），可是她除了兩三次要求搬開床前巨大的氧氣筒，三四次表示擔心輸血較多付不出醫藥費之外，並沒有抱怨過什麼。見到熟人她常有這樣一種表情：請原諒我麻煩了你們。她非常安靜，但並未昏睡，始終睜大兩隻眼睛。眼睛很大，很美，很亮。我望著，望著，好像在望快要燃盡的燭火。我多麼想讓這對眼睛永遠亮下去！我多麼害怕她離開我！我甚至願意為我那十四卷「邪書」受到千刀萬剮，只求她能安靜地活下去。

不久前我重讀梅林寫的《馬克思傳》，書中引用了馬克思給女兒的信裏一段話，講到馬克思夫人的死。信上說：「她很快就咽了氣。……這個病具有一種逐漸虛脫的性質，就像由於衰老所致一樣。甚至在最後幾小時也沒有臨終的掙扎，而是慢慢地沉入睡鄉。她的眼睛比任何時候都更大、更美、更亮！」這段話我記得很清楚。馬克思夫人也死於癌症。我默默地望著蕭珊那對很大、很美、很亮的眼睛，我想起這段話，稍微得到一點安慰。聽說她的確也「沒有臨終的掙扎」，也是「慢慢地沉入睡鄉」。我這樣說，因為她離開這個世界的時候，我不在她的身邊。那天是星期天，衛生防疫站因為我們家發現了肝炎病人，派人上午來做消毒工作。她的表妹有空願意到醫院去照料她，講好我們吃過中飯就去接替。沒有想到我們剛剛端起飯碗，就得到傳呼電話，通知我女兒去醫院，說是她媽媽「不行」了。真是晴天霹靂！我和我女兒、女婿趕到醫院。她那張病床上連床墊也給拿走了。別人告訴我她在太平間。我們又下了樓趕到那裏，在門口遇見表妹。還是她找人幫忙把「咽了氣」的病人抬進來的。死者還不曾給放進鐵匣子裏送進冷庫，她躺在擔架上，但已經給白布床單包得緊緊的，看不到面容了。我只看到她的名字。我彎下身子，把地上那個還有點人形的白布包拍了好幾下，一面哭喚著她的名字。不過幾分鐘的時間，這算是什麼告別呢？

據表妹說，她逝世的時刻，表妹也不知道。她曾經對表妹說：「找醫生來。」醫生來過，並沒有什麼。後來她就漸漸地「沉入睡鄉」。表妹還以為她在睡眠。一個護士來打針，才發覺她的心臟已經停止跳動了。我沒有能同她訣別，我有許多話沒有能向她傾吐，她不能沒有留下一句遺言就離開我！我後來常常想，她對表妹說：「找醫生來」。很可能不是「找醫生」。是「找李先生」（她平日這樣稱呼我）。為什麼那天上午偏偏我不在病房呢？家裏人都不在她身邊，她死得這樣淒涼！

我女婿馬上打電話給我們僅有的幾個親戚。她的弟媳趕到醫院，馬上暈了過去。三天以後在龍華火葬場舉行告別儀式。她的朋友一個也沒有來，因為一則我們沒有通知，二則我是一個審查了將近七年的對象。沒有悼詞，沒有弔客，只有一片傷心的哭聲。我衷心感謝前來參加儀式的少數親友和特地來幫忙的我女兒的兩三個同學，最後，我跟她的遺體告別，女兒望著遺容哀哭，兒子在隔離房還不知道把他當做命根子的媽媽已經死亡。值得提說的是她當做自己兒子照顧了好些年的一位亡友的男孩從北京趕來，只為了見她最後一面。這個整天同鋼鐵打交道的技術員，他的心倒不像鋼鐵那樣。他得到電報以後，他愛人對他說：「你去吧，你不去一趟，你的心永遠安定不了。」我在變了形的她的遺體旁邊站了一會。別人給我和她照了像。我痛苦地想：這是最後一次了，即使給我們留下來很難看的形象，我也要珍視這個鏡頭。

一切都結束了。過了幾天我和女兒、女婿到火葬場，領到了她的骨灰盒。在存放室寄存了三年之後，我按期把骨灰盒接回家裏。有人勸我把她的骨灰安葬，我寧願讓骨灰盒放在我的寢室裏，我感到她仍然和我在一起。

四·

夢魘一般的日子終於過去了。六年彷彿一瞬間似的遠遠地落在後面了。其實哪裏是一瞬間！這段時間裏有多少流著血和淚的日子啊。不僅是六年，從我開始寫這篇短文到現在又過去了半年，半年中我經常在火葬場的大廳裏默哀，行禮，為了紀念給「四人幫」迫害致死的朋友。想到他們不能把個人的智慧和才華獻給社會主義祖國，我萬分惋惜。每次戴上黑紗、插上紙花的同時，我也想起我自己最親愛的朋友，一個普通的文藝愛好者，一個成績不大的翻譯工作者，一個心地善良的人。她是我生命的一部分，她的骨灰裏有我的淚和血。

她是我的一個讀者。一九三六年我在上海第一次同她見面。一九三八年和一九四一年我們兩次在桂林像朋友似的住在一起。一九四四年我們在貴陽結婚。我認識她的時候，她還不到二十，對她的成長我應當負很大的責任。她讀了我的小說，給我寫信，後來見到了我，對我發生了感情。她在中學念書，看見我以前，因為參加學生運動被學校開除，回到家鄉住了一個短時期，又出來進另一所學校。倘使不是為了我，她三七、三八年一定去了延安。她同我談了八年的戀愛，後來到貴陽旅行結婚，只印發了一個通知，沒有擺過一桌酒席。從貴陽我和她先後到了重慶，住在民國路文化生活出版社門市部樓梯下七八個平方米的小屋裏。她託人買了四隻玻璃杯開始組織我們的小家庭。她陪著我經歷了各種艱苦生活。

在抗日戰爭緊張的時期，我們一起在日軍進城以前十多個小時逃離廣州，我們從廣東到廣西，從昆明到桂林，從金華到溫州，我們分散了，又重見，相見後又別離。在我那兩冊《旅途通訊》中就有一部分這種生活的記錄。四十年前有一位朋友批評我：「這算什麼文章！」我的《文集》出版後，另一位朋友認為我不應當把它們也收進去。他們都有道理。兩年來我對朋友、對讀者講過不止一次，我決定不讓《文集》重版。但是為我自己，我要經常翻看那兩小冊《通訊》。在那些年代，每當我落在困苦的境地裏、朋友們各奔前程的時候，她總是親切地在我耳邊說：「不要難過，我不會離開你，我在你的身邊。」的確，只有她最後一次進手術室之前她才說過這樣一句：「我們要分別了。」

我同她一起生活了三十多年。但是我並沒有好好地幫助過她。她比我有才華，卻缺乏刻苦鑽研的精神。我很喜歡她翻譯的普希金和屠格涅夫的小說。雖然譯文並不恰當，也不是普希金和屠格涅夫的風格，它們卻是有創造性的文學作品，閱讀它們對我是一種享受。她想改變自己的生活，不願做家庭婦女，卻又缺少吃苦耐勞的勇氣。她聽一個朋友的勸告，得到後來也是給「四人幫」迫害致死的葉以群同志的同意，到《上海文學》「義務勞動」，也做了一點點工作，然而在運動中卻受到批判，說她專門向老作家組稿，又說她是我派去的「坐探」。她為了改造思想，想走捷徑，要求參加「四清」運動，找人推薦到某銅廠的工作組工作，工作相當忙碌、緊張，她卻精神愉快。但是到我快要靠邊的時候，她也被叫回「作協分會」參加運動。她第一次參加這種疾風暴雨般的鬥爭，而且是以反動權威家屬的身份參加，她不知道該怎麼辦才好。她張惶失措，坐立不安，替我擔心，又為兒女們的前途憂慮。她盼望什麼人向她伸出援助的手，可是朋友們離開了她，「同事們」拿她當做箭靶，還有人想通過整她來整我。她不是「作協分會」或者刊物的正式工作人員，可是仍然被「勒令」靠邊勞動、站隊掛牌，放回家以後，又給揪到機關。她怕人看見，每天大清早起來，拿著掃帚出門，掃得精疲力盡，才回到家裏，關上大門，吐了一口氣。但有時她還碰到上學去的小孩，對她叫　「巴金的臭婆娘」。我偶而看見她拿著掃帚回來，不敢正眼看她，我感到負罪的心情，這是對她的一個致命的打擊。不到兩個月，她病倒了，以後就沒有再出去掃街（我妹妹繼續掃了一個時期），但是也沒有完全恢復健康。儘管她還繼續拖了四年，但一直到死她並不曾看到我恢復自由。

這就是她的最後，然而絕不是她的結局。她的結局將和我的結局連在一起。我絕不悲觀。我要爭取多活。我要為我們社會主義祖國工做到生命的最後一息。在我喪失工作能力的時候，我希望病榻上有蕭珊翻譯的那幾本小說。等到我永遠閉上眼睛，就讓我的骨灰同她的摻和在一起。

1976年1月16日寫完

〔選自錢穀融編著《中國現當代文學作品選》（上下卷），華東師範大學出版社2008年6月版〕

編選說明

《懷念蕭珊》選自巴金散文集《隨想錄》。《隨想錄》可以看做是巴金用紙和筆建立的一座個人的「文革」博物館。在本文中，作者回憶了「文革」時期妻子蕭珊因自己而受到牽連，身患絕症得不到及時治療，最後連訣別的話也沒留下一句就離開了人世的悲慘遭遇，描寫了夫妻倆患難與共、相濡以沫的深厚感情，抒發了對妻子真摯、深切、綿綿不絕的懷念。這是巴金的家庭悲劇，也是那個特殊歷史時代的悲劇。這篇悼亡文章感情真摯，意蘊深刻。「為什麼不讓我先死？」「她究竟犯了什麼罪？」「我不該生兒育女」……這些質問、悔恨、自責，更加有力地控訴了「四人幫」的罪行，讓人們看到了一個善良生命的毀滅。本文以最樸素的語言表達了最深刻的感情，是巴金所宣導的「藝術的最高境界是無技巧 」的生動詮釋。

梁實秋

雅舍

到四川來，覺得此地人建造房屋最是經濟。火燒過的磚，常常用來做柱子，孤零零的砌起四根磚柱，上面蓋上一個木頭架子，看上去瘦骨嶙嶙，單薄得可憐；但是頂上鋪了瓦，四面編了竹篾牆，牆上敷了泥灰，遠遠的看過去，沒有人能說不像是座房子。我現在住的「雅舍」正是這樣一座典型的房子。不消說，這房子有磚柱，有竹篾牆，一切特點都應有盡有。

講到住房，我的經驗不算少，什麼「上支下摘」「前廊後廈」「一樓一底」「三上三下」「亭子間」「茅草棚」「瓊樓玉宇」和「摩天大廈」各式各樣，我都嘗試過。我不論住在哪裏，只要住得稍久，對那房子便發生感情，非不得已我還捨不得搬。這「雅舍」，我初來時僅求其能蔽風雨，並不敢存奢望，現在住了兩個多月，我的好感油然而生。雖然我已漸漸感覺它是並不能蔽風雨，因為有窗而無玻璃，風來則洞若涼亭，有瓦而空隙不少，雨來則滲如滴漏。縱然不能蔽風雨，「雅舍」還是自有它的個性。有個性就可愛。

「雅舍」的位置在半山腰，下距馬路約有七八十層的土階。前面是阡陌螺旋的稻田。再遠望過去是幾抹蔥翠的遠山，旁邊有高粱地，有竹林，有水池，有糞坑，後面是荒僻的榛莽未除的土山坡。若說地點荒涼，則月明之夕，或風雨之日，亦常有客到，大抵好友不嫌路遠，路遠乃見情誼。客來則先爬幾十級的土階，進得屋來仍須上坡，因為屋內地板乃依山勢而鋪，一面高，一面低，坡度甚大，客來無不驚歎，我則久而安之，每日由書房走到飯廳是上坡，飯後鼓腹而出是下坡，亦不覺有大不便處。

「雅舍」共是六間，我居其二。篦牆不固，門窗不嚴，故我與鄰人彼此均可互通聲息。鄰人轟飲作樂，咿唔詩章，喁喁細語，以及鼾聲、噴嚏聲、吮湯聲、撕紙聲、脫皮鞋聲，均隨時由門窗戶壁的隙處蕩漾而來，破我岑寂。入夜則鼠子瞰燈，才一合眼，鼠子便自由行動，或搬核桃在地板上順坡而下，或吸燈油而推翻燭臺，或攀援而上帳頂，或在門框桌腳上磨牙，使得人不得安枕。但是對於鼠子，我很慚愧的承認，我「沒有法子」。「沒有法子」一語是被外國人常常引用著的，以為這話最足代表中國人的懶惰隱忍的態度。其實我的對付鼠子並不懶惰。窗上糊紙，紙一戳就破；門戶關緊，而相鼠有牙，一陣咬便是一個洞洞。試問還有什麼法子？洋鬼子住到「雅舍」裏，不也是「沒有法子」？比鼠子更騷擾的是蚊子。「雅舍」的蚊虱之盛，是我前所未見的。「聚蚊成雷」真有其事！每當黃昏時候，滿屋裏磕頭碰腦的全是蚊子，又黑又大，骨骼都像是硬的。在別處蚊子早已肅清的時候，在「雅舍」則格外猖獗，來客偶不留心，則兩腿傷處累累隆起如玉蜀黍，但是我仍安之。冬天一到，蚊子自然絕跡，明年夏天——誰知道我還是住在「雅舍」！

「雅舍」最宜月夜——地勢較高，得月較先。看山頭吐月，紅盤乍湧，一霎間，清光四射，天空皎潔，四野無聲，微聞犬吠，坐客無不悄然！舍前有兩株梨樹，等到月升中天，清光從樹間篩灑而下，地上陰影斑斕，此時尤為幽絕。直到興闌人散，歸房就寢，月光仍然逼進窗來，助我淒涼。細雨濛濛之際，「雅舍」亦復有趣。推窗展望，儼然米氏章法，若雲若霧，一片彌漫。但若大雨滂沱，我就又惶悚不安了，屋頂濕印到處都有，起初如碗大，俄而擴大如盆，繼則滴水乃不絕，終乃屋頂灰泥突然崩裂，如奇葩初綻，素然一聲而泥水下注，此刻滿室狼藉，搶救無及。此種經驗，已數見不鮮。「雅舍」之陳設，只當得簡樸二字，但灑掃拂拭，不使有纖塵。我非顯要，故名公巨卿之照片不得入我室；我非牙醫，故無博士文憑張掛壁間；我不業理髮，故絲織西湖十景以及電影明星之照片亦均不能張我四壁。我有一幾一椅一榻，酣睡寫讀，均已有著，我亦不復他求。但是陳設雖簡，我卻喜歡翻新布置。西人常常譏笑婦人喜歡變更桌椅位置，以為這是婦人天性喜變之一徵。誣否且不論，我是喜歡改變的。中國舊式家庭，陳設千篇一律，正廳上是一條案，前面一張八仙桌，一旁一把靠椅，兩旁是兩把靠椅夾一隻茶几。我以為陳設宜求疏落參差之致，最忌排偶。「雅舍」所有，毫無新奇，但一物一事之安排布置俱不從俗。人入我室，即知此是我室。笠翁《閒情偶寄》之所論，正合我意。

「雅舍」非我所有，我僅是房客之一。但思「天地者萬物之逆旅」，人生本來如寄，我住「雅舍」一日，「雅舍」即一日為我所有。即使此一日亦不能算是我有，至少此一日「雅舍」所能給予之苦辣酸甜我實躬受親嘗。劉克莊詞：「客裏似家家似寄。」我此時此刻卜居「雅舍」，「雅舍」即似我家。其實似家似寄，我亦分辨不清。

長日無俚，寫作自遣，隨想隨寫，不拘篇章，冠以「雅舍小品』

四字，以示寫作所在，且志因緣。

〔選自錢穀融編著《中國現當代文學作品選》（上下卷），華東師範大學出版社 2008 年版〕

編選說明

梁實秋（1903—1987），北京人，著名學者、文學家和翻譯家。雅舍是梁實秋先生在四川時居住的住宅名，他的代表作便是散文集《雅舍小品》，本文是該集首篇。所謂「雅舍」，其實不過是半山腰的一間陋室而已。它外觀不美，結構不牢，位置偏僻，既不能遮風蔽雨，又不能隔絕鄰室噪音，黃昏時聚蚊成雷，入夜後老鼠橫行。這般苦不堪言的居室，作者卻能超然物外，細品其中的苦辣酸甜，於煩中求安，苦中作樂，表現出豁達開朗、恬淡自適的心境和隨遇而安、知足常樂的情懷。文筆輕鬆灑脫，或自嘲自解，或正話反說，或文白相間，或巧用典故，形成了言簡意豐、諧趣橫生的獨特風格。

何其芳

雨前

最後的鴿群帶著低弱的笛聲在微風裏劃一個圈子後，也消失了。也許是誤認這灰暗的淒冷的天空為夜色的來襲，或是也預感到風雨的將至，遂過早地飛回它們溫暖的木舍。

幾天的陽光在柳條上撒下的一抹嫩綠，被塵土埋掩得有憔悴色了，是需要一次洗滌。還有乾裂的大地和樹根也早已期待著雨。雨卻遲疑著。

我懷想著故鄉的雷聲和雨聲。那隆隆的有力的搏擊，從山谷返響到山谷，彷彿春之芽就從凍土裏震動、驚醒，而怒茁出來。細草樣柔的雨聲又以溫存之手撫摩它，使它簇生油綠的枝葉而開出紅色的花。這些懷想如鄉愁一樣縈繞得使我憂鬱了。我心裏的氣候也和這北方大陸一樣缺少雨量，一滴溫柔的淚在我枯澀的眼裏，如遲疑在這陰沉的天空裏的雨點，久不落下。

白色的鴨也似有一點煩躁了，有不潔的顏色的都市的河溝裏傳出它們焦急的叫聲。有的還未厭倦那船一樣的徐徐的劃行，有的卻倒插它們的長頸在水裏，紅色的蹼趾伸在尾巴後，不停地撲擊著水以支持身體的平衡。不知是在尋找溝底的細微的食物，還是貪那深深的水裏的寒冷。

有幾個已上岸。在柳樹下來回的作它們紳士的散步，舒息劃行的疲勞。然後參差的站著，各用嘴細細地梳理它們遍體白色的羽毛，間或又搖動身子或撲展著闊翅，使那綴在羽毛間的水珠墜落。一個已修飾完畢的，彎曲它的頸到背上，長長的紅嘴藏沒在翅膀裏，靜靜合上它白色的茸毛間的小黑眼睛，彷彿準備睡眠。可憐的小動物，你就是這樣做你的夢嗎？

我想起故鄉放雛鴨的人了。一大群鵝黃的雛鴨游牧在溪流間。清淺的水，兩岸青青的草，一根長長的竹竿在牧人的手裏。他的小隊伍是多麼歡欣地發出啁啾聲，又多麼馴服地隨著他的竿頭越過一個山野又一個山坡□夜來了，帳幕似的竹篷撐在地上，就是他的家。但這是怎樣遼遠的想像呵□在這多塵土的國土裏，我僅只希望聽見一點樹葉上的雨聲。一點雨聲的幽涼滴到我憔悴的夢，也許會長成一樹圓圓的綠陰來覆蔭我自己。

我仰起頭。天空低垂如灰色的霧幕，落下一些寒冷的碎屑到我臉上。一隻遠來的鷹隼彷彿帶著怒憤，對這沉重的天色的怒憤，平張的雙翅不動地從天空斜插下，幾乎觸到河溝對岸的土阜，而又鼓撲著雙翅，作出猛烈的聲響騰上了。那樣巨大的翅使我驚異，我看見了它兩肋間斑白的羽毛。

接著聽見了它有力的鳴聲，如同一個巨大的心的呼號，或是在黑暗裏尋找伴侶的叫喚。

然而雨還是沒有來。

（選自高永年編著《二十世紀中國現當代文學作品選．散文卷》，江蘇教育出版社 2003 年 2 月版）

編選說明 •••

何其芳（1912—1977)，四川萬縣人，和李廣田、卞之琳一起出版過《漢園集》，並稱「漢園三詩人」。《雨前》選自何其芳散文集《畫夢錄》。它由精心選擇的三幅畫面組接而成：群鴿歸巢圖，白鴨戲水圖和鷹擊長空圖。作者由眼前景而想到故鄉，在對比中表現北方大陸空氣的壓抑沉悶和對雨聲、綠色的熱切盼望。但最終「雨還是沒有來」，惆悵和失望的情緒彌漫著。本文採用「獨語體」的方式抒情，大量運用擬人、象徵手法，意境朦朧迷幻，語言精緻濃麗，色彩變化多端。何其芳說：「我不是從一個概念的閃動去尋找它的形體，浮現在我心靈裏的原來就是一些顏色，一些圖案。」顏色和圖案是其散文中首先吸引人注意力的地方。

李廣田

山之子

住在「中天門」的「泰山旅館」裏，我們每天得有方便，在「快活三里」目送來往的香客。

自「岱宗坊」至「中天門」，恰好是登絕頂的山路之一半。「斗母宮」以下尚近於平坦，久於登山的人說那一段就是平川大道。自「斗母宮」以上至「中天門」，則步步向上，逐漸陡險，尤其是「峰迴路轉」以上，初次登山的人就以為已經陡險到無以復加了。尤其妙處，則在於「南天門」和「絕頂」均為「中天門」的山頭所遮蔽，在「中天門」下邊的人往往誤認「中天門」為「南天門」，於是心裏想到這可好了，已經登峰造極了，及至費了很大的力氣攀到「中天門」時，猛然抬頭，才知道從此上去卻仍有一半更陡險的盤路待登，登山人不能不仰面興歎了。然而緊接著就是「快活三里」，於是登山人就說這是神的意思，不能不坐下來休息，且向神明致最誠的敬意。

由「中天門」北折而下行，曰「倒三盤」，以下就是二三里的平路。那條山路不但很平，而且完全不見什麼石塊在腳下磕磕絆絆，使上山人有難言的輕快之感。且隨處是小橋流水，破屋叢花，雞鳴犬吠，人語相聞。山家婦女多做著針織在松柏樹下打坐，孩子們常赤著結實的身子在草叢裏睡眠，這哪裏是登山呢，簡直是回到自己的村落中了。雖然這裏也有幾家賣酒食的，然而那只是做另一些有錢人的買賣，至於鄉下香客，他們的辦法卻更饒有佳趣。他們三個一幫，五個一團，他們用一隻大柳條籃子攜著他們的盛宴：有白酒，有茶葉，有煎餅，有鹹菜，有已經劈得很細的干木柴，一把紅銅的燒水壺，而「快活三里」又為他們備一個「快活泉」。這泉子就在「快活三里」的中間，在幾樹松柏蔭下，由一處石崖下流出，注入一個小小的石潭，水極清冽，味亦頗甘，周有磐石，恰好作了他們的几筵。黎明出發，到此正是早飯時辰，於是他們就在這兒用過早飯，休息掉一身辛苦，收拾柳筐，呼喝著重望「南天門」攀登而上了。我們則樂得看這些鄉下人樸實的面孔，聽他們以土音說鄉下事情，講山中故事，更羨慕從他們柳籃內送出來的好酒香。自然，我們還得看山，看山嶺把我們繞了一周，好像把我們放在盆底，而頭上又有青翠的天空作蓋。看東面山崖上的流泉，聽活活泉聲，看北面絕頂上的人影，又有白雲從山後飛過，叫我們疑心山雨欲來。更看西面的一道深谷，看銀霧從谷中升起，又把諸山纏繞。我們是為看山而來的，我們看山然而我們卻忘記了是在看山。

等到下午兩三點鐘左右，是香客們下山的時候了。他們已把他們的心事告訴給神明，他們已把一年來的罪過在神前取得了寬恕，於是他們像修完了一樁勝業，他們的臉上帶著微笑，他們的心裏更非常輕鬆。而他們的身上也是輕鬆的，柳籃裏空了，酒瓶裏也空了，他們把應用的東西都打發在山頂上，把餘下的煎餅屑，和臨出發時帶在身上的小洋針、棉花線、小銅元和青色的制錢，也都施捨給了殘廢的討乞人。他們從山上帶下平安與快樂在他們心裏，他們又帶來許多好看的百合花在空著的籃裏，在頭巾裏，在用山草結成的包裹裏。我們不明白這些百合花是從哪裏得來的，而且那麼多，叫我們覺得非常稀奇。

我們前後在這裏住過十餘日，一共接納了兩個小朋友，一名劉興，一名高立山。我幾時遇到高立山總是同他開一次玩笑：「高立山，你本來就姓高，你立在山上就更高了。」這樣喊著，我們大家一齊笑。

忽然聽到兩聲尖銳的招呼，聞聲不見人，使我覺得更好玩。原來那呼聲是來自霧中，不過十分鐘就看見我那兩個小朋友從霧中走來了：劉興和高立山。高立山這名字使我喜歡。我愛設想，玩遊人孑然一身，筆立泰山絕頂被天風吹著，圖畫好看，而畫中人卻另有一番愴恨。劉興那孩子使我想起我的弟弟，不但像貌相似，精神也相似，是一個樸實敦厚的孩子。我不見我的弟弟已經很久了。我簡直想抱吻面前的劉興，然而那孩子看見我總是有些畏縮，使我無可如何。

「呀！獨個兒在這裏不害怕嗎彝」

我正想同他們打招呼，他們已同聲這樣喊了。

我很懂得他們這點驚訝。他們總以為我是城市人，而且來自遠方，不懂得山裏的事情，在這樣大霧天裏孑然獨立，他們就替我擔心了。說是擔心倒也很親切，而其中卻也有些玩弄我的意味吧，這個就更使我覺得好玩。我在他們面前時常顯得很傻，老是問東問西，我向他們打聽山花的名字，向他們訪問四葉參或何首烏是什麼樣子，生在什麼地方，問石頭，問泉水，問風候雲雨，問故事傳說。他們都能給我一些有趣的回答。於是他們非常驕傲，他們又笑話我少見多怪。

「害怕彝有什麼可怕呢彝」我接著問。

「怕山鬼，怕毒蛇。——怕霧染了你的眼睛，怕霧濕了你的頭髮。」

他們都哈哈大笑了。笑一陣，又告訴我山鬼和毒蛇的事情。他們說山上深草中藏伏毒蛇，此山毒蛇也並不怎麼長大，顏色也並不怎麼兇惡，只彷彿是石頭顏色，然而它們卻極其可怕，因為它們最喜歡追逐行人，而它們又爬得非常迅速，簡直如同在草上飛馳，人可以聽到沙沙的聲音。有人不幸被毒蛇纏住，它至死也不會放鬆，除非你立刻用鐮刀把它割裂，而為毒蛇所齧破的傷痕是永難痊好的，那傷痕將繼續糜爛，以至把人爛死為止。這類事情時常為割草人或牧羊人所遭遇。

「毒蛇既到處皆是，為什麼我還不曾見過彝」

「你不曾見過，不錯，你當然不會見到，因為山裏的毒蛇白天是不出來的，你早晨起來不看見草葉上的白沫嗎彝」說這話的是劉興。

這件證明頗使我信服，因為我曾見過綠草上許多白沫，我還以為那是牛羊反芻所流的口涎呢。而且尤以一種葉似竹葉的小草上最常見到白沫，我又曾經誤認那就是薇一類植物，於是很自然地想起餓死首陽山的兩個古人。

高立山卻以為劉興的說明尚不足奇，他更以驚訝的聲色告訴道：「晴天白日固然不出來，像這樣大霧天卻很容易碰見毒蛇。」

劉興又彷彿害怕的樣子加說道：「不光毒蛇呀，就連山鬼也常常在大霧天出現呢。」

他們說山鬼的樣子總看不清，大概就像團團的一個人影兒。山鬼的居處是巉岩之下的深洞裏。那些地方當然很少有人敢去，尤其當夜晚或者霧天。原來山鬼也同毒蛇一樣，有時候誤認大霧為黑夜。打柴的，採藥的，有時碰見山鬼，十個有八個就不能逃生，因為山鬼也像水鬼一樣，喜歡換替死鬼，遇見生人便推下巉岩或拉入石窟。他們又說常聽見山鬼的哭聲和呼號聲，那聲音就好像霧裏刮大風。

「你不信嗎彝」高立山很嚴肅地想說服我，「我告訴你，啞巴的爹爹和哥哥都是碰到了山鬼，摔死在後山的山澗裏。」

他們的聲音變得很低，臉色也有些沉鬱，他們又向遠方的濃霧中送一個眼色，彷彿那看不見的地方就有山鬼。

這話頗引起我的好奇，我向他們打聽那個啞子是什麼人物。他們說那啞巴就住在上邊「升仙坊」一旁的小廟裏。他遇見任何人總愛比手劃腳地說他的啞巴話。於是我急忙說道：「我知道，我知道，我見過他，我見過他。」這回憶使我喜悅，也使我悵惘。一日清晨，我們欲攀登山之絕頂，爬到「升仙坊」時正看到許多人停下來休息，而那也正是應當休息的地方，因為從此以上，便是最難走的「緊十八盤」了。我們坐下來以後，才知道那些登山人並非只為了休息，同時，他們是正在聽一個啞子講話。一個高大結實的漢子，山之子，正站在「升仙坊」前面峭壁的頂上，以洪朗的聲音，以只有他自己能瞭解的語言，說著一個別人所不能懂的故事，雖然他用了種種動作來作為說明，然而卻依然沒有人能夠懂他。我當然也不懂他，然而我卻懂得了另一個故事：泰山的精靈在宣說泰山的偉大，正如石頭不能說話，我們卻自以為懂得石頭的靈心。只要一想起「升仙坊」那個地方，便是一幅絕好的圖畫了：向上去是「南天門」，「南天門」之上自然是青天一碧，兩旁壁立千仞，松柏森森，中間夾一線登天的玉梯，再向下看呢，「浮雲連海岱，平野入青徐」，俯視一氣，天下就在眼底了，而我們的山之子就筆立在這兒，今天我才知道他是永遠住在這裏的。我急忙止住兩個孩子：「你且慢講，你且慢講，我告訴你，我告訴你。」但是我將告訴他們什麼呢彝我將說那個啞巴在山上說一大篇話卻沒有人懂他，他好不寂寞呀，他站在峭岩上好不壯觀啊，風之晨，雨之夕，「升仙坊」的小廟將是怎樣的飄搖呢彝至若星月在天，舉手可摘，谷風不動，露凝天階，山之子該有怎樣的一山沉默呀！然而我卻不能不懷一個悶葫蘆，到底那啞巴是說了些什麼呢彝「高立山，告訴我，他到底是說了些什麼呢彝」我不能不這樣問了。

「說些什麼，反正是那一套啦，說他爸爸是因為到山澗採山花摔死的，他的哥哥也一樣地摔死在山澗裏了。」高立山翻著白眼說。

「就是啦，他們就是被山鬼討了替代啊，為了採山花。」劉興又提醒我。

山花彝什麼山花彝兩個孩子告訴我：百合花。

兩個小孩子就繼續告訴我啞巴的故事。泰山後面有一個古澗澗，兩面是峭壁，中間是深谷，而在那峭壁上就生滿了百合花。自然，那個地方是很少有人攀登的，然而那些自生的紅百合實在好看。百合花生得那麼繁盛，花開得那麼鮮豔，那就是一個百合澗。啞巴的爸爸是一個頂結實勇敢的山漢，他最先發現這個百合澗，他攀到百合澗來採取百合，賣給從鄉下來的香客。這是一件非常艱險的工作，攀著亂石，拉著荊棘，懸在陡崖上掘一株百合必須費很大工夫，因此一株百合也賣得一個好價錢。這事情漸漸成為風尚，凡進香人都樂意帶百合花下山，於是啞巴的哥哥也隨著爸爸做這件事業。然而父子兩個都遭了同樣的命運：爸爸四十歲時在一個濃霧天裏墜入百合澗，做哥哥的到三十歲上又為一陣山風吹下了懸崖。從此這採百合的事業更不敢為別人所嘗試，然而我們的山之子，這個啞巴，卻已到了可以承繼父業的成年，兩條人命取得一種特權，如今又輪到了啞巴來佔領這百合澗。他也是勇敢而大膽，他也不曾忘記爸爸和哥哥的殉難，然而就正為了爸爸和哥哥的命運，他不得不拾起這以生命為孤注的生涯。他住在「升仙坊」的小廟裏，趁香客最多時他去採取百合，他用這方法來奉養他的老母和他的寡嫂。

我很感激兩個小孩子告訴我這些故事。劉興那孩子說完後還顯得有些憂鬱，那種木訥的樣子就更像我的弟弟。霧漸漸收起。卻又吹來了山風，我們都覺得有些冷意，我說了「再見」向他們告辭。

天氣漸漸冷起來了。山下人還可以穿單衣，住在山上就非有棉衣不行了。又加上多雨多霧，使精神上感到極不舒服。因為我們不曾攜帶禦寒的衣服，就連「快活三里」也不常去了。選一個比較晴朗的日子，我們決定下山。早晨起來就打好了行李，早飯之後就來了轎子。兩個抬轎子的並非別人，乃是劉興的爸爸和高立山的爸爸，這使我們覺得格外放心。跟在轎子後面的是劉興和高立山，他們是特來給我們送行的。此刻的我簡直是在惜別了，我不願離開這個地方，我不願離開兩個小朋友，尤其是劉興——我的弟弟。他們的沉默我很懂得，他們也知道，此刻一別就很難有機會相遇了。而且，真巧，為什麼一切事情安排得這樣巧呢，我們的行李已經搬到轎子上了，我們就要走了，忽然兩個孩子招呼道：「啞巴，啞巴，啞巴來了！」

不錯，正是那個啞巴，我們在「升仙坊」見過他。他已經穿上了小棉襖，他手上攜一個大柳筐。我特為看看他的筐裏是什麼東西，很簡單：一把挖土的大鏟子，一把刀，一把大剪子。我們都沉默著，啞巴卻同別人打開了招呼。兩個孩子啞啞地學他說話，旅館中人大聲問他是否下山，他不但啞，而且也聾，同他說話就非大聲不行。於是他也就大聲啞啞地回答著，並指點著，指點著山下，指點著他的棉襖，又指點著他的筐子，又指點著「南天門」。我們明白他昨天曾下山去，今天早晨剛上來。我同昭都想從這個人身上有所發現，但也不知道要發現些什麼。在一陣喧嚷聲中，我們的轎子已經抬起來了。兩個小朋友送了我們頗長的一段路，等聽不見他倆的話聲時，我還同他們招手，搖帽子，而我的耳朵裏卻還彷彿聽見那個啞巴的咿咿呀呀。

1936 年 11 月 18 日，濟南

〔選自錢穀融編著《中國現當代文學作品選》（上下卷），華東師範大學出版社 2008 年 6 月版〕

編選說明 •••

李廣田(1906—1968)，山東鄒平人，「漢園三詩人」之一，主要作品有散文集《畫廊集》《銀狐集》等。《山之子》的主角是泰山上一個普通的山民——啞巴。他的父親和哥哥都是以采摘泰山懸崖上的百合花為生並不幸墜澗身亡。為了奉養老母、寡嫂及家人，他毅然重操舊業。啞巴這種純樸善良、勇敢無畏以及對於生的堅韌，在作者看來，是一種健全的、人類得以生生不息的生存能力，一種雖平凡卻偉大的人格力量，更是故鄉人民精神的化身，足以代表「泰山的靈魂」，故作者稱其為「山之子」。本文在結構上以「我」的見聞為線索，由遠及近，由次及主地展開，渲染、對照等手法的運用，使作品頗具情致韻味。

楊朔

荔枝蜜

花鳥草蟲，凡是上得畫的，那原物往往也叫人喜愛。蜜蜂是畫家的愛物，我卻總不大喜歡。說起來可笑。孩子時候，有一回上樹掐海棠花，不想叫蜜蜂螫了一下，痛得我差點兒跌下來。大人告訴我說：蜜蜂輕易不螫人，準是誤以為你要傷害它，才螫；一螫，它自己耗盡生命，也活不久了。我聽了，覺得那蜜蜂可憐，原諒它了。可是從此以後，每逢看見蜜蜂，感情上疙疙瘩瘩的，總不怎麼舒服。今年四月，我到廣東從化溫泉小住了幾天。四圍是山，懷裏抱著一潭春水，那又濃又翠的景色，簡直是一幅青綠山水畫。剛去的當晚，是個陰天，偶而倚著樓窗一望，奇怪啊，怎麼樓前憑空湧起那麼多黑黝黝的小山，一重一重的，起伏不斷？記得樓前是一片比較平坦的園林，不是山。這到底是什麼幻景呢？趕到天明一看，忍不住笑了。原來是滿野的荔枝樹，一棵連一棵，每棵的葉子都密得不透縫，黑夜看去，可不就像小山似的！

荔枝也許是世上最鮮最美的水果。蘇東坡寫過這樣的詩句：「日啖荔枝三百顆，不辭長作嶺南人，」可見荔枝的妙處。偏偏我來的不是時候，滿樹剛開著淺黃色的小花，並不出眾。新發的嫩葉，顏色淡紅，比花倒還中看些。從開花到果子成熟，大約得三個月，看來我是等不及在從化溫泉吃鮮荔枝了。

吃鮮荔枝蜜，倒是時候。有人也許沒聽說這稀罕物兒吧？從化的荔枝樹多得像汪洋大海，開花時節，那蜜蜂滿野嚶嚶嗡嗡，忙得忘記早晚，有時還趁著月色彩花釀蜜。荔枝蜜的特點是成色純，養分多。住在溫泉的人多半喜歡吃這種蜜，滋養精神。熱心腸的同志為我也弄到兩瓶。一開瓶子塞兒，就是那麼一股甜香；調上半杯一喝，甜香裏帶著股清氣，很有點鮮荔枝味兒。喝著這樣的好蜜，你會覺得生活都是甜的呢。

我不覺動了情，想去看看自己一向不大喜歡的蜜蜂。

荔枝林深處，隱隱露出一角白屋，那是溫泉公社的養蜂場，卻起了個有趣的名兒，叫「養蜂大廈」。正當十分春色，花開得正鬧。一走近「大廈」，只見成群結隊的蜜蜂出出進進，飛去飛來，那沸沸揚揚的情景，會使你想：說不定蜜蜂也在趕著建設什麼新生活呢。

養蜂員老梁領我走進「大廈」。叫他老梁，其實是個青年人，舉動很精細。大概是老梁想叫我深入一下蜜蜂的生活，小小心心揭開一個木頭蜂箱，箱裏隔著一排板，每塊板上滿是蜜蜂，蠕蠕地爬著。蜂王是黑褐色的，身量特別細長，每只蜜蜂都願意用採來的花精供養它。

老梁歎息似的輕輕說：「你瞧這群小東西，多聽話。」

我就問道：「像這樣一窩蜂，一年能割多少蜜？」

老梁說：「能割幾十斤。蜜蜂這對象，最愛勞動。廣東天氣好，花又多，蜜蜂一年四季都不閒著。釀的蜜多，自己吃的可有限。每回割蜜，給它們留一點點糖，夠它們吃的就行了。它們從來不爭，也不計較什麼，還是繼續勞動、繼續釀蜜，整日整月不辭辛苦……」

我又問道：「這樣好蜜，不怕什麼東西來糟害麼？」

老梁說：「怎麼不怕？你得提防蟲子爬進來，還得提防大黃蜂。大黃蜂這賊最惡，常常落在蜜蜂窩洞口。專幹壞事。」

我不覺笑道：「噢！自然界也有侵略者。該怎麼對付大黃蜂呢？」

老梁說：「趕！趕不走就打死它。要讓它待在那兒，會咬死蜜蜂的。」

我想起一個問題，就問：「可是呢，一隻蜜蜂能活多久？」

老梁回答說：「蜂王可以活三年，一隻工蜂最多能活六個月。」

我說：「原來壽命這樣短。你不是總得往蜂房外邊打掃死蜜蜂麼？」

老梁搖一搖頭說：「從來不用。蜜蜂是很懂事的，活到限數，自己就悄悄死在外邊，再也不回來了。」

我的心不禁一顫：多可愛的小生靈啊！對人無所求，給人的卻是極好的東西。蜜蜂是在釀蜜，又是在釀造生活；不是為自己，而是在為人類釀造最甜的生活。蜜蜂是渺小的；蜜蜂卻又多麼高尚啊！

透過荔枝樹林，我沉吟地望著遠遠的田野，那兒正有農民立在水田裏，辛辛勤勤地分秧插秧。他們正用勞力建設自己的生活，實際也是在釀蜜——為自己，為別人，也為後世子孫釀造著生活的蜜。

這黑夜，我做了個奇怪的夢，夢見自己變成一隻小蜜蜂。

（選自楊朔著《楊朔散文選》，人民文學出版社 2009 年 7 月版）

編選説明 ●●●

楊朔（1913—1968），山東蓬萊人。主要散文集有《海市》《東風第一枝》《生命泉》等。楊朔散文的基調是歌頌新時代、新生活和普通勞動者。在藝術上，他創造地繼承了中國傳統散文的長處，於託物寄情、物我交融之中達到詩的境界，行文上喜歡欲揚先抑，峰迴路轉，卒章顯志。《荔枝蜜》是楊朔「詩化散文」的代表作之一。由蜂蜜的香甜，聯想到新生活的美好，由蜜蜂的辛勤勞動，聯想到勞動人民為創造美好生活而進行的忘我勞動，歌頌了勞動人民的無私奉獻精神。文章結構精巧，以「我」對蜜蜂的感情變化為線索來安排材料，從「不喜歡」到「動了情」到「心不禁一顫」，幾番曲折後，至結尾開拓出新境界，昇華文章主題。

秦牧

土地

我們生活在一個開闢人類新歷史的光輝時代。在這樣的時代，人們對許許多多的自然景物也都產生了新的聯想、新的感情。不是有無數人在謳歌那光芒四射的朝陽、四季常青的松柏、莊嚴屹立的山峰、澎湃翻騰的海洋嗎？不是有好些人在讚美挺拔的白楊、明亮的燈火、奔馳的列車、嶄新的日曆嗎？睹物思人，這些東西引起人們多少豐富和充滿感情的想像！

這裏我想來談談大地，談談泥土。

當你坐在飛機上，看著我們無邊無際的像覆蓋上一張綠色地毯的大地的時候；當你坐在汽車上，倚著車窗看萬里平疇的時候；或者，在農村裏，看到一個老農捏起一把泥土，仔細端詳，想鑒定它究竟適宜於種植什麼穀物和蔬菜的時候；或者，當你自己隨著大夥在田裏插秧，黑油油的泥土吱吱地冒出腳趾縫的時候，不知道你曾否為土地湧現過許許多多的遐想？想起它的過去，它的未來，想起世世代代的勞動人民為要成為土地的主人，怎樣鬥爭和流血；想起在綿長的歷史中，我們每一塊土地上面曾經出現過的人物和事蹟，他們的苦難、憤恨、希望、期待的心情？

有時，望著莽莽蒼蒼的大地，我騎著思想的野馬奔馳到很遠很遠的地方，然後，才又收住轡繩，緩步回到眼前燦爛的現實中來。

我想起了二千六百多年前北方平原上的一幕情景。

一隊亡命貴族，在黃土平原上僕僕奔馳。他們雖然仗劍駕車，然而看得出來，他們疲倦極了，飢餓極了。他們用搜索的眼光望著田野，然而驕陽在上，田壟間麥苗稀疏，哪裏有什麼可吃的東西！一個農民正在田裏除草。那流亡隊伍中一個王子模樣的人物，走下車子來，儘量客氣地向農民請求著：「求你給我們弄點吃的東西吧！你總得要幫忙才好，我們已經好幾天沒有吃的了。」衣不蔽體、家里正在愁吃愁穿的農民望了這群不知稼穡艱難的人們一眼，一句話也沒說，從田地裏捧起一大塊泥土，送到王子模樣的人物面前，壓抑著悲憤說：「這個給你吧！」王子模樣的人顯然被激怒了，他轉身到車上取下馬鞭，怒氣衝衝地想逞一下威風，鞭打那個膽敢冒犯他的尊嚴的農民。但是一個上了年紀的、大臣模樣的人物上前去勸阻住了：「這是土地，上天賜給我們的，可不正是我們的好徵兆麼！」於是，一幕怪劇出現了，那王子模樣的人突然跪下地來，叩頭謝過上蒼，然後鄭重地捧起土塊，放到車上，一行人又策馬前進了。轆轆大車過處卷起了漫天塵土……

這是《左傳》記載下來的、春秋時代晉國公子重耳在亡命途中發生的故事。

為什麼會發生這樣奇怪的事情？除了因為這群貴族是在亡命途中，不得不壓抑著威風外，還有一個原因是：在他們心目中，土地代表著上天不可思議的賞賜，代表了財富和權力！他們知道，只要掌握了土地的所有權，就可以永不休止地榨取農民的血汗。

古代中國皇帝把疆土封贈給公侯時，就有這麼一個儀式：皇帝站在地壇上，取起一塊泥土來，用茅草包了，遞給被封的人。上一個世紀，當殖民主義強盜還處在壯年時期，他們大肆殺戮太平洋各個島嶼上的土人，強迫他們投降，有一種被規定的投降儀式，就是要土人們跪在地上，用砂土撒到頭頂。許許多多地方的部落，為了不願跪著把神聖的泥土撒上天靈蓋，就成批成批地被殺戮了。

呵！這寶貴的土地！不事稼穡的剝削階級只知道想方設法地掠奪它，把它作為榨取勞動者血汗的工具；親自在上面播種五穀的勞動者，才真正對它具有強烈的感情，把它當做命根子，把它比喻成哺育自己的母親。談到這裏，我想起了好些令人掀動感情波瀾的事情。幾個世紀以來，那些當年被迫得走投無路的破產的中國農民，漂流到海外去謀生的當兒，身上就常常懷著一撮家鄉的泥土。那時，閩粵沿海港口上，一艘艘用白粉髹腹，用朱砂油頭，頭部兩旁畫上兩個魚眼睛似的小圈的紅頭船，乘著信風，把一批批失掉了土地的農民送到海外各地。當時離鄉別井的人們，都習慣在遠行之前，從井裏取出一撮泥土，珍重地包藏在身邊。他們把這撮泥土叫做「鄉井土」。直到現在，海外華僑的床頭箱裏，還有人藏著這樣的鄉井土！試想想，在一撮撮看似平凡的泥土裏，寄託了人們多少豐富深厚的感情！

過去，多少勞動者為了土地而進行了連綿不斷的悲壯鬥爭！當外國侵略者犯境的時候，又有多少英雄義士為保衛它而英勇地獻出了生命！在我國福建沿海地方，歷史上就流傳著許多可歌可泣的保衛土地的抗敵愛國故事。在明末禦倭和抗清的浪潮中，那裏曾經進行過保衛每一寸土地的激烈鬥爭。有的地方，婦女的髮髻上流行著插上三支短劍似的裝飾品，那是明代婦女準備星夜和突然來襲的倭寇搏鬥的裝束的遺跡。有的地方，從前曾經流行過成人死後入殮時在面部蓋上白布的風俗，那是明朝遺民羞見先人於地下、一種激勵後代的葬儀。這些風俗，多麼沉痛，多麼壯烈！在我國的湛江地方，有一座橋樑被命名為「寸金橋」，就寓有「一寸土地一寸金」的意思，這是用來紀念當年抵抗帝國主義侵略的民族英雄們的。土地的長度和面積計算單位可以用丈，用公里，用畝，用公頃，然而在含有國土的意義的時候，它的計算單位應該用一寸、一撮來衡量。因為它代表一個國家的主權，一寸土都決不容侵犯，一撮土都是珍寶。這裏，我想到了我們中國的整個版圖，在我們這一代人的手裏，一定要使它真真正正地完整無缺。臺、澎等地還被一小撮反動派所盤踞，我們必須把它解放。從福建前線，我們聽到了多少動人的故事呵！不僅我們英勇而強大的海軍和空軍，給予美蔣反動派以沉重的打擊，就是民兵隊伍，也巧妙地打擊了敵人。就是好些少年兒童，在大炮轟擊中也自動奔跑接駁電線，傳信送物。他們體現了全體中國人民保衛每一寸國土的堅強意志。

今天，在世界範圍內，許許多多被殖民者奴役著的地方，也正在進行著驅逐侵略者、保衛國土的鬥爭。呵！一寸土，一撮土，在這種場合意義是多麼神聖！

提到了一寸土這幾個字，我又禁不住想到一些島嶼上的人民戰士。登上那些島嶼，你會更深地認識到「一寸土」的嚴肅意義。我到過一個小島，那島嶼很小。然而，島上的生活卻是多麼沸騰呵！這裏的海灘、天空、海面，決不容許任何侵略者窺探和侵入一步，人民的子弟兵日夜守著大炮陣地，從望遠鏡裏、從炮鏡裏觀測著海洋上的任何動靜。這些島嶼像大陸的眼睛，這些戰士又像是島嶼的眼睛。不論是在月白風清還是九級風浪的夜裏，他們都全神貫注地盯著寬闊的海域。不僅這樣，他們還把小島建成花園一樣美麗。本來是蛇蟲蜿蜒、荊榛遍地的荒涼小島，經過他們付出艱苦勞動，在上面建起了堅固的營房，闢出了林蔭大道，又從祖國各地要來了花種，廣植著笑臉迎人的各種花卉和鮮嫩的蔬菜；還建起畜牧欄，豎起鴿棚；又從海裏摸出了石花，堆成小島的美術圖案。看到這些，令人不禁想到，我們所有的土地，一個個的島嶼，一寸寸的土壤，都在英雄們的守衛和汗水灌溉之下，迅速地在改變面貌了。

在我們看來很平凡的一塊塊的田野，實際上都有過極不平凡的經歷。在幾十萬年之間，人類在這上面追逐著野獸，放牧著牛羊，撿拾著野果，播種著五穀，那時候人們匍匐在大自然的威力之下，風雨雷霆，電光野火，都曾經使他們畏懼顫慄。幾十萬年過去了，人類進入了階級社會，一片片的土地像被帶上了鐐銬似的，多少世代的農民，在大地上流盡了血汗，卻掙不上溫飽，有多少人在這一片片土地上面仰天歎息，錐心痛恨！又有多少人揭竿起義，畫著眉毛，紮著頭巾參加戰鬥，把壓迫他們的貴族豪強殺死在這些土地上面。到了近代，又有多少人民的軍隊為了從封建地主階級手裏，把土地奪回來，和帝國主義的軍隊、剝削者的軍隊在這上面鏖戰過。二十年代以來，中國共產黨領導全國人民進行了革命鬥爭，打垮了反動統治者，推翻了剝削制度，進行了土地改革，土地的鐐銬才被徹底打碎，勞動人民才真正成了土地的主人。我們熱愛土地，我們正在豪邁地改造著土地，使他變成一片錦繡。當你這麼思索的時候，大地上的紅土黑土，黃土白土，彷彿都變成感情豐富的東西了，它們彷彿就像古代神話中的「息壤」似的，正在不斷變化，不斷成長，就像具有生命一樣。

幾千年來披枷戴鎖的土地，一旦回到人民手裏，變化是多麼神速呵！你試展開一幅地圖，思索一下各地的變化，該有多麼驚人。沙漠開始出現了綠洲，不毛之地長出了莊稼，濯濯童山披上了錦裳，水庫和運河像閃亮的鏡子和一條條衣帶一樣綴滿山谷和原野。有一次我從淩空直上的飛機的艙窗裏俯瞰珠江三角洲，當時蒼穹明淨，我望了下去，真禁不住喝彩，珠江三角洲壯觀秀麗得幾乎難以形容。水網和湖泊熠熠發光，大地竟像是一幅碧綠的天鵝絨，公路好似刀切一樣的筆直，一丘丘的田野又賽似棋盤般整齊。嘿！千百年前的人們，以為天上有什麼神仙奇跡，其實真正的奇跡卻在今天的大地上。勞動者的力量把大地改變得多美！一個巧手姑娘所繡的只是一小幅花巾，廣大勞動者卻以大地為巾，把本來醜陋難看的地面變得像蘇繡廣繡般美麗了。

你也許在火車的瞭望車上看過迅速掠過的美麗的大地；也許參加過幾萬人挑燈修築水電站大壩的工程，在那種場合，千千萬萬人彷彿變成了一個揮動著巨臂的巨人，正在做著開天闢地的工作。在華南，有些隔離大陸的島嶼給築起了一條堤壩，和大陸連起來了；有些小山被填到海裏，大海湧出陸地來了；乾旱的雷州半島被開出了一條比蘇彝士運河還要長的運河；潮汕平原上的土地被整理成棋格一樣齊整。我們時代的人既以一寸寸的土地為單位在精細工作著，又以一千里，一萬里，更確切來說，又以全部已解放的九百多萬平方公里土地作為一個整體來規劃和工作著。這十幾年來，同是千萬年世代相傳的大地上，長出了多少嶄新的植物品種呵！每逢看到了欣欣向榮的莊稼，看到剛犁好的湧著泥浪的肥沃的土地，我的心頭就湧起像《紅旗歌謠》中的民歌所描寫的——「沙果笑得紅了臉，西瓜笑得如蜜甜，花兒笑得分了瓣，豌豆笑得鼓鼓圓」這一類帶著泥土、露水、草葉、鮮花香味的大地的情景。讓我們對土地激發起更強烈的感情吧！因為大地母親的鐐銬解除了，現在就看我們怎樣為哺育我們的大地母親好好工作了。

事實上，無數的人也正在一天天地發展著這樣的感情。你可以從細小或者巨大的場面中覺察到這一切。你看過公社幹部率領著一群老農在巡田的情景嗎？他們拿著一根軟尺，到處量著，計算著一塊塊土地的水稻穗數；不管是不是自己管理的，看到任何一丘田裏面的一根稗草都要涉水下去把它拔掉。你看到農村中的青年技術員在改變土壤的場面嗎？有時他們把幾千年未曾見過天日的沃土底下的礫土都翻動了，或者深夜焚起篝火燒土，要使一處處的土地都變得膏腴起來。

幾萬人圍在一片土地上建築堤壩，幾千人舉著紅旗浩浩蕩蕩上山的情景尤其動人心魄。那吶喊，那笑聲，尤其是那一對對灼熱的眼睛！雖然在緊張的勞動中大家都少說話了，但是那眼光彷彿在訴說著一切：「幹呵幹呵，向土地奪寶，把我們所有的土地都利用起來。一定要用我們這一代人的雙手，搬掉落後和窮困這兩座大山！」有時這些聲音寄託於勞動號子，寄託於車隊奔馳之中，彷彿令人感到戰鼓和進軍號的撼人的氣魄……

讓我們捧起一把泥土來仔細端詳吧！這是我們的土地呵！怎樣保衛每一寸的土地呢？怎樣使每一寸土地都發揮它的巨大的潛力，一天天更加美好起來呢？黨正在領導和率領著我們前進。青春的大地也好像發出巨大的聲音，要求每一個中國人民都作出回答。

（選自秦牧著《秦牧散文》，人民文學出版社 2005 年 5 月版）

編選說明 ●●●

秦牧（1919—1992），廣東澄海人，著有散文集《長河浪花集》《長街燈語》等。秦牧散文思路開闊，聯想奇妙，融思想性、知識性、趣味性於一體。《土地》從歷史和日常生活中的見聞侃侃談起，以土地為對象，時而展現新時代的風貌，時而追敘慘痛的歷史，時而歌頌新社會的建設者和保衛者，時而寫到古代的封疆大典，時而又將筆觸延伸到殖民者的暴行，從古到今，從草木禽獸到人情世態、到故事傳說、到現代科技，都一一攬之於筆下。在旁徵博引、談古論今中，表現了勞動人民對土地的深厚感情，謳歌了真正成為大地主人的我國人民為保衛和建設腳下的土地而奮勇鬥爭的革命精神，從而激發人們保衛和建設祖國的強烈責任心。本文立意高，選材嚴，開掘深，具有衝擊讀者思想的力量。

劉白羽

長江三日

十一月十七日

霧籠罩著江面，氣象森嚴。十二時，「江津」號啟碇順流而下了。在長江與嘉陵江匯合後，江面突然開闊，天穹頓覺低垂。濃濃的黃霧，漸漸把重慶隱去。一刻鐘後，船又在兩面碧森森的懸崖陡壁之間的狹窄的江面上行駛了。

你看那急速漂流的波濤一起一伏，真是「眾水會萬涪，瞿塘爭一門」。而兩三木船，卻齊整的搖動著兩排木槳，像鳥兒扇動著翅膀，正在逆流而上。我想到李白、杜甫在那遙遠的年代，以一葉扁舟，搏浪急進，該是多麼雄偉的搏鬥，會激發詩人多少瑰麗的詩思啊！……不久，江面更開朗遼闊了。兩條大江，驟然相見，歡騰擁抱，激起雲霧迷蒙，波濤沸蕩，至此似乎稍為平定，水天極目之處，灰濛濛的遠山展開一卷清淡的水墨畫。

從長江上順流而下，這一心願真不知從何時就在心中紮下根。年幼時讀「大江東去……」讀「兩岸猿聲……」輒心嚮往之。後來，聽說長江發源於一片冰川，春天的冰川上布滿奇異豔麗的雪蓮，而長江在那兒不過是一泓清溪；可是當你看到它那奔騰叫嘯，如萬瀑懸空，砰然萬里，就不免在神秘氣氛的「童話世界」上又塗了一層英雄光彩。後來，我兩次到重慶，兩次登枇杷山看江上夜景，從萬家燈光、燦爛星海之中，辨認航船上緩緩浮動而去的燈火，多想隨那驚濤駭浪，直赴瞿塘，直下荊門呀。但親身領略一下長江風景，直到這次才實現。因此，這一回在「江津」號上，正如我在第二天寫的一封信中所說：

「這兩天，整天我都在休息室裏，透過玻璃窗，觀望著三峽。昨天整日都在朦朧的霧罩之中。今天卻陽光一片。這莊嚴秀麗氣象萬千的長江真是美極了。」

下午三時，天轉開朗。長江兩岸，層層疊疊，無窮無盡的都是雄偉的山峰，蒼松翠竹綠茸茸的遮了一層繡幕。近岸陡壁上，背纖的縴夫歷歷可見。你向前看，前面群山在江流浩蕩之中，則依然為霧籠罩，不過霧不像早晨那樣濃，那樣黃，而呈乳白色了。現在是「枯水季節」，江中突然露出一塊黑色礁石，一片黃色淺灘，船常常在很狹窄的兩面航標之間迂迴前進，順流駛下。山愈聚愈多，漸漸暮靄低垂了，漸漸進入黃昏了，紅綠標燈漸次閃光，而蒼翠的山巒模糊為一片灰色。

當我正為夜色降臨而惋惜的時候，黑夜裏的長江卻向我展開另外一種魅力。開始是，這裏一星燈火，那兒一簇燈火，好像長江在對你眨著眼睛。而一會兒又是漆黑一片，你從船身微微的蕩漾中感到波濤正在翻滾沸騰。一派特別雄偉的景象，出現在深宵。我一個人走到甲板上，這時江風獵獵，上下前後，一片黑森森的，而無數道強烈的探照燈光，從船頂上射向江面，天空江上一片雲霧迷蒙，電光閃閃，風聲水聲，不但使人深深體會到「高江急峽雷霆鬥」的赫赫聲勢，而且你覺得你自己和大自然是那樣貼近，就像整個宇宙，都羅列在你的胸前。水天，風霧，渾然融為一體，好像不是一隻船，而是你自己正在和江流搏鬥而前。「曙光就在前面，我們應當努力。」這時一種莊嚴而又美好的情感充溢我的心靈，我覺得這是我所經歷的大時代突然一下集中地體現在這奔騰的長江之上。是的，我們的全部生活不就是這樣戰鬥、航進，穿過黑夜走向黎明的嗎？現在，船上的人都已酣睡，整個世界也都在安眠，而駕駛室上露出一片寧靜的燈光。想一想，掌握住舵輪，透過閃閃電炬，從驚濤駭浪之中尋到一條破浪前進的途徑，這是多麼豪邁的生活啊！我們的哲學是革命的哲學，我們的詩歌是戰鬥的詩歌，正因為這樣我們的生活是最美的生活。列寧有一句話說得好極了：「前進吧！這是多麼好啊！這才是生活啊！」……「江津」號昂奮而深沉地鳴響著汽笛向前方航進。

十一月十八日

在信中，我這樣敘說：「這一天，我像在一支雄偉而瑰麗的交響樂中飛翔。我在海洋上遠航過，我在天空上飛行過，但在我們的母親河流長江上，第一次，為這樣一種大自然的威力所吸懾了。」

朦朧中聽見廣播到奉節。停泊時天已微明。起來看了一下，峰巒剛剛從黑夜中顯露出一片灰濛濛的輪廓。啟碇續行，我到休息室裏來，只見前邊兩面懸崖絕壁，中間一條狹狹的江面，已進入瞿塘峽了。江隨壁轉，前面天空上露出一片金色陽光，像橫著一條金帶，其餘天空各處還是雲海茫茫。瞿塘峽口上，為三峽最險處，杜甫《夔州歌》云：「白帝高為三峽鎮，瞿塘險過百牢關。」古時歌謠說：「灩澦大如馬，瞿塘不可下；灩澦大如猴，瞿塘不可遊；灩澦大如龜，瞿塘不可回；灩澦大如象，瞿塘不可上。」「這灩澦堆指的是一堆黑色巨礁。它對準峽口。萬水奔騰一沖進峽口，便直奔巨礁而來。你可想像得到那真是雷霆萬鈞，船如離弦之箭，稍差分釐，便撞得個粉碎。現在，這巨礁，早已炸掉。不過，瞿塘峽中，激流澎湃，濤如雷鳴，江面形成無數漩渦，船從漩渦中沖過，只聽得一片嘩啦啦的水聲。過了八公里的瞿塘峽，烏沉沉的雲霧，突然隱去，峽頂上一道藍天，浮著幾小片金色浮雲，一注陽光像閃電樣落在左邊峭壁上。右面峰頂上一片白雲像白銀片樣發亮了，但陽光還沒有降臨。這時，遠遠前方，無數層巒疊嶂之上，迷蒙雲霧之中，忽然出現一團紅霧，你看，絳紫色的山峰，襯托著這一團霧，真美極了。就像那深谷之中向上反射出紅色寶石的閃光，令人彷彿進入了神話境界。這時，你朝江流上望去，也是色彩繽紛：兩面巨岩，倒影如墨；中間曲曲折忻，卻像有一條閃光的道路，上面蕩著細碎的波光；近處山巒，則碧綠如翡翠。時間一分鐘一分鐘過去，前面那團紅霧更紅更亮了。船越駛越近，漸漸看清有一高峰亭亭筆立於紅霧之中，漸漸看清那紅霧原來是千萬道強烈的陽光。八點二十分，我們來到這一片晴朗的金黃色朝陽之中。

抬頭望處，已到巫山。上面陽光垂照下來，下面濃霧滾湧上去，雲蒸霞蔚，頗為壯觀。剛從遠處看到那個筆直的山峰，就站在巫峽口上，山如斧削，雋秀婀娜，人們告訴我這就是巫山十二峰的第一峰，它彷彿在招呼上游來的客人說：「你看，這就是巫山巫峽了。」「江津」號緊貼山腳，進入峽口。紅通通的陽光恰在此時射進玻璃廳中，照在我的臉上。峽中，強烈的陽光與乳白色雲霧交織一處，數步之隔，這邊是陽光，那邊是雲霧，真是神妙莫測。幾隻木船從下游上來，帆篷給陽光照得像透明的白色羽翼，山峽卻越來越狹，前面兩山對峙，看去連一扇大門那麼寬也沒有，而門外，完全是白霧。

八點五十分，滿船人都在仰頭觀望。我也跑到甲板上來，看到萬仞高峰之巔，有一細石聳立如一人對江而望，那就是充滿神奇縹緲傳說的美女峰了。據說一個漁人在江中打魚，突遇狂風暴雨，船覆滅頂，他的妻子抱了小孩從峰頂眺望，盼他回來，一天一天，一月一月，他終未回來，而她卻依然不顧晨昏，不顧風雨，站在那兒等候著他——至今還在那兒等著他呢！……

如果說瞿塘峽像一道閘門，那麼巫峽簡直像江上一條迂迴曲折的畫廊。船隨山勢左一彎，右一轉，每一曲，每一折，都向你展開一幅絕好的風景畫。兩岸山勢奇絕，連綿不斷，巫山十二峰，各峰有各峰的姿態，人們給它們以很高的美的評價和命名，顯然使我們的江山增加了詩意，而詩意又是變化無窮的。突然是深灰色石岩從高空直垂而下浸入江心，令人想到一個巨大的驚歎號；突然是綠茸茸草阪，像一支充滿幽情的樂曲；特別好看的是懸岩上那一堆堆給秋霜染得紅豔豔的野草，簡直像是滿山杜鵑了。峽急江陡，江面布滿大大小小漩渦，船隻能緩緩行進，像一個在叢山峻嶺之間慢步前行的旅人。但這正好使遠方來的人，有充裕時間欣賞這莽莽蒼蒼、浩浩蕩蕩長江上大自然的壯美。蒼鷹在高峽上盤旋，江濤追隨著山巒激蕩，山影雲影，日光水光，交織成一片。

十點，江面漸趨廣闊，急流穩渡，穿過了巫峽。十點十五分至巴東，已入湖北境。十點半到牛口，江浪洶湧，把船推在浪頭上，搖擺著前進。江流剛奔出巫峽，還沒來得及喘息，卻又衝入第三峽西陵峽了。

西陵峽比較寬闊，但是江流至此變得特別兇惡，處處是急流，處處是險灘。船一下像流星隨著怒濤沖去，一下又繞著險灘迂迴浮進。最著名的三個險灘是：泄灘、青灘和崆嶺灘。初下泄灘，你看著那萬馬奔騰的江水，會突然感到江水簡直是在旋轉不前，一千個、一萬個漩渦，使得「江津」號劇烈震動起來。這一節江流雖險，卻流傳著無數優美的傳說。十一點十五分到秭歸。據袁崧《宜都山川記》載：秭歸是屈原故鄉，是楚子熊繹建國之地。後來屈原被流放到汨羅江，死在那裏。民間流傳著：屈大夫死日，有人在汨羅江畔，看見他峨冠博帶，美髯白皙，騎一匹白馬飄然而去。又傳說：屈原死後，被一大魚馱回秭歸，終於從流放之地回歸楚國。這一切初聽起來過於神奇怪誕，卻正反映了人民對屈原的無限懷念之情。

秭歸正面有一大片鐵青色礁石，森然聳立江面，經過很長一段急流繞過泄灘。在最急峻的地方，「江津」號用盡全副精力，戰抖著，震顫著前進。急流剛剛滾過，看見前面有一奇峰突起，江身沿著這山峰右面駛去，山峰左面卻又出現一道河流，原來這就是王昭君誕生地香溪，它一下就令人記起杜甫的詩：「群山萬壑赴荊門，生長明妃尚有村。」我們遙望了一下香溪，船便沿著山峰進入一道無比險峻的長峽兵書寶劍峽。這兒完全是一條窄巷，我到船頭上，仰頭上望，只見黃石碧岩，高與天齊，再駛行一段就到了青灘。江面陡然下降，波濤洶湧，浪花四濺，當你還沒來得及仔細觀看，船已像箭一樣迅速飛下，巨浪為船頭劈開，旋卷著，合在一起，一下又激蕩開去。江水像滾沸了一樣，到處是泡沫，到處是浪花。船上的同志指著岩上一片鄉鎮告我：「長江航船上很多領航人都出生在這兒……每只木船要想渡過青灘，都得請這兒的人引領過去。」這時我正注視著一隻逆流而上的木船，看起這青灘的聲勢十分嚇人，但人從洶湧浪濤中掌握了一條前進途徑，也就戰勝了大自然了。

中午，我們來到了崆嶺灘眼前，長江上的人都知道：「泄灘青灘不算灘，崆嶺才是鬼門關。」可見其兇險了。眼看一片灰色石礁布滿水面，「江津」號卻拋錨停泊了。原來崆嶺灘一條狹窄航道只能過一隻船，這時有一隻江輪正在上行，我們只好等下來。誰知竟等了那麼久，可見那上行的船隻是如何小心翼翼了。當我們駛下崆嶺灘時，果然是一片亂石林立，我們簡直不像在浩蕩的長江上，而是在蒼莽的叢林中找尋小徑跋涉前進了。

十一月十九日

早晨，一片通紅的陽光，把平靜的江水照得像玻璃一樣發亮。長江三日，千姿萬態，現在已不是前天那樣大霧迷蒙，也不是昨天「巫山巫峽色蕭森」，而是「楚地闊無邊，蒼茫萬頃連」了。長江在穿過長峽之後，現在變得如此寧靜，就像剛剛誕生過嬰兒的年輕母親一樣安詳慈愛。天光水色真是柔和極了。江水像微微拂動的絲綢，有兩隻雪白的鷗鳥緩緩地和「江津」號平行飛進。水天極目之處，凝成一種透明的薄霧，一簇一簇船帆，就像一束一束雪白的花朵在藍天下閃光。

在這樣一天，江輪上非常寧靜的一日，我把我全身心沉浸在「紅色的羅莎」盧森堡的《獄中書簡》中。

這個在一九一八年德國無產階級革命中最堅定的領袖，我從她的信中，感到一個偉大革命家思想的光芒和胸懷的溫暖，突破鐵窗鐐銹，而閃耀在人間。你看，這一頁：

雨點輕柔而均勻地灑落在樹葉上，紫紅的閃電一次又一次地在鉛灰色中閃耀，遙遠處，隆隆的雷聲像洶湧澎湃的海濤餘波似地不斷滾滾傳來。在這一切陰霾慘澹的情景中，突然間一隻夜鶯在我窗前的一株楓樹上叫起來了！在雨中，閃電中，隆隆的雷聲中，夜鶯啼叫得像是一隻清脆的銀鈴，它歌唱得如醉如癡，它要壓倒雷聲，唱亮昏暗……

昨晚九點左右，我還看到壯麗的一幕，我從我的沙發上發現映在窗玻璃上的玫瑰色的返照，這使我非常驚異，因為天空完全是灰色的。我跑到窗前，著了迷似的站在那裏。在一色灰沉沉的天空上，東方湧現出一塊巨大的、美麗得人間少有的玫瑰色的雲彩，它與一切分隔開，孤零零地浮在那裏，看起來像是一個微笑，像是來自陌生的遠方的一個問候。我如釋重負地長籲了一口氣，不由自主地把雙手伸向這幅富有魅力的圖畫。有了這樣的顏色，這樣的形象，然後生活才美妙，才有價值，不是嗎？我用目光飽餐這幅光輝燦爛的圖畫，把這幅圖畫的每一線玫瑰色的霞光都吞咽下去，直到我突然禁不住笑起自己來。天哪，天空啊，雲彩啊，以及整個生命的美並不只存在於佛龍克，用得著我來跟它們告別？不，它們會跟著我走的，不論我到哪兒，只要我活著，天空、雲彩和生命的美會跟我同在。

「江津」號在平靜的浪花中緩緩駛行。我讀著書，一種非常珍貴的感情滲透我的全身。我必須立刻把它寫下來，我願意把它寫在這奔騰叫嘯、而又安靜溫柔的長江一起，因為它使我聯想到我前天想到的「戰鬥航進穿過黑夜走向黎明」的想像，過去，多少人，從他們艱巨戰鬥中想望著一個美好的明天呀！而當我承受著像今天這樣燦爛的陽光和清麗的景色時，我不能不意識到，今天我們整個大地，所吐露出來的那一種芬芳、寧馨的呼吸，這社會主義生活的呼吸，正是全世界上，不管在亞洲還是在歐洲，在美洲還是在非洲，一切先驅者的血液，凝聚起來，而發射出來的最自由最強大的光輝。我讀完了《獄中書簡》，一輪落日那樣圓，那樣大，像鮮紅的珊瑚球一樣，把整個江面籠罩在一脈淡淡的紅光中，面前像有一種細細的絲幕柔和地、輕悄地撒落下來。

最後讓我從我自己的一封信中抄下一段，來結束這一日吧：

夜間，九時餘從前面漆黑的夜幕中，看見很小很小幾點亮光。人們指給我那就是長江大橋，「江津」號穩穩地向武漢駛近。從這以後，我一直站在船上眺望，漸漸的漸漸的看出那整整齊齊的一排像橫串起來的珍珠，在熠熠閃亮。我看著，我覺得在這遼闊無邊的大江之上，這正是我們獻給我們母親河流的一頂珍珠冠呀！……再前進，江上無數藍的、白的、紅的、綠的燈光，拖著長長倒影在浮動，那是無數船隻在航行，而那由一顆顆珍珠畫出的大橋的輪廓，完全像升在雲端裏一樣，高聳空中，而橋那面，燈光稠密得簡直像是燦爛的金河，那是什麼？仔細分辨，原來是武漢兩岸的億萬燈光。當我們的「江津」號，嘹亮地向武漢市發出致敬歡呼的聲音時，我心中升起一種莊嚴的情感，看一看！我們創造的新世界有多麼燦爛吧！……

1960年

（選自劉白羽著《劉白羽散文選》，人民文學出版社2009年7月版）

編選說明

劉白羽（1916—2005），北京通州人，《長江三日》是其散文代表作之一。本文以作者游蹤為引線，描繪了波濤洶湧的長江，奇偉壯麗的三峽。作者一會兒大開大合，簡筆寫意，一會兒濃墨重彩，精勾細勒，隨著江輪的航進，奇峰、急流、險灘、暗礁、麗日、雲霧在其筆下構成了一幅氣勢磅礴、氣象萬千的山水長卷。閱讀本文，就像是欣賞一幅壯麗的三峽風光圖，給人以昂揚向上的力量和奇偉、剛健的審美享受。文章雖落墨於山河畫卷，卻處處著眼於哲理的詮釋，「我們的全部生活不就是這樣戰鬥、航行，穿過黑夜走向黎明的嗎？」在結構上以「意」為帥，將人、事、景、物、情、理交織在一起，波瀾起伏，跌宕有致。

張愛玲

更衣記

如果當初世代相傳的衣服沒有大批賣給收舊貨的，一年一度六月裏曬衣裳，該是一件輝煌熱鬧的事罷。你在竹竿與竹竿之間走過，兩邊攔著綾羅綢緞的牆——那是埋在地底下的古代宮室裏發掘出來的甬道。你把額角貼在織金的花繡上。太陽在這邊的時候，將金線曬得滾燙，然而現在已經冷了。

從前的人吃力地過了一輩子，所作所為，漸漸蒙上了灰塵；子孫晾衣裳的時候又把灰塵給抖了下來，在黃色的太陽裏飛舞著。回憶這東西若是有氣味的話，那就是樟腦的香，甜而穩妥，像記得分明的快樂，甜而悵惘，像忘卻了的憂愁。

我們不大能夠想像過去的世界，這麼迂緩，寧靜，齊整——在滿清三百年的統治下，女人竟沒有什麼時裝可言！一代又一代的人穿著同樣的衣服而不覺得厭煩。開國的時候，因為「男降女不降」，女子的服裝還保留著顯著的明代遺風。從 17 世紀中葉直到 19 世紀末，流行著極度寬大的衫褲，有一種四平八穩的沉著氣象。領圈很低，有等於無。穿在外面的是「大襖」。在非正式的場合，寬了衣，便露出「中襖」。「中襖」裏面有緊窄合身的「小襖」，上床也不脫去，多半是嬌媚的，桃紅或水紅。三件襖子之上又加著「雲肩背心」，黑緞寬鑲，盤著大雲頭。

削肩、細腰、平胸，薄而小的標準美女在這一層層衣衫的重壓下失蹤了。她的本身是不存在的，不過是一個衣架子罷了。中國人不贊成太觸目的女人。歷史上記載的聳人聽聞的美德——譬如說，一隻胳膊被陌生男子拉了一把，便將它砍掉——雖然博得普通的讚歎，知識階級對之總隱隱地覺得有點遺憾，因為一個女人不該吸引過度的注意；任是鐵錚錚的名字，掛在千萬人的嘴唇上，也在呼吸的水蒸氣裏生了鏽。女人要想出眾一點，連這樣堂而皇之的途徑都有人反對，何況奇裝異服，自然那更是傷風敗俗了。

出門時褲子上罩的裙子，其規律化更為徹底。通常都是黑色，逢著喜慶年節，太太穿紅的，姨太太穿粉紅。寡婦係黑裙，可是丈夫過世多年之後，如有公婆在堂，她可以穿湖色或雪青。裙上的細褶是女人的儀態最嚴格的試驗。家教好的姑娘，蓮步姍姍，百褶裙雖不至於紋絲不動，也只限於最輕微的搖顫。不慣穿裙的小家碧玉走起路來便予人以驚風駭浪的印象。更為苛刻的是新娘的紅裙，裙腰垂下一條條半寸來寬的飄帶，帶端係著鈴。行動時只許有一點隱約的叮噹，像遠山上寶塔上的風鈴。晚至一九二〇年前後，比較瀟灑自由的寬褶裙入時了，這一類的裙子方才完全廢除。

穿皮子，更是禁不起一些出入，便被目為暴發戶。皮衣有一定的季節，分門別類，至為詳盡。十月裏若是冷得出奇，穿三層皮是可以的，至於穿什麼皮，那卻要顧到季節而不能顧到天氣了。初冬穿「小毛」，如青種羊、紫羔、珠羔；然後穿「中毛」，如銀鼠、灰鼠、灰脊、狐腿、甘肩，倭刀；隆冬穿「大毛」，——白狐、青狐、西狐、玄狐、紫貂。「有功名」的人方能穿貂。中下等階級的人以前比現在富裕得多，大都有一件金銀嵌或羊皮袍子。

姑娘們的「昭君套」為陰森的冬月添上點色彩。根據歷代的圖畫，昭君出塞所戴的風兜是愛斯基摩式的，簡單大方，好萊塢明星仿製者頗多。中國 19 世紀的「昭君套」卻是癲狂冶豔的，——一頂瓜皮帽，帽檐圍上一圈皮，帽頂綴著極大的紅絨球，腦後垂著兩根粉紅緞帶，帶端綴著一對金印，動輒相擊作聲。

對於細節的過分的注意，為這一時期的服裝的要點。現代西方的時裝，不必要的點綴品未嘗不花樣多端，但是都有個目的——把眼睛的藍色發揚光大起來，補助不發達的胸部，使人看上去高些或矮些，集中注意力在腰肢上，消滅臀部過度的曲線……古中國衣衫上的點綴品卻是完全無意義的，若說它是純粹裝飾性質的吧，為什麼連鞋底上也滿布著繁縟的圖案呢？鞋的本身就很少在人前露臉的機會，別說鞋底了，高底的邊緣也充塞著密密的花紋。

襖子有「三鑲三滾」「五鑲五滾」「七鑲七滾」之別，鑲滾之外，下擺與大襟上還閃爍著水鑽盤的梅花、菊花。袖上另釘著名喚「闌干」的絲質花邊，寬約七寸，挖空鏤出福壽字樣。

這裏聚集了無數小小的有趣之點，這樣不停地另生枝節，放恣，不講理，在不相干的事物上浪費了精力，正是中國有閒階級一貫的態度。唯有世上最清閒的國家裏最閒的人，方才能夠領略到這些細節的妙處。製造一百種相仿而不犯重的圖案，固然需要藝術與時間；欣賞它，也同樣地煩難。

古中國的時裝設計家似乎不知道，一個女人到底不是大觀園。太多的堆砌使興趣不能集中。我們的時裝的歷史，一言以蔽之，就是這些點綴品的逐漸減去。

當然事情不是這麼簡單。還有腰身大小的交替盈蝕。第一個嚴重的變化發生在光緒三十二三年。鐵路已經不那麼稀罕了，火車開始在中國人的生活裏占一重要位置。諸大商港的時新款式迅速地傳入內地。衣褲漸漸縮小，「闌干」與闊滾條過了時，單剩下一條極窄的。扁的是「韭菜邊」，圓的是「燈果邊」，又稱「線香滾」。在政治動亂與社會不靖的時期——譬如歐洲的文藝復興時代——時髦的衣服永遠是緊匝在身上，輕捷俐落，容許劇烈的活動，在 15 世紀的意大利，因為衣褲過於緊小，肘彎膝蓋，筋骨接榫處非得開縫不可。中國衣服在革命醞釀期間差一點就脹裂開來了。「小皇帝」登基的時候，襖子套在人身上像刀鞘。中國女人的緊身背心的功用實在奇妙——衣服再緊些，衣服底下的肉體也還不是寫實派的作風，看上去不大象個女人而像一縷詩魂。長襖的直線延至膝蓋為止，下面虛　垂下兩條窄窄的褲管，似腳非腳的金蓮抱歉地輕輕踏在地上。鉛筆一般瘦的褲腳妙在給人一種伶仃無告的感覺。在中國詩裏，「可憐」是「可愛」的代名詞。男子向有保護異性的嗜好，而在青黃不接的過渡時代，顛連困苦的生活情形更激動了這種傾向。寬袍大袖的，端凝的婦女現在發現太福相了是不行的，做個薄命的人反倒於她們有利。

那又是一個各趨極端的時代。政治與家庭制度的缺點突然被揭穿。年輕的知識階級仇視著傳統的一切，甚至於中國的一切。保守性的方面也因為驚恐的緣故而增強了壓力。神經質的論爭無日不進行著，在家庭裏，在報紙上，在娛樂場所。連塗脂抹粉的文明戲演員，姨太太們的理想戀人，也在戲臺上向他們的未婚妻借題發揮，討論時事，聲淚俱下。

一向心平氣和的古國從來沒有如此騷動過。在那歇斯底里的氣氛裏，「元寶領」這東西產生了——高得與鼻尖平行的硬領，像緬甸的一層層疊至尺來高的金屬頂圈一般，逼迫女人們伸長了脖子。這嚇人的衣領與下面的一撚柳腰完全不相稱。頭重腳輕，無均衡的性質正象徵了那個時代。

民國初建立，有一時期似乎各方面都有浮面的清明氣象。大家都認真相信盧騷的理想化的人權主義。學生們熱誠擁護投票制度、非孝、自由戀愛。甚至於純粹的精神戀愛也有人實驗過，但似乎不曾成功。

時裝上也顯出空前的天真，輕快，愉悅。「喇叭管袖子」飄飄欲仙，露出一大截玉腕。短襖腰部極為緊小。上層階級的女人出門係裙，在家裏只穿一條齊膝的短褲，絲襪也只到腰為止。褲與襪的交界處偶然也大膽地暴露了膝蓋。存心不良的女人往往從襖底垂下挑拔性的長而寬的淡色絲質褲帶，帶端飄著排穗。

民國初年的時裝，大部分的靈感是得自西方的。衣領減低了不算，甚至被蠲免了的時候也有，領口挖成圓形，方形，雞心形，金剛鑽形。白色絲質圍巾四季都能用。白絲襪腳跟上的黑繡花，像蟲的行列，蠕蠕爬到腿肚子上。交際花與妓女常常有戴平光眼鏡以為美的。舶來品不分皂白地被接受，可見一斑。

軍閥來來去去，馬蹄後飛沙走石，跟著他們自己的官員、政府、法律，跌跌絆絆趕上去的時候，也同樣地千變萬化。短襖的下擺忽而圓，忽而尖，忽而六角形。女人的衣服往常是和珠寶一般，沒有年紀的，隨時可以變賣，然而在民國的當鋪裏不復受歡迎了，因為過了時就一文不值。

時裝的日新月異並不一定表現活潑的精神與新穎的思想。恰巧相反，它可以代表呆滯；由於其它活動範圍內的失敗，所有的創造力都流入衣服的區域裏去。在政治混亂期間，人們沒有能力改良他們的生活情形。他們只能夠創造他們貼身的環境——那就是衣服。我們各人住在各人的衣服裏。

一九二一年，女人穿上了長袍。發源於滿洲的旗裝自從旗人入關之後一直與中土的服裝並行著的，各不相犯，旗下的婦女嫌她們的旗袍缺乏女性美，也想改穿較嫵媚的襖褲，然而皇帝下詔，嚴厲禁止了。五族共和之後，全國婦女突然一致採用旗袍，倒不是為了效忠於滿清，提倡復辟運動，而是因為女子蓄意要模仿男子。在中國，自古以來女人的代名詞是「三綹梳頭，兩截穿衣」。一截穿衣與兩截穿衣是很細微的區別，似乎沒有什麼不公平之處，可是一九二〇年的女人很容易地就多了心。她們初受西方文化的薰陶，醉心於男女平權之說，可是四周的實際情形與理想相差太遠了，羞憤之下，她們排斥女性化的一切，恨不得將女人的根性斬盡殺絕。因此初興的旗袍是嚴冷方正的，具有清教徒的風格。

政治上，對內對外陸續發生的不幸事件使民眾灰了心。青年人的理想總有支持不了的一天。時裝開始緊縮。喇叭管袖子收小了。一九三〇年，袖長及肘，衣領又高了起來。往年的元寶領的優點在它的適宜的角度，斜斜地切過兩腮，不是瓜子臉也變了瓜子臉，這一次的高領卻是圓筒式的，緊抵著下頷，肌肉尚未鬆弛的姑娘們也生了雙下巴。這種衣領根本不可恕。可是它象徵了十年前那種理智化的淫逸的空氣——直挺挺的衣領遠遠隔開了女神似的頭與下面的豐柔的肉身。這兒有諷刺、有絕望後的狂笑。

當時歐美流行著的雙排鈕扣的軍入式的外套正和中國人淒厲的心情一拍即合。然而恪守中庸之道的中國女人在那雄赳赳的大衣底下穿著拂地的絲絨長袍，袍叉開到大腿上，露出同樣質料的長褲子，褲腳上閃著銀色花邊。衣服的主人翁也是這樣的奇異的配搭，表面上無不激烈地唱高調。骨子裏還是唯物主義者。

近年來最重要的變化是衣袖的廢除。(那似乎是極其艱危的工作，小心翼翼地，費了二十年的工夫方才完全剪去。)同時衣領矮了，袍身短了，裝飾性質的鑲滾也免了，改用盤花鈕扣來代替，不久連鈕扣也被捐棄了，改用撳鈕。總之，這筆帳賬全是減法——所有的點綴品，無論有用沒用，一概剔去。剩下的只有一件緊身背心，露出頸項、兩臂與小腿。

現在要緊的是人，旗袍的作用不外乎烘雲托月忠實地將人體輪廓曲曲勾出。革命前的裝束卻反之，人屬次要，單只注意詩意的線條，於是女人的體格公式化，不脫衣服，不知道她與她有什麼不同。

我們的時裝不是一種有計劃有組織的實業，不比在巴黎，幾個規模宏大的時裝公司如 Lelong's Schiaparelli's，壟斷一切，影響及整個白種人的世界。我們的裁縫卻是沒主張的。公眾的幻想往往不謀而合，產生一種不可思議的洪流。裁縫只有追隨的份兒。因為這緣故，中國的時裝更可以作民意的代表。

究竟誰是時裝的首創者，很難證明，因為中國人素不尊重版權，而且作者也不甚介意，既然抄襲是最隆重的讚美。最近入時的半長不短的袖子，又稱「四分之三袖」，上海人便說是香港發起的，而香港人又說是上海傳來的，互相推諉，不敢負責。

一雙袖子翩翩歸來，預兆形式主義的復興。最新的發展是向傳統的一方面走，細節雖不能恢復，輪廓卻可儘量引用，用得活泛，一樣能夠適應現代環境的需要。旗袍的大襟採取圍裙式，就是個好例子，很有點「三日入廚下」的風情，耐人尋味。

男裝的近代史較為平淡。只有一個極短的時期，民國四年至八、九年，男人的衣服也講究花哨，滾上多道的如意頭，而且男女的衣料可以通用，然而生當其時的人都認為那是天下大亂的怪現狀之一。目前中國人的西裝，固然是謹嚴而黯淡，遵守西洋紳士的成規，即使中裝也長年地在灰色、咖啡色、深青裏面打滾，質地與圖案也極單調。男子的生活比女子自由得多，然而單憑這一件不自由，我就不願意做一個男子。

衣服似乎是不足掛齒的小事。劉備說過這樣的話：「兄弟如手足，妻子如衣服。」可是如果女人能夠做到「丈夫如衣服」的地步，就很不容易。有個西方作家(是蕭伯納麼？)曾經抱怨過，多數女人選擇丈夫遠不及選擇帽子一般的聚精會神，慎重考慮。再沒有心肝的女子說起她「去年那件織錦緞夾袍」的時候，也是一往情深的。

直到 18 世紀為止，中外的男子尚有穿紅著綠的權利。男子服色的限制是現代文明的特徵。不論這在心理上有沒有不健康的影響，至少這是不必要的壓抑。文明社會的集團生活裏，必要的壓抑有許多種，似乎小節上應當放縱些，作為補償。有這麼一種議論，說男性如果對於衣著感到興趣些，也許他們會安分一點，不至於千方百計爭取社會的注意與讚美，為了造就一己的聲望，不惜禍國殃民。若說只消將男人打扮得花紅柳綠的，天下就太平了，那當然是笑話。大紅蟒衣裏面戴著繡花肚兜的官員，照樣會淆亂朝綱。但是預言家威爾斯的合理化的烏托邦裏面的男女公民一律穿著最鮮豔的薄膜質的衣褲、斗篷，這倒也值得做我們參考的資料。

因為習慣上的關係，男子打扮得略略不中程序，的確看著不顧眼，中裝上加大衣，就是一個例子，不如另加上一件棉袍或皮袍來得妥當，便臃腫些也不妨。有一次我在電車上看見一個年輕人，也許是學生，也許是店夥，用米色綠方格的兔子呢制了太緊的袍，腳上穿著女式紅綠條紋短襪，嘴裏銜著別致的描花假象牙煙斗，煙斗裏並沒有煙。他吮了一會，拿下來把它一截截拆開了，又裝上去，再送到嘴裏吮，面上頗有得色。乍看覺得可笑，然而為什麼不呢，如果他喜歡？……秋涼的薄暮，小菜場上收了攤子，滿地的魚腥和青白色的蘆粟的皮與渣。一個小孩騎了自行車沖過來，賣弄本領，大叫一聲，放鬆了扶手，搖擺著，輕倩地掠過。在這一刹那，滿街的人都充滿了不可理喻的景仰之心。人生最可愛的當兒便在那一撒手吧？

〔選自錢穀融編著《中國現當代文學作品選》（上下卷），華東師範大學出版社 2008 年 6 月版〕

編選說明 ●●●

張愛玲（1920—1995），原名張瑛，生於上海，是現代中國文壇的「異數」，善於從日常生活、家庭婚姻中揭示和剖析人性的陰暗面，有一種深刻的悲涼，代表作有小說《金鎖記》《傾城之戀》等。《更衣記》寫盡了中國女子服裝三百年的滄桑，但更深的用意，還在於從服飾中顯示「民意和人性」：從面料、配色和腰身、領子、衣袖等款式的變化中顯示時代風俗的演變；從男女服飾的對比中透視中國文化傳統的淵源；從中西服飾特點和流行方式的對比分析中，揭示中國文化的普遍性格。張愛玲既有敏銳的感性觀察力，又能超越具象描寫，發掘隱伏其背後的理性意蘊。對市井生活的濃厚興趣，從不妨礙她看透生命的蒼涼，表達生存的悲憫。

楊絳

下放記別

中國社會科學院，以前是中國科學院哲學社會科學部，簡稱學部。我們夫婦同屬學部；默存在文學所，我在外文所。1969 年，學部的知識分子正在接受「工人、解放軍宣傳隊」的「再教育」。全體人員先是「集中」住在辦公室裏，六七人至九人十人一間，每天清晨練操，上下午和晚飯後共三個單元分班學習。過了些時候，年老體弱的可以回家住，學習時間漸漸減為上下午兩個單元。我們倆都搬回家去住，不過料想我們住在一起的日子不會長久，不日就該下放幹校了。幹校的地點在紛紛傳說中逐漸明確，下放的日期卻只能猜測，只能等待。

我們倆每天各在自己單位的食堂排隊買飯吃。排隊足足要費半小時；回家自己做飯又太費事，也來不及。工、軍宣隊後來管束稍懈，我們經常中午約會同上飯店。飯店裏並沒有好飯吃，也得等待；但兩人一起等，可以說說話。那年 11 月 3 日，我先在學部大門口的公共汽車站等待，看見默存雜在人群裏出來。他過來站在我旁邊，低聲說：「待會兒告訴你一件大事。」我看看他的臉色，猜不出什麼事。

我們擠上了車，他才告訴我：「這個月 11 號，我就要走了。我是先遣隊。」

儘管天天在等待行期，聽到這個消息，卻好像頭頂上著了一個焦雷。再過幾天是默存虛歲六十生辰，我們商量好：到那天兩人要吃一頓壽麵慶祝。再等著過七十歲的生日，只怕輪不到我們了。可是只差幾天，等不及這個生日，他就得下幹校。

「為什麼你要先遣呢？」

「因為有你。別人得帶著家眷，或者安頓了家再走；我可以把家撂給你。」

幹校的地點在河南羅山，他們全所是 11 月 17 號走。

我們到了預定的小吃店，叫了一個最現成的沙鍋雞塊——不過是雞皮雞骨。我舀些清湯泡了半碗飯，飯還是咽不下。

只有一個星期置備行裝，可是默存要到末了兩天才得放假。我倒藉此賴了幾天學，在家收拾東西。這次下放是所謂「連鍋端」——就是拔宅下放，好像是奉命一去不復返的意思。沒用的東西、不穿的衣服、自己寶貴的圖書、筆記等等，全得帶走，行李一大堆。當時我們的女兒阿圓、女婿得一，各在工廠勞動，不能叫回來幫忙。他們休息日回家，就幫著收拾行李，並且學別人的樣，把箱子用粗繩子密密纏捆，防旅途摔破或壓塌。可惜能用粗繩子纏捆保護的，只不過是木箱鐵箱等粗重行李；這些木箱、鐵箱，確也不如血肉之軀經得起折磨。

經受折磨，就叫鍛鍊；除了準備鍛鍊，還有什麼可準備的呢。準備的衣服如果太舊，怕不經穿；如果太結實，怕洗來費勁。我久不縫紉，胡亂把耐髒的綢子用縫衣機做了個毛毯的套子，準備經年不洗。我補了一條褲子，坐處像個布滿經線緯線的地球儀，而且厚如角殼。默存倒很欣賞，說好極了，穿上好比隨身帶著個座兒，隨處都可以坐下。他說，不用籌備得太周全，只需等我也下去，就可以照看他。至於家人團聚，等幾時阿圓和得一鄉間落戶，待他們迎養吧。

轉眼到了 11 號先遣隊動身的日子。我和阿圓、得一送行。默存隨身行李不多，我們找個旮旯兒歇著等待上車。候車室裏，鬧嚷嚷、亂哄哄人來人往；先遣隊的領隊人忙亂得只恨分身無術，而隨身行李太多的，只恨少生了幾雙手。得一忙放下自己拿的東西，去幫助隨身行李多得無法擺佈的人。默存和我看他熱心為旁人效力，不禁贊許新社會的好風尚，同時又互相安慰說：得一和善忠厚，阿圓有他在一起，我們可以放心。

得一掮著、拎著別人的行李，我和阿圓幫默存拿著他的幾件小包小袋，排隊擠進月臺。擠上火車，找到個車廂安頓了默存。我們三人就下車，癡癡站著等火車開動。

我記得從前看見坐海船出洋的旅客，登上擺渡的小火輪，送行者就把許多彩色的紙帶拋向小輪船；小船慢慢向大船開去，那一條條彩色的紙帶先後迸斷，岸上就拍手歡呼。也有人在歡呼聲中落淚；迸斷的彩帶好似迸斷的離情。這番送人上幹校，車上的先遣隊和車下送行的親人，彼此間的離情假如看得見，就決不是彩色的，也不能一迸就斷。

默存走到車門口，叫我們回去吧，別等了。彼此遙遙相望，也無話可說。我想，讓他看我們回去還有三人，何以放心釋念，免得火車馳走時，他看到我們眼裏，都在不放心他一人離去。我們遵照他的意思，不等車開，先自走了。幾次回頭望望，車還不動，車下還是擠滿了人。我們默默回家；阿圓和得一接著也各回工廠。他們同在一校而不同係，不在同一工廠勞動。

過了一兩天，文學所有人通知我，下幹校的可以帶自己的床，不過得用繩子纏捆好，立即送到學部去。粗硬的繩子要纏捆得服貼，關鍵在繩子兩頭；不能打結子，得把繩頭緊緊壓在繩下。這至少得兩人一齊動手才行。我只有一天的期限，一人請假在家，把自己的小木床拆掉。左放、右放，怎麼也無法捆在一起，只好分別捆；而且我至少還欠一隻手，只好用牙齒幫忙。我用細繩縛住粗繩頭，用牙咬住，然後把一隻床分三部分捆好，各件重複寫上默存的名字。小小一隻床分拆了幾部，就好比兵荒馬亂中的一家人，只怕一出家門就彼此失散，再聚不到一處去。據默存來信，那三部分重新團聚一處，確也害他好生尋找。

文學所和另一所最先下放。用部隊的辭兒，不稱「所」而稱「連」。兩連動身的日子，學部敲鑼打鼓，我們都放了學去歡送。下放人員整隊而出；紅旗開處，俞平老和俞師母領隊當先。年逾七旬的老人了，還像學齡兒童那樣排著隊伍，遠赴幹校上學，我看著心中不忍，抽身先退；一路回去，發現許多人缺乏歡送的熱情，也紛紛回去上班。大家臉上都漠無表情。

我們等待著下幹校改造，沒有心情理會什麼離愁別恨，也沒有閒暇去品嘗那「別是一般」的「滋味」。學部既已有一部分下了幹校，沒下去的也得加緊幹活兒。成天坐著學習，連「再教育」我們的「工人師傅」們也膩味了。有一位二十二三歲的小「師傅」嘀咕說：「我天天在爐前煉鋼，並不覺得勞累；現在成天坐著，屁股也痛，腦袋也痛，渾身不得勁兒。」顯然煉人比煉鋼費事；「坐冷板凳」也是一項苦功夫。

煉人靠體力勞動。我們挖完了防空洞——一個四通八達的地下建築，就把圖書搬來搬去。捆，紮，搬運，從這樓搬到那樓，從這處搬往那處；搬完自己單位的圖書，又搬別單位的圖書。有一次，我們到一個積塵三年的圖書館去搬出書籍、書櫃、書架等，要騰出屋子來。有人一進去給塵土嗆得連打了二十來個噴嚏。我們儘管戴著口罩，出來都滿面塵土，咳吐的盡是黑痰。我記得那時候天氣已經由寒轉暖而轉熱。沉重的鐵書架、沉重的大書櫥、沉重的卡片櫃——卡片屜內滿滿都是卡片，全都由年輕人狠命用肩膀扛，貼身的衣衫磨破，露出肉來。這又使我驚歎，最經磨的還是人的血肉之軀！

弱者總沾便宜；我只幹些微不足道的細事，得空就打點包裹寄給幹校的默存。默存得空就寫家信；三言兩語，斷斷續續，白天黑夜都寫。這些信如果保留下來，如今重讀該多麼有趣！但更有價值的書信都毀掉了，又何惜那幾封。

他們一下去，先打掃了一個土積塵封的勞改營。當晚睡在草鋪上還覺得燠熱。忽然一場大雪，滿地泥濘，天氣驟寒。17 日大隊人馬到來，八十個單身漢聚居一間屋裏，分睡在幾個炕上。有個跟著爸爸下放的淘氣小男孩兒，臨睡常繞炕撒尿一匝，為炕上的人「施肥」。休息日大家到鎮上去買吃的：有燒雞，還有煮熟的烏龜。我問默存味道如何；他卻沒有嘗過，只悄悄做了幾首打油詩寄我。

羅山無地可耕，幹校無事可幹。過了一個多月，幹校人員連同家眷又帶著大堆箱籠對象，搬到息縣東嶽。地圖上能找到息縣，卻找不到東嶽。那兒地僻人窮，冬天沒有燃料生火爐子，好多女同志臉上生了凍瘡。洗衣服得蹲在水塘邊上「投」。默存的新襯衣請當地的大娘代洗，洗完就不見了。我只愁他跌落水塘；能請人代洗，便賠掉幾件衣服也值得。

在北京等待上幹校的人，當然關心幹校生活，常叫我講些給他們聽。大家最愛聽的是何其芳同志吃魚的故事。當地竭澤而漁，食堂改善伙食，有紅燒魚。其芳同志忙拿了自己的大漱口杯去買了一份；可是吃來味道很怪，愈吃愈怪。他撈起最大的一塊想嘗個究竟，一看原來是還未泡爛的藥肥皂，落在漱口杯裏沒有拿掉。大家聽完大笑，帶著無限同情。他們也告訴我一個笑話，說錢鍾書和丁××兩位一級研究員，半天燒不開一鍋爐水！我代他們辯護：鍋爐設在露天，大風大雪中，燒開一鍋爐水不是容易。可是笑話畢竟還是笑話。

他們過年就開始自己造房。女同志也拉大車，脫坯，造磚，蓋房，充當壯勞力。默存和俞平伯先生等幾位「老弱病殘」都在免役之列，只幹些打雜的輕活兒。他們下去八個月之後，我們的「連」才下放。那時候，他們已住進自己蓋的新屋。

我們「連」是 1970 年 7 月 12 日動身下幹校的。上次送默存走，有我和阿圓還有得一。這次送我走，只剩了阿圓一人；得一已於一月前自殺去世。

得一承認自己總是「偏右」一點，可是他說，實在看不慣那夥「過左派」。他們大學裏開始圍剿「五一六」的時候，幾個有「五一六」之嫌的「過左派」供出得一是他們的「組織者」，「五一六」的名單就在他手裏。那時候得一已回校，阿圓還在工廠勞動；兩人不能同日回家。得一末了一次離開我的時候說：「媽媽，我不能對群眾態度不好，也不能頂撞宣傳隊；可是我決不能捏造個名單害人，我也不會撒謊。」他到校就失去自由。階級鬥爭如火如荼，阿圓等在廠勞動的都返迴學校。工宣隊領導全係每天三個單元鬥得一，逼他交出名單。得一就自殺了。

阿圓送我上了火車，我也促她先歸，別等車開。她不是一個脆弱的女孩子，我該可以放心撇下她。可是我看著她踽踽獨歸的背影，心上悽楚，忙閉上眼睛；閉上了眼睛，越發能看到她在我們那破殘淩亂的家裏，獨自收拾整理，忙又睜開眼。車窗外已不見了她的背影。我又合上眼，讓眼淚流進鼻子，流入肚裏。火車慢慢開動，我離開了北京。

幹校的默存又黑又瘦，簡直換了個樣兒，奇怪的是我還一見就認識。

我們幹校有一位心直口快的黃大夫。一次默存去看病，她看他在簽名簿上寫上錢鍾書的名字，怒道：「胡說！你什麼錢鍾書！錢鍾書我認識！」默存一口咬定自己是錢鍾書。黃大夫說：「我認識錢鍾書的愛人。」默存經得起考驗，報出了他愛人的名字。黃大夫還待信不信，不過默存是否冒牌也沒有關係，就不再爭辯。事後我向黃大夫提起這事，她不禁大笑說：「怎麼的，全不像了。」

我記不起默存當時的面貌，也記不起他穿的什麼衣服，只看見他右下頷一個紅包，雖然只有榛子大小，形狀卻崢嶸險惡：高處是亮紅色，低處是暗黃色，顯然已經灌膿。我吃驚說：「啊呀，這是個疽吧？得用熱敷。」可是誰給他做熱敷呢？我後來看見他們的紅十字急救藥箱，紗布上、藥棉上盡是泥手印。默存說他已經生過一個同樣的外痧，領導上讓他休息幾天，並叫他改行不再燒鍋爐。他目前白天看管工具，晚上巡夜。他的頂頭上司因我去探親，還特地給了他半天假。可是我的排長卻非常嚴厲，只讓我跟著別人去探望一下，吩咐我立即回隊。默存送我回隊，我們沒說得幾句話就分手了。得一去世的事，阿圓和我暫時還瞞著他，這時也未及告訴。過了一兩天他來信說：那個包兒是疽，穿了五個孔。幸虧打了幾針也漸漸痊癒。

我們雖然相去不過一小時的路程，卻各有所屬，得聽指揮、服從紀律，不能隨便走動，經常只是書信來往，到休息日才許探親。休息日不是星期日；十天一次休息，稱為大禮拜。如有事，大禮拜可以取消。可是比了獨在北京的阿圓，我們就算是同在一處了。

〔選自錢穀融編著《中國現當代文學作品選》（上下卷），華東師範大學出版社 2008 年 6 月版〕

編選說明 ●●●

楊絳（1911—），原名楊季康，江蘇無錫人。楊絳仿清代沈復《浮生六記》的書名和篇名作《幹校六記》，本文是其中的第一篇，其餘五篇為《鑿井記勞》《學圃記閒》《「小趨」記情》《冒險記幸》《誤傳記妄》。「六記」從衣食住行、同志之誼、夫妻之情等瑣事中反映知識分子「文化大革命」時在幹校的勞動生活。文筆淡雅細膩，語言詼諧幽默，具有「怨而不怒、哀而不傷」的格調。《下放記別》寫下放幹校時的別離之情，帶出政治運動對人性和生命的戕害。作者用平和的語調絮說著生活小事，至多也不過是加一點點淡淡的無奈和溫婉的詼諧。但是，仔細咀嚼，你會從中嘗出一點辛辣的味道。

史鐵生

我與地壇（1—3）

一．

我在好幾篇小說中都提到過一座廢棄的古園，實際就是地壇。許多年前旅遊業還沒有開展，園子荒蕪冷落得如同一片野地，很少被人記起。

地壇離我家很近。或者說我家離地壇很近。總之，只好認為這是緣分。地壇在我出生前四百多年就坐落在那兒了，而自從我的祖母年輕時帶著我父親來到北京，就一直住在離它不遠的地方——五十多年間搬過幾次家，可搬來搬去總是在它周圍，而且是越搬離它越近了。我常覺得這中間有著宿命的味道：彷彿這古園就是為了等我，而歷盡滄桑在那兒等待了四百多年。

它等待我出生，然後又等待我活到最狂妄的年齡上忽地殘廢了雙腿。四百多年裏，它一面剝蝕了古殿簷頭浮誇的琉璃，淡褪了門壁上炫耀的朱紅，坍圮了一段段高牆又散落了玉砌雕欄，祭壇四周的老柏樹愈見蒼幽，到處的野草荒藤也都茂盛得自在坦蕩。這時候想必我是該來了。十五年前的一個下午，我搖著輪椅進入園中，它為一個失魂落魄的人把一切都準備好了。那時，太陽循著亙古不變的路途正越來越大，也越紅。在滿園彌漫的沉靜光芒中，一個人更容易看到時間，並看見自己的身影。

自從那個下午我無意中進了這園子，就再沒長久地離開過它。我一下子就理解了它的意圖。正如我在一篇小說中所說的：「在人口密聚的城市裏，有這樣一個寧靜的去處，像是上帝的苦心安排。」

兩條腿殘廢後的最初幾年，我找不到工作，找不到去路，忽然間幾乎什麼都找不到了，我就搖了輪椅總是到它那兒去，僅為著那兒是可以逃避一個世界的另一個世界。我在那篇小說中寫道：「沒處可去我便一天到晚耗在這園子裏。跟上班下班一樣，別人去上班我就搖了輪椅到這兒來。園子無人看管，上下班時間有些抄近路的人們從園中穿過，園子裏活躍一陣，過後便沉寂下來。」「園牆在金晃晃的空氣中斜切下一溜陰涼，我把輪椅開進去，把椅背放倒，坐著或是躺著，看書或者想事，撅一杈樹枝左右拍打，驅趕那些和我一樣不明白為什麼要來這世上的小昆蟲。」「蜂兒如一朵小霧穩穩地停在半空；螞蟻搖頭晃腦捋著觸鬚，猛然間想透了什麼，轉身疾行而去；瓢蟲爬得不耐煩了，累了祈禱一回便支開翅膀，忽悠一下升空了；樹干上留著一隻蟬蛻，寂寞如一間空屋；露水在草葉上滾動，聚集，壓彎了草葉轟然墜地摔開萬道金光。」「滿園子都是草木競生長弄出的響動，悉悉碎碎片刻不息。」這都是真實的記錄，園子荒蕪但並不衰敗。

除去幾座殿堂我無法進去，除去那座祭壇我不能上去而只能從各個角度張望它，地壇的每一棵樹下我都去過，差不多它的每一米草地上都有過我的車輪印。無論是什麼季節，什麼天氣，什麼時間，我都在這園子裏呆過。有時候待一會兒就回家，有時候就呆到滿地上都亮起月光。記不清都是在它的哪些角落裏了。我一連幾小時專心致志地想關於死的事，也以同樣的耐心和方式想過我為什麼要出生。這樣想了好幾年，最後事情終於弄明白了：一個人，出生了，這就不再是一個可以辯論的問題，而只是上帝交給他的一個事實；上帝在交給我們這件事實的時候，已經順便保證了它的結果，所以死是一件不必急於求成的事，死是一個必然會降臨的節日。這樣想過之後我安心多了，眼前的一切不再那麼可怕。比如你起早、熬夜準備考試的時候，忽然想起有一個長長的假期在前面等待你，你會不會覺得輕鬆一點彝並且慶幸並且感激這樣的安排彝

剩下的就是怎樣活的問題了，這卻不是在某一個瞬間就能完全想透的、不是一次性能夠解決的事，怕是活多久就要想它多久了，就像是伴你終生的魔鬼或戀人。所以，十五年了，我還是總得到那古園裏去，去它的老樹下或荒草邊或頹牆旁，去默坐，去呆想，去推開耳邊的嘈雜理一理紛亂的思緒，去窺看自己的心魂。

十五年中，這古園的形體被不能理解它的人肆意雕琢，幸好有些東西任誰也不能改變它的。譬如祭壇石門中的落日，寂靜的光輝平鋪的一刻，地上的每一個坎坷都被映照得燦爛；譬如在園中最為落寞的時間，一群雨燕便出來高歌，把天地都叫喊得蒼涼；譬如冬天雪地上孩子的腳印，總讓人猜想他們是誰，曾在哪兒做過些什麼、然後又都到哪兒去了；譬如那些蒼黑的古柏，你憂鬱的時候它們鎮靜地站在那兒，你欣喜的時候它們依然鎮靜地站在那兒，它們沒日沒夜地站在那兒，從你沒有出生一直站到這個世界上又沒了你的時候；譬如暴雨驟臨園中，激起一陣陣灼烈而清純的草木和泥土的氣味，讓人想起無數個夏天的事件；譬如秋風忽至，再有一場早霜，落葉或飄搖歌舞或坦

然安臥，滿園中播散著熨帖而微苦的味道。味道是最說不清楚的。味道不能寫只能聞，要你身臨其境去聞才能明瞭。味道甚至是難於記憶的，只有你又聞到它你才能記起它的全部情感和意蘊。所以我常常要到那園子裏去。

二・

現在我才想到，當年我總是獨自跑到地壇去，曾經給母親出了一個怎樣的難題。

她不是那種光會疼愛兒子而不懂得理解兒子的母親。她知道我心裏的苦悶，知道不該阻止我出去走走，知道我要是老待在家裏結果會更糟，但她又擔心我一個人在那荒僻的園子裏整天都想些什麼。我那時脾氣壞到極點，經常是發了瘋一樣地離開家，從那園子裏回來又中了魔似的什麼話都不說。母親知道有些事不宜問，便猶猶豫豫地想問而終於不敢問，因為她自己心裏也沒有答案。她料想我不會願意她跟我一同去，所以她從未這樣要求過，她知道得給我一點獨處的時間，得有這樣一段過程。她只是不知道這過程得要多久，和這過程的盡頭究竟是什麼。每次我要動身時，她便無言地幫我準備，幫助我上了輪椅車，看著我搖車拐出小院；這以後她會怎樣，當年我不曾想過。

有一回我搖車出了小院；想起一件什麼事又返身回來，看見母親仍站在原地，還是送我走時的姿勢，望著我拐出小院去的那處牆角，對我的回來竟一時沒有反應。待她再次送我出門的時候，她說：「出去活動活動，去地壇看看書，我說這挺好。」許多年以後我才漸漸聽出，母親這話實際上是自我安慰，是暗自的禱告，是給我的提示，是懇求與囑咐。只是在她猝然去世之後，我才有餘暇設想。當我不在家裏的那些漫長的時間，她是怎樣心神不定坐臥難寧，兼著痛苦與驚恐與一個母親最低限度的祈求。現在我可以斷定，以她的聰慧和堅忍，在那些空落的白天後的黑夜，在那不眠的黑夜後的白天，她思來想去最後準是對自己說：「反正我不能不讓他出去，未來的日子是他自己的，如果他真的要在那園子裏出了什麼事，這苦難也只好我來承擔。」在那段日子裏——那是好幾年長的一段日子，我想我一定使母親作過了最壞的準備了，但她從來沒有對我說過：「你為我想想。」事實上我也真的沒為她想過。那時她的兒子，還太年輕，還來不及為母親想，他被命運擊昏了頭，一心以為自己是世上最不幸的一個，不知道兒子的不幸在母親那兒總是要加倍的。她有一個長到二十歲上忽然截癱了的兒子，這是她唯一的兒子；她情願截癱的是自己而不是兒子，可這事無法代替；她想，只要兒子能活下去哪怕自己去死呢也行，可她又確信一個人不能僅僅是活著，兒子得有一條路走向自己的幸福；而這條路呢，沒有誰能保證她的兒子終於能找到。——這樣一個母親，注定是活得最苦的母親。

有一次與一個作家朋友聊天，我問他學寫作的最初動機是什麼彝他想了一會說：「為我母親。為了讓她驕傲。」我心裏一驚，良久無言。回想自己最初寫小說的動機，雖不似這位朋友的那般單純，但如他一樣的願望我也有，且一經細想，發現這願望也在全部動機中佔了很大比重。這位朋友說：「我的動機太低俗了吧彝」我光是搖頭，心想低俗並不見得低俗，只怕是這願望過於天真了。他又說：「我那時真就是想出名，出了名讓別人羨慕我母親。」我想，他比我坦率。我想，他又比我幸福，因為他的母親還活著。而且我想，他的母親也比我的母親運氣好，他的母親沒有一個雙腿殘廢的兒子，否則事情就不這麼簡單。

在我的頭一篇小說發表的時候，在我的小說第一次獲獎的那些日子裏，我真是多麼希望我的母親還活著。我便又不能在家裏呆了，又整天整天獨自跑到地壇去，心裏是沒頭沒尾的沉鬱和哀怨，走遍整個園子卻怎麼也想不通：母親為什麼就不能再多活兩年？為什麼在她兒子就快要碰撞開一條路的時候，她卻忽然熬不住了？莫非她來此世上只是為了替兒子擔憂，卻不該分享我的一點點快樂？她匆匆離我去時才只有四十九呀！有那麼一會，我甚至對世界對上帝充滿了仇恨和厭惡。後來我在一篇題為「合歡樹」的文章中寫道：「我坐在小公園安靜的樹林裏，閉上眼睛，想，上帝為什麼早早地召母親回去呢？很久很久，迷迷糊糊的我聽見了回答：『她心裏太苦了，上帝看她受不住了，就召她回去。』我似乎得了一點安慰，睜開眼睛，看見風正從樹林裏穿過。」小公園，指的也是地壇。

只是到了這時候，紛紜的往事才在我眼前幻現得清晰，母親的苦難與偉大才在我心中滲透得深徹。上帝的考慮，也許是對的。

搖著輪椅在園中慢慢走，又是霧罩的清晨，又是驕陽高懸的白晝，我只想著一件事：母親已經不在了。在老柏樹旁停下，在草地上在頹牆邊停下，又是處處蟲鳴的午後，又是鳥兒歸巢的傍晚，我心裏只默念著一句話：可是母親已經不在了。把椅背放倒，躺下，似睡非睡挨到日沒，坐起來，心神恍惚，呆呆地直坐到古祭壇上落滿黑暗然後再漸漸浮起月光，心裏才有點明白，母親不能再來這園中找我了。

曾有過好多回，我在這園子裏呆得太久了，母親就來找我。她來找我又不想讓我發覺，只要見我還好好地在這園子裏，她就悄悄轉身回去，我看見過幾次她的背影。我也看見過幾回她四處張望的情景，她視力不好，端著眼鏡象在尋找海上的一條船，她沒看見我時我已經看見她了，待我看見她也看見我了我就不去看她，過一會我再抬頭看她就又看見她緩緩離去的背影。我單是無法知道有多少回她沒有找到我。有一回我坐在矮樹叢中，樹叢很密，我看見她沒有找到我；她一個人在園子裏走，走過我的身旁，走過我經常呆的一些地方，步履茫然又急迫。我不知道她已經找了多久還要找多久，我不知道為什麼我決意不喊她——但這絕不是小時候的捉迷藏，這也許是出於長大了的男孩子的倔強或羞澀彝但這倔只強留給我痛悔絲毫也沒有驕傲。我真想告誡所有長大了的男孩子，千萬不要跟母親來這套倔強，羞澀就更不必，我已經懂了可我已經來不及了。

兒子想使母親驕傲，這心情畢竟是太真實了，以致使「想出名」這一聲名狼藉的念頭也多少改變了一點形象。這是個複雜的問題，且不去管它了罷。隨著小說獲獎的激動逐日暗淡，我開始相信，至少有一點我是想錯了：我用紙筆在報刊上碰撞開的一條路，並不就是母親盼望我找到的那條路。年年月月我都到這園子裏來，年年月月我都要想，母親盼望我找到的那條路到底是什麼。母親生前沒給我留下過什麼雋永的哲言，或要我恪守的教誨，只是在她去世之後，她艱難的命運，堅忍的意志和毫不張揚的愛，隨光陰流轉，在我的印象中愈加鮮明深刻。

有一年，十月的風又翻動起安詳的落葉，我在園中讀書，聽見兩個散步的老人說：「沒想到這園子有這麼大。」我放下書，想，這麼大一座園子，要在其中找到她的兒子，母親走過了多少焦灼的路。多年來我頭一次意識到，這園中不單是處處都有過我的車轍，有過我的車轍的地方也都有過母親的腳印。

三・

如果以一天中的時間來對應四季，當然春天是早晨，夏天是中午，秋天是黃昏，冬天是夜晚。如果以樂器來對應四季，我想春天應該是小號，夏天是定音鼓，秋天是大提琴，冬天是圓號和長笛。要是以這園子裏的聲響來對應四季呢？那麼，春天是祭壇上空漂浮著的鴿子的哨音，夏天是冗長的蟬歌和楊樹葉子嘩啦啦地對蟬歌的取笑，秋天是古殿簷頭的風鈴響，冬天是啄木鳥隨意而空曠的啄木聲。以園中的景物對應四季，春天是一徑時而蒼白時而黑潤的小路，時而明朗時而陰晦的天上搖盪著串串揚花；夏天是一條條耀眼而灼人的石凳，或陰涼而爬滿了青苔的石階，階下有果皮，階上有半張被坐皺的報紙；秋天是一座青銅的大鐘，在園子的西北角上曾丟棄著一座很大的銅鐘，銅鐘與這園子一般年紀，渾身掛滿綠鏽，文字已不清晰；冬天，是林中空地上幾隻羽毛蓬鬆的老麻雀。以心緒對應四季呢？春天是臥病的季節，否則人們不易發覺春天的殘忍與渴望；夏天，情人們應該在這個季節裏失戀，不然就似乎對不起愛情；秋天是從外面買一棵盆花回家的時候，把花擱在闊別了的家中，並且打開窗戶把陽光也放進屋裏，慢慢回憶慢慢整理一些發過黴的東西；冬天伴著火爐和書，一遍遍堅定不死的決心，寫一些並不發出的信。還可以用藝術形式對應四季，這樣春天就是一幅畫，夏天是一部長篇小說，秋天是一首短歌或詩，冬天是一群雕塑。以夢呢彝以夢對應四季呢彝春天是樹尖上的呼喊，夏天是呼喊中的細雨，秋天是細雨中的土地，冬天是乾淨的土地上的一隻孤零的煙斗。

因為這園子，我常感恩於自己的命運。

我甚至現在就能清楚地看見，一旦有一天我不得不長久地離開它，我會怎樣想念它，我會怎樣想念它並且夢見它，我會怎樣因為不敢想念它而夢也夢不到它。

〔選自錢穀融編著《中國現當代文學作品選》（上下卷），華東師範大學出版社 2008 年 6 月版〕

編選說明 •••

史鐵生（1951—2010），生於北京，代表作有小說《命若琴弦》、散文《我與地壇》等。史鐵生 21 歲時雙腿癱瘓，自稱「職業是生病，業餘在寫作」。他的寫作與他的生命完全同構在一起。史鐵生用殘缺的身體說出了最為健全而豐滿的思想。他體驗到的是生命的苦難，表達出的卻是存在的明朗和歡樂。本文回憶了「我」雙腿殘疾以後日日與地壇相伴的經歷和母親對「我」的無限關愛，母愛的偉大和生命的感悟是其主題。「我」與地壇是有著隱秘的精神默契。地壇於「我」，已不是一般的景觀了，而是精神棲居的家園。它沉寂、荒涼中流露出的超然博大的歷史滄桑感和生生不息的生命韌性使我從中領悟到了賴以支撐自己生命的哲理和情思。

余秋雨

一個王朝的背影

一．

我們這些人，對清代總有一種複雜的情感阻隔。記得很小的時候，歷史老師講到「揚州十日」、「嘉定三屠」時眼含淚花，這是清代的開始；而講到「火燒圓明園」、「戊戌變法」時又有淚花了，這是清代的尾聲。年邁的老師一哭，孩子們也跟著哭，清代歷史，是小學中唯一用眼淚浸潤的課程。從小種下的怨恨，很難化解得開。

老人的眼淚和孩子們的眼淚拌和在一起，使這種歷史情緒有了一種最世俗的力量。我小學的同學全是漢族，沒有滿族，因此很容易在課堂裏獲得一種共同語言。好像漢族理所當然是中國的主宰，你滿族為什麼要來搶奪呢？搶奪去了能夠弄好倒也罷了，偏偏越弄越糟，最後幾乎讓外國人給瓜分了。於是，在閃閃淚光中，我們懂得了什麼是漢奸，什麼是賣國賊，什麼是民族大義，什麼是氣節。我們似乎也知道了中國之所以落後於世界列強，關鍵就在於清代，而辛亥革命的啟蒙者們重新點燃漢人對清人的仇恨，提出「驅除韃虜，恢復中化」的口號，又是多麼有必要，多麼讓人解氣。清朝終於被推翻了，但至今在很多中國人心裏，它仍然是一種冤孽般的存在。

年長以後，我開始對這種情緒產生警惕。因為無數事實證明，在我們中國，許多情緒化的社會評判規範，雖然堂而皇之地傳之久遠，卻包含著極大的不公正。我們缺少人類普遍意義上的價值啟蒙，因此這些情緒化的社會評判規範大多是從封建正統觀念逐漸引申出來的，帶有很多盲目性。先是姓氏正統論，劉漢、李唐、趙宋、朱明……在同一姓氏的傳代系列中所出現的繼承人，哪怕是昏君、懦夫、色鬼、守財奴、精神失常者，都是合法而合理的，而外姓人氏若有覬覦，即便有一千條一萬條道理，也站不住腳，真偽、正邪、忠奸全由此劃分。由姓氏正統論擴而大之，就是民族正統論。這種觀念要比姓氏正統論複雜得多，你看辛亥革命的闖將們與封建主義的姓氏正統論勢不兩立，卻也需要大聲宣揚民族正統論，便是例證。民族正統論涉及幾乎一切中國人都耳熟能詳的許多著名人物和著名事件，是一個在今後仍然要不斷爭論的麻煩問題。在這兒請允許我稍稍迴避一下，我需要肯定的僅僅是這樣一點：滿族是中國的滿族，清朝的歷史是中國歷史的一部分；統觀全部中國古代史，清朝的皇帝在總體上還算比較好的，而其中的康熙皇帝甚至可說是中國歷史上最好的皇帝之一，他與唐太宗李世民一樣使我這個現代漢族中國人感到驕傲。

既然說到了唐太宗，我們又不能不指出，據現代歷史學家考證，他更可能是鮮卑族而不是漢族之後。

如果說先後在巨大的社會災難中迅速開創了「貞觀之治」和「康雍乾盛世」的兩位中國歷史上最傑出帝王都不是漢族，如果我們還願意想一想那位至今還在被全世界歷史學家驚歎的建立了赫赫戰功的元太祖成吉思汗，那麼我們的中華歷史觀一定會比小學裏的歷史課開闊得多。

漢族當然非常偉大，漢族當然沒有理由要受到外族的屠殺和欺凌，當自己的民族遭受危難時當然要挺身而出進行無畏的抗爭，為了個人的私利不惜出賣民族利益的無恥之徒當然要受到永久的唾棄，這些都是沒有異議的。問題是，不能由此而把漢族等同於中華，把中華歷史的正義、光亮、希望，全都押在漢族一邊。與其它民族一樣，漢族也有大量的污濁、昏聵和醜惡，它的統治者常常一再地把整個中國歷史推入死胡同。在這種情況下歷史有可能作出超越漢族正統論的選擇，而這種選擇又未必是倒退。

《桃花扇》中那位秦淮名妓李香君，身份低賤而品格高潔，在清兵浩蕩南下、大明江山風雨飄搖時節保持著多大的民族氣節！但是，她萬萬沒有想到，就在她和她的戀人侯朝宗為抗清扶明不惜赴湯蹈火、奔命呼號的時候，恰恰正是苟延殘喘而仍然荒淫無度的南明小朝廷，作踐了他們。那個在當時當地看來既是明朝也是漢族的最後代表的弘光政權，根本不要她和她的姐妹們的忠君淚、報國心，而只要她們作為一個女人最可憐的色相。李香君真想與戀人一起為大明捐軀流血，但叫她噁心的是，竟然是大明的官僚來強逼她成婚，而使她血濺紙扇，染成「桃花」。「桃花扇底送南朝」，這樣的朝廷就讓它去了吧，長歎一聲，氣節、 操守、抗爭、奔走，全都成了荒誕和自嘲。《桃花扇》的作者孔尚任是孔老夫子的後裔，連他，也對歷史轉捩時期那種盲目的正統觀念產生了深深的懷疑。他把這種懷疑，轉化成了筆底的滅寂和蒼涼。

對李香君和候朝宗來說，明末的一切，看夠了，清代會怎麼樣呢，不想看了。文學作品總要結束，但歷史還在往前走，事實上，清代還是很可看看的。

為此，我要寫寫承德的避暑山莊。清代的史料成捆成紮，把這些留給歷史學家吧，我們，只要輕手輕腳地繞到這個消夏的別墅裏去偷看幾眼也就夠了。這種偷看其實也是偷看自己，偷看自己心底從小埋下的歷史情緒和民族情緒，有多少可以留存，有多少需要校正。

二·

承德的避暑山莊是清代皇家園林，又稱熱河行宮、承德離宮，雖然聞名史冊，但久為禁苑，又地處塞外，歷來光顧的人不多，直到這幾年才被旅遊者攪得有點熱鬧。我原先並不知道能在那裏獲得一點什麼，只是今年夏天中央電視臺在承德組織了一次國內優秀電視編劇和導演的聚會，要我給他們講點課，就被他們接去了。住所正在避暑山莊背後，剛到那天的薄暮時分，我獨個兒走出住所大門，對著眼前黑黝黝的山嶺發呆。查過地圖，這山嶺便是避暑山莊北部的最後屏障，就像一張羅圈椅的椅背。在這張羅圈椅上，休息過一個疲憊的王朝。奇怪的是，整個中華版圖都已歸屬了這個王朝，為什麼還要把這張休息的羅圈椅放到長城之外呢？清代的帝王們在這張椅子上面南而坐的時候在想一些什麼呢？月亮升起來了，眼前的山壁顯得更加巍然愴然。北京的故宮把幾個不同的朝代混雜在一起，誰的形象也看不真切，而在這裏，遠遠的，靜靜的，純純的，悄悄的，躲開了中原王氣，藏下了一個不羼雜的清代。它實在對我產生了一種巨大的誘惑，於是匆匆講完幾次課，便一頭埋到了山莊裏邊。

山莊很大，本來覺得北京的頤和園已經大得令人咋舌，它竟比頤和園還大整整一倍，據說裝下八九個北海公園是沒有問題的。我想不出國內還有哪個古典園林能望其項背。山莊外面還有一圈被稱之為「外八廟」的寺廟群，這暫不去說它，光說山莊裏面，除了前半部有層層疊疊的宮殿外，主要是開闊的湖區、平原區和山區。尤其是山區，幾乎佔了整個山莊的八成左右，這讓遊慣了別的園林的人很不習慣。園林是用來休閒的，何況是皇家園林大多追求方便平適，有的也會堆幾座小山裝點一下，哪有像這兒的，硬是圈進莽莽蒼蒼一大片真正的山嶺來消遣？這個格局，包含著一種需要我們抬頭仰望、低頭思索的審美觀念和人生觀念。

山莊裏有很多楹聯和石碑，上面的文字大多由皇帝們親自撰寫，他們當然想不到多少年後會有我們這些陌生人闖入他們的私家園林，來讀這些文字，這些文字是寫給他們後輩繼承人看的。朝廷給別人看的東西很多，有大量刻印廣頒的官樣文章，而寫在這裏的文字，儘管有時也咬文嚼字，但總的來說是說給兒孫們聽的體己話，比較真實可信。我踏著青苔和蔓草，辨識和解讀著一切能找到的文字，連藏在山間樹林中的石碑都不放過，讀完一篇，便舒鬆開筋骨四周看看。一路走去，終於可以有把握地說，山莊的營造完全出自一代政治家在精神上的強健。

首先是康熙，山莊正宮午門上懸掛著的「避暑山莊」四個字就是他寫的，這四個漢字寫得很好，撇捺間透露出一個勝利者的從容和安祥，可以想見他首次踏進山莊時的步履也是這樣的。他一定會這樣，因為他是走了一條艱難而又成功的長途才走進山莊的，到這裏來喘口氣，應該。

他一生的艱難都是自找的。他的父輩本來已經給他打下了一個很完整的華夏江山，他八歲即位，十四歲親政，年輕輕一個孩子，坐享其成就是了，能在如此遼闊的疆土、如此興盛的運勢前做些什麼呢？他稚氣未脫的眼睛，竟然疑惑地盯上了兩個龐然大物，一個是朝廷中最有權勢的輔政大臣鼇拜，一個自恃當初做漢奸領清兵入關有功、擁兵自重於南方的吳三桂。平心而論，對於這樣與自己的祖輩、父輩都有密切關係的重要政治勢力，即便是德高望重的一代雄主也未必下得了決心去動手，但康熙卻向他們、也向自己挑戰了，十六歲上乾脆俐落地除了鼇拜集團，二十歲開始向吳三桂開戰，花八年時間的征戰取得徹底勝利。他等於把到手的江山重新打理了一遍，使自己從一個繼承者變成了創業者。他成熟了，眼前幾乎已經找不到什麼對手，但他還是經常騎著馬，在中國北方山林草澤間徘徊，這是他祖輩崛起的所在，他在尋找著自己的生命和事業的依託點。

他每次都要經過長城，長城多年失修，已經破敗。對著這堵受到歷代帝王切切關心的城牆，他想了很多。他的祖輩是破長城進來的，沒有吳三桂也絕對進得了，那麼長城究竟有什麼用呢？堂堂一個朝廷，難道就靠這些磚塊去保衛？但是如果沒有長城，我們的防線又在哪裏呢？他思考的結果，可以從１６９１年他的一份上諭中看出個大概。那年五月，古北口總兵官蔡元向朝廷提出，他所管轄的那一帶長城「傾塌甚多，請行修築」，康熙竟然完全不同意，他的上諭是：

秦築長城以來，漢、唐、宋亦常修理，其時豈無邊患？明末我太祖統大兵長驅直入，諸路瓦解，皆莫能當。可見守國之道，惟在修得民心。民心悅則邦本得，而邊境自固，所謂「眾志成城」者是也。如古北、喜峰口一帶，朕皆巡閱，概多損壞，今欲修之，興工勞役，豈能無害百姓？且長城延袤數千里，養兵幾何方能分守？

說得實在是很有道理。我對埋在我們民族心底的「長城情結」一直不敢恭維，讀了康熙這段話，簡直是找到了一個遠年知音。由於康熙這樣說，清代成了中國古代基本上不修長城的一個朝代，對此我也覺得不無痛快。當然，我們今天從保護文物的意義上修理長城是完全另外一回事了，只要不把長城永遠作為中華文明的最高象徵就好。

康熙希望能築起一座無形的長城。「修得安民」云云說得過於堂皇而蹈空，實際上他有硬的一手和軟的一手。硬的一手是在長城外設立「木蘭圍場」，每年秋天，由皇帝親自率領王公大臣、各級官兵一萬餘人去進行大規模的「圍獵」，實際上是一種聲勢浩大的軍事演習，這既可以使王公大臣們保持住勇猛、強悍的人生風範，又可順便對北方邊境起一個威懾作用。「木蘭圍場」既然設在長城之外的邊遠地帶，離北京就很有一點距離，如此眾多的朝廷要員前去秋獵，當然要建造一些大大小小的行宮，而熱河行宮，就是其中最大的一座；軟的一手是與北方邊疆的各少數民族建立起一種常來常往的友好關係，他們的首領不必長途進京也有與清廷彼此交誼的機會和場所，而且還為他們準備下各自的宗教場所，這也就需要有熱河行宮和它周圍的寺廟群了。總之，軟硬兩手最後都彙集到這一座行宮、這一個山莊裏來了，說是避暑，說是休息，意義卻又遠遠不止於此。把複雜的政治目的和軍事意義轉化為一片幽靜閒適的園林，一圈香火繚繞的寺廟，這不能不說是康熙的大本事。然而，眼前又是道道地地的園林和寺廟，道道地地的休息和祈禱，軍事和政治，消解得那樣煙水蔥蘢、慈眉善目，如果不是那些石碑提醒，我們甚至連可以疑惑的痕跡都找不到。

避暑山莊是康熙的「長城」，與蜿蜒千里的秦始皇長城相比，哪個更高明些呢？康熙幾乎每年立秋之後都要到「木蘭圍場」參加一次為期二十天的秋獵，一生參加了四十八次。每次圍獵，情景都極為壯觀。先由康熙選定逐年輪換的狩獵區域（逐年輪換是為了生態保護），然後就搭建一百七十多座大帳篷為「內城」，二百五十多座大帳篷為「外城」，城外再設警衛。第二天拂曉，八旗官兵在皇帝的統一督導下集結圍攏，在上萬官兵齊聲吶喊下，康熙首先一馬當先，引弓射獵，每有所中便引來一片歡呼，然後扈從大臣和各級將士也緊隨康熙射獵。康熙身強力壯，騎術高明，圍獵時智勇雙全，弓箭上的功夫更讓王公大臣由衷驚服，因而他本人的獵獲就很多。晚上，營地上篝火處處，肉香飄蕩，人笑馬嘶，而康熙還必須回帳篷裏批閱每天疾馳送來的奏章文書。康熙一生身先士卒打過許多著名的仗，但在晚年，他最得意的還是自己打獵的成績，因為這純粹是他個人生命力的驗證。１７１９年康熙自「木蘭圍場」行獵後返迴避暑山莊時曾興致勃勃地告諭御前侍衛：

朕自幼至今已用鳥槍弓矢獲虎一百五十三隻，熊十二隻，豹二十五隻，猞二十隻，麋鹿十四隻，狼九十六隻，野豬一百三十三口，哨獲之鹿已數百，其餘圍場內隨便射獲諸獸不勝記矣。朕於一日內射兔三百一十八隻，若庸常人畢世亦不能及此一日之數也。

這筆流水帳，他說得很得意，我們讀得也很高興。身體的強健和精神的強健往往是連在一起的，須知中國歷史上多的是有氣無力病懨懨的皇帝，他們即便再「內秀」，也何以面對如此龐大的國家。

由於強健，他有足夠的精力處理挺複雜的西藏事務和蒙古事務，解決治理黃河、淮河和疏通漕支等大問題，而且大多很有成效，功澤後世。由於強健，他還願意勤奮地學習，結果不僅武功一流，「內秀」也十分了得，成為中國歷代皇帝中特別有學問、也特別重視學問的一位，這一點一直很使我震動，而且我可以肯定，當時也把一大群冷眼旁觀的漢族知識分子震動了。

誰能想得到呢，這位清朝帝王竟然比明代歷朝皇帝更熱愛和精通漢族傳統文化！大凡經、史、子、集、詩、書、音律，他都下過一番工夫，其中對朱熹哲學鑽研最深。他親自批點《資治通鑒綱目大全》，與一批著名的理學家進行水準不低的學術探討，並命他們編纂了《朱子大全》《理性精義》等著作。他下令訪求遺散在民間的善本珍籍加以整理，並且大規模地組織人力編輯出版了卷帙浩繁的《古今圖書集成》《康熙字典》《佩文韻府》《大清會典》，文化氣魄鋪地蓋天，直到今天，我們研究中國古代文化還離不開這些極其重要的工具書。他派人通過對全國土地的實際測量，編成了全國地圖《皇輿全覽圖》。在他宣導的文化氣氛下，湧現了一大批在整個中國文化史上都可以稱得上第一流大師的人文科學家，在這一點上，幾乎很少有朝代能與康熙朝相比肩。

以上講的還只是我們所說的「國學」，可能更讓現代讀者驚異的是他的「西學」。因為即使到了現代，在我們印象中，國學和西學雖然可以溝通但在同一個人身上深潛兩邊的畢竟不多，尤其對一些官員來說更是如此。然而早在三百年前，康熙皇帝竟然在北京故宮和承德避暑山莊認真研究了歐幾里得幾何學，經常演算習題，又學習了法國數學家巴蒂的《實用和理論幾何學》，並比較它與歐幾里得幾何學的差別。他的老師是當時來中國的一批西方傳教士，但後來他的演算比傳教士還快，他親自審校譯成漢文和滿文的西方數學著作，而且一有機會就向大臣們講授西方數學。以數學為基礎，康熙又進而學習了西方的天文、曆法、物理、醫學、化學，與中國原有的這方面知識比較，取長補短。在自然科學問題上，中國官僚和外國傳教士經常發生矛盾，康熙不袒護中國官僚，也不主觀臆斷而是靠自己發憤學習，真正弄通西方學說，幾乎每次都作出了公正的裁斷。他任命一名外國人擔任欽天監監副，並命令禮部挑選一批學生去欽天監學習自然科學，學好了就選拔為博士官。西方的自然科學著作《驗氣圖說》《儀像志》《赤道南北星圖》《窮理學》《坤輿圖說》等等被一一翻譯過來，有的已經譯成漢文的西方自然科學著作如《幾何原理》前六卷他又命人譯成滿文。

這一切，居然與他所醉心的「國學」互不排斥，居然與他一天射獵三百一十八隻野兔互不排斥，居然與他一連串重大的政治行為、軍事行為、經濟行為互不排斥！我並不認為康熙給中國帶來了根本性的希望，他的政權也做過不少壞事，如臭名昭著的「文字獄」之類；我想說的只是，在中國歷代帝王中，這位少數民族出身的帝王具有超乎尋常的生命力，他的人格比較健全。有時，個人的生命力和人格，會給歷史留下重重的印記。與他相比，明代的許多皇帝都活得太不像樣了，魯迅說他們是「無賴兒郎」，確有點像。尤其讓人生氣的是明代萬曆皇帝（神宗）朱翊鈞，在位四十八年，親政三十八年，竟有二十五年時間躲在深宮之內不見外人的面，完全不理國事，連內閣首輔也見不到他，不知在幹什麼。沒見他玩過什麼，似乎也沒有好色的嫌疑，歷史學家們只能推斷他躺在煙榻上抽了二十多年的鴉片煙！他聚斂的金銀如山似海，但當清軍起事，朝廷束手無策時問他要錢，他也死不肯拿出來，最後拿出一個無濟於事的小零頭，竟然都是因窖藏太久變黑髮黴、腐蝕得不能見天日的銀子！這完全是一個失去任何人格支撐的心理變態者，但他又集權於一身，明朝怎能不垮？他死後還有兒子朱常洛（光宗）、孫子朱由校（熹宗）和朱由檢（思宗）先後繼位，但明朝已在他的手裏敗定了，他的兒孫們非常可憐。康熙與他正相反，把生命從深宮裏釋放出來，在曠野、獵場和各個知識領域揮灑，避暑山莊就是他這種生命方式的一個重要吐納口站，因此也是當時中國歷史的一所「吉宅」。

三・

康熙與晚明帝王的對比，避暑山莊與萬曆深宮的對比，當時的漢族知識分子當然也感受到了，心情比較複雜。

開始大多數漢族知識分子都是抗清復明，甚至在赳赳武夫們紛紛掉頭轉嚮之後，一群柔弱的文人還寧死不折。文人中也有一些著名的變節者，但他們往往也承受著深刻的心理矛盾和精神痛苦。我想這便是文化的力量。一切軍事爭逐都是浮面的，而事情到了要搖撼某個文化生態系統的時候才會真正變得嚴重起來。一個民族，一個國家，一個人種，其最終意義不是軍事的、地域的、政治的，而是文化的。當時江南地區好幾次重大的抗清事件，都起之於「削髮」之爭，即漢人歷來束髮而清人強令削髮，甚至到了「留頭不留發，留發不留頭」的地步。頭髮的樣式看來事小卻關係文化生態，結果，是否「毀我衣冠」的問題成了「夷夏抗爭」的最高爆發點。這中間，最能把事情與整個文化系統聯繫起來的是文化人，最懂得文明和野蠻的差別，並把「韃虜」與野蠻連在一起的也是文化人。老百姓的頭髮終於被削掉了，而不少文人還在拼死堅持。著名大學者劉宗周住在杭州，自清兵進杭州後便絕食，二十天後死亡；他的門生，另一位著名大學者黃宗羲投身於武裝抗清行列，失敗後回餘姚家鄉事母著述；又一位著名大學者顧炎武比黃宗羲更進一步，武裝抗清失敗後還走遍全國許多地方圖謀復明，最後終老陝西……這些一代宗師如此強硬，他們的門生和崇拜者們當然也多有追隨。

但是，事情到康熙那兒卻發生了一些微妙的變化。文人們依然像朱耷筆下的禿鷲，以「天地為之一寒」的冷眼看著朝廷，而朝廷卻奇怪地流瀉出一種壓抑不住的對漢文化的熱忱。開始大家以為是一種籠絡人心的策略，但從康熙身上看好像不完全是。他在討伐吳三桂的戰爭還沒有結束的時候，就迫不及待把下令各級官員以「崇儒重道」為目的，朝廷推薦「學問兼優、文辭卓越」的士子，由他親自主考錄用，稱作「博學鴻詞科」。這次被保薦、徵召的共一百四十三人，後來錄取了五十人。其中有傅山、李顒等人被推薦了卻寧死不應考。傅山被人推薦後又被強抬進北京，他見到「大清門」三字便滾倒在地，兩淚直流，如此行動康熙不僅不怪罪反而免他考試，任命他為「中書舍人」。他回鄉後不准別人以「中書舍人」稱他，但這個時候說他對康熙本人還有多大仇恨，大概談不上了。

李顒也是如此，受到推薦後稱病拒考，被人抬到省城後竟以絕食相抗，別人只得作罷。這事發生在康熙十七年，康熙本人二十六歲，沒想到二十五年後，五十餘歲的康熙西巡時還記得這位強硬的學人，召見他，他沒有應召，但心裏畢竟已經很過意不去了，派兒子李慎言作代表應召，並送自己的兩部著作《四書反身錄》和《二曲集》給康熙。這件事帶有一定的象徵性，表示最有牴觸的漢族知識分子也開始與康熙和解了。

與李顒相比，黃宗羲是大人物了，康熙更是禮儀有加，多次請黃宗羲出山未能如願，便命令當地巡撫到黃宗羲家裏，把黃宗羲寫的書認真抄來，送入宮內以供自己拜讀。這一來，黃宗羲也不能不有所感動，與李顒一樣，自己出面終究不便，由兒子代理，黃宗羲讓自己的兒子黃百家進入皇家修史局，幫助完成康熙交下的修《明史》的任務。你看，即便是原先與清廷不共戴天黃宗羲、李顒他們，也覺得兒子一輩可以在康熙手下好生過日子了。這不是變節，也不是妥協，而是一種文化生態意義上的開始認同。既然康熙對漢文化認同的那麼誠懇，漢族文人為什麼就完全不能與他認同呢？政治軍事，不過是文化的外表罷了。

黃宗羲不是讓兒子參加康熙下令編寫的《明史》嗎？編《明史》這事給漢族知識界震動不小。康熙任命了大歷史學家徐元文、萬斯同、張玉書、王鴻緒等負責此事，要他們根據《明實錄》如實編定，說「他書或以文章見長，獨修史宜直書實事」，他還多次要大家仔細研究明代晚期破敗的教訓，引以為戒。漢族知識文化界要反清復明，而清廷君主竟然親自領導著漢族的歷史學家在冷靜研究明代了，這種研究又高於反清復明者的思考水準，那麼，對峙也就不能不漸漸化解了。《明史》後來成為整個二十四史中寫得較好的一部，這是直到今天還要承認的事實。

當然，也還餘留著幾個堅持不肯認同的文人。例如康熙時代浙江有個學者叫呂留良的，在著書和講學中還一再強調孔子思想的精義是「尊王攘夷」，這個提法，在他死後被湖南一個叫曾靜的落第書生看到了，很是激動，趕到浙江找到呂留良的兒子和學生幾人，策劃反清。這時康熙也早已過世，已是雍正年間，這群文人手下無一兵一卒，能幹成什麼事呢？他們打聽到川陝總督岳鍾琪是岳飛的後代，想來肯定能繼承岳飛遺志來抗擊外夷，就派人帶給他一封策反的信，眼巴巴地請他起事。這事說起來已經有點近乎笑話，岳飛抗金到那時已隔著整整一個元朝、整整一個明朝，清朝也已過了八九十年，算到岳鍾琪身上都是多少代的事情啦，還想著讓他憑著一個「嶽」字拍案而起，中國書生的昏愚和天真就在這裏。岳鍾琪是清朝大官，做夢也沒想到過要反清，接信後虛假地應付了一下，卻理所當然地報告了雍正皇帝。

雍正下令逮捕了這個謀反集團，又親自閱讀了書信、著作，覺得其中有好些觀念需要自己寫文章來與漢族知識分子辯論，而且認為有過康熙一代，朝廷已有足夠的事實和勇氣證明清代統治者並不差，為什麼還要對抗清廷？於是這位皇帝親自編了一部《大義覺迷錄》頒發各地，而且特免肇事者曾靜等人的死罪，讓他們專到江浙一帶去宣講。

雍正的《大義覺迷錄》寫得頗為誠懇。他的大意是：不錯，我們是夷人，我們是「外國」人，但這是籍貫而已，天命要我們來撫育中原生民，被撫育者為什麼還要把華、夷分開來看？你們所尊重的舜是東夷之人，文王是西夷之人，這難道有損於他們的聖德嗎？呂留良這樣著書立說的人，連前朝康熙皇帝的文治武功、赫赫盛德都加以隱匿和誣衊，實在是不顧民生國運只泄私憤了。外族入主中原，可以反而勇於為善，如果著書立說的人只認為生在中原的君主不必修德行仁也可享有名分，而外族君主即便勵精圖治也得不到褒揚，外族君主為善之心也會因之而懈怠，受苦的不還是中原的百姓嗎？

雍正的這番話，帶著明顯的委屈情緒，而且是給父親康熙打抱不平，也真有一些動人的地方。但他的整體思維能力顯然比不上康熙，口口聲聲說自己是「外國」人、「夷人」，儘管他所說的「外國」只是指外族，而且也僅指中原地區之外的幾個少數民族，與我們今天所說的外國不同，但無論如何在一些前提性的概念上把事情搞複雜了，反而不利。他的兒子乾隆看出了這個毛病，即位後把《大義覺迷錄》全部收回，列為禁書，殺了被雍正赦免了的曾靜等人，開始大興文字獄。康熙、雍正年間也有醜惡的文字獄，但來得特別厲害的是乾隆，他不許漢族知識分子把清廷看成是「夷人」，連一般文字中也不讓出現「虜」、「胡」之類字樣，不小心寫出來了很可能被砍頭。他想用暴力抹去這種對立，然後一心一意做個好皇帝。除了華夷之分的敏感點外，其它地方他倒是比較寬容，有度量，聽得進忠臣賢士們的尖銳意見和建議，因此在他執政的前期，做了很多好事，國運可稱昌盛。這樣一來，即便存有異念的少數漢族知識分子也不敢有什麼想頭，到後來也真沒有什麼想頭了。其實本來這樣的人已不可多覓，雍正和乾隆都把文章做過了頭。真正第一流的大學者，在乾隆時代已不想作反清復明的事了。乾隆，靠著人才濟濟的智力優勢，靠著康熙、雍正給他奠定豐厚基業，也靠著他本人的韜略雄才，做起了中國歷史上福氣最好的大皇帝。承德避暑山莊，他來得最多，總共逗留的時間很長，因此他的蹤跡更是隨處可見。乾隆也經常參加「木蘭秋獮」，親自射獲的獵物也極為可觀，但他的主要心思卻放在邊疆征戰上，避暑山莊和周圍的外八廟內，記載這種征戰成果的碑文極多。這種征戰與漢族的利益沒有衝突，反而弘揚了中國的國威，連漢族知識界也引以為榮，甚至可以把乾隆看成是華夏聖君了，但我細看碑文之後卻產生一個強烈的感覺：有的仗迫不得已，打打也可以，但多數邊境戰爭的必要性深可懷疑。需要打得這麼大嗎？需要反覆那麼多次嗎？需要這樣強橫地來對待鄰居們嗎？需要殺得如此殘酷嗎？

好大喜功的乾隆把他的所謂「十全武功」鐫刻在避暑山莊裏樂滋滋地自我品嘗，這使山莊迴蕩出一些燥熱而又不詳的氣氛。在滿、漢文化對峙基本上結束之後，這裏洋溢著的中華帝國的自得情緒。江南塞北的風景名勝在這裏聚會，上天的唯一驕子在這裏安駐，再下令編一部綜覽全部典籍的《四庫全書》在這裏存放，幾乎什麼也不缺了。乾隆不斷地寫詩，說避暑山莊裏的意境已遠遠超過唐宋詩詞裏的描繪，而他則一直等著到時間卸任成為「林下人」，在此間度過餘生。在山莊內松雲峽的同一座石碑上，乾隆一生竟先後刻下了六首御詩表述這種自得情懷。

是的，乾隆一朝確實不算窩囊，但須知這已是十八世紀（乾隆正好死於十八世紀最後一年），十九世紀已經迎面而來，世界發生了多大的變化！乾隆打了那麼多仗，耗資該有多少？他重用的大貪官和珅，又把國力糟蹋到了何等地步？事實上，清朝乃至中國的整體歷史悲劇，就在乾隆這個貌似全盛期的皇帝身上，在山水宜人的避暑山莊內，已經釀就。但此時的避暑山莊，還完全沉湎在中華帝國的夢幻中，而全國的文化良知，也都在這個夢幻邊沿口或陶醉，或喑啞。

1793 年 9 月 14 日，一個英國使團來到避暑山莊，乾隆以盛宴歡迎，還在山莊的萬樹園內以大型歌舞和焰火晚會招待，避暑山莊一片熱鬧。英方的目的是希望乾隆同意他們派使臣常駐北京，在北京設立洋行，希望中國開放天津、寧波、舟山為貿易口岸，在廣州附近撥一些地方讓英商居住，又希望英國貨物在廣州至澳門的內河流通時能獲免稅和減稅的優惠。本來，這是可以談判的事，但對居住在避暑山莊、一生喜歡用武力炫耀華夏威儀的乾隆來說卻不存在任何談判的可能。他給英國國王寫了信，信的標題是《賜英吉利國王敕書》，信內對一切要求全部拒絕，說「天朝尺土俱歸版籍，疆址森然，即使島嶼沙洲，亦必劃界分疆各有專屬」，「從無外人等在北京城開設貨行之事」，「此與天朝體制不合，斷不可行！」，也許至今有人認為這幾句話充滿了愛國主義的凜然大義，與以後清廷簽訂的賣國條約不可同日而語，對此我實在不敢苟同。本來康熙早在 1684 年就已開放海禁，在廣東、福建、浙江、江蘇分設四個海關歡迎外商來貿易，過了七十多年乾隆反而關閉其它海關只許外商在廣州貿易，外商在廣州也有許多可笑的限制，例如不准學說中國話、買中國書，不許坐轎，更不許把婦女帶來，等等。我們閉目就能想像朝廷對外國人的這些限制是出於何種心理規定出來的。康熙向傳教士學西方自然科學，關係不錯，而乾隆卻把天主教給禁了。自高自大，無視外部世界，滿腦天朝意識，這與以後的受辱挨打有著必然的邏輯聯繫。乾隆在避暑山莊訓斥外國帝王的朗聲言詞，就連歷史老人也會聽得不太順耳。這座園林，已孱雜進某種凶兆。

四·

我在山莊松雲峽細讀乾隆寫了六首詩的那座石碑時，在碑的西側又讀到他兒子嘉慶的一首。嘉慶即位後經過這裏，讀了父親那些得意洋洋的詩後不禁長歎一聲：父親的詩真是深奧，而我這個做兒子的卻實在覺得肩上的擔子太重了！（「瞻題蘊精奧，守位重仔肩」）嘉慶為人比較懦弱寬厚，在父親留下的這副擔子前不知如何是好，他一生都在面對內憂外患，最後不明不白地死在避暑山莊。

道光皇帝繼嘉慶之位時已四十來歲，沒有什麼才能，只知艱苦樸素，穿的褲子還打過補丁。這對一國元首來說可不是什麼佳話。朝中大臣競相模仿，穿了破舊衣服上朝，一眼看去，這個朝廷已經沒有多少氣數了。父親死在避暑山莊，畏怯的道光也就不願意去那裏了，讓它空關了幾十年，他有時想想也該像祖宗一樣去打一次獵，打聽能不能不經過避暑山莊就可以到「木蘭圍場」，回答說沒有別的道路，他也就不去打獵了。像他這麼個可憐巴巴的皇帝，似乎本來就與山莊和打獵沒有緣分的，鴉片戰爭已經爆發，他憂愁的目光只能一直注視著南方。

避暑山莊一直關到 1860 年 9 月，突然接到命令，咸豐皇帝要來，趕快打掃。咸豐這次來時帶的銀兩特別多，原來是來逃難的，英法聯軍正威脅著北京。咸豐這一來就不走了，東走走西看看，慶幸祖輩留下這麼個好地方讓他躲避。他在這裏又批准了好幾份喪權辱國的條約，但簽約後還是不走，直到 1861 年 8 月 22 日死在這兒，差不多住了近一年。

咸豐一死，避暑山莊熱鬧了好些天，各種政治勢力圍著遺體進行著明明暗暗的較量。一場被歷史學家稱之為「辛酉政變」的行動方案在山莊的幾間屋子裏制定，然後，咸豐的棺木向北京啟運了，剛繼位的小皇帝也出發了，浩浩蕩蕩。避暑山莊的大門又一次緊緊地關住了，而就在這支浩浩蕩蕩的隊伍中間，很快站出來一個二十七歲的青年女子，她將統治中國數十年。

她就是慈禧，離開了山莊後再也沒有回來。不久又下了一道命令，說熱河避暑山莊已經幾十年不用，殿亭各宮多已傾圮，只是咸豐皇帝去時稍稍修治了一下，現在咸豐已逝，眾人已走，「所有熱河一切工程，著即停止。」

這個命令，與康熙不修長城的諭旨前後輝映。康熙的「長城」也終於傾坍了，荒草淒迷，暮鴉迴翔，舊牆斑駁，黴苔處處，而大門卻緊緊地關著。關住了那些宮殿房舍倒也罷了，還關住了那麼些蒼鬱的山，那麼些晶亮的水。在康熙看來，這兒就是他心目中的清代，但清代把它丟棄了，於是自己也就成了一個喪魂落魄的朝代。慈禧在北京修了一個頤和園，與避暑山莊對抗，塞外溯北的園林不會再有對抗的能力和興趣，它似乎已屬於另外一個時代。康熙連同他的園林一起失敗了，敗在一個沒有讀過什麼書，沒有建立過什麼功業的女人手裏。熱河的雄風早已吹散，清朝從此陰氣重重、劣跡斑斑。 當新的一個世紀來到的時候，一大群漢族知識分子向這個政權發出了毀滅性聲討，民族仇恨重新在心底燃起，三百年前抗清志士的事蹟重新被發掘和播揚。避暑山莊，在這個時候是一個邪惡的象徵，老老實實躲在遠處，儘量不要叫人發現。

五·

清朝滅亡後，社會震盪，世事忙亂，人們也沒有心思去品咂一下這次歷史變更的苦澀厚味，匆匆忙忙趕路去了。直到 1927 年 6 月 1 日，大學者王國維先生在頤和園投水而死，才讓全國的有心人肅然深思。王國維先生的死因眾說紛紜，我們且不管它，只知道這位漢族文化大師拖著清代的一條辮子，自盡在清代的皇家園林裏，遺囑為「五十之年，只欠一死；經此事變，義無再辱」。

他不會不知道明末清初為漢族人是束髮還是留辮之爭曾發生過驚人的血案，他不會不知道劉宗周、黃宗羲、顧炎武這些大學者的慷慨行跡，他更不會不知道按照世界歷史的進程，社會巨變乃屬必然，但是他還是死了。我贊成陳寅恪先生的說法，王國維先生並不死於政治鬥爭、人事糾葛，或僅僅為清廷盡忠，而是死於一種文化：

凡一種文化值衰落之時，為此文化所化之人，必感苦痛，其表現此文化之程量愈宏，則其所受之苦痛亦愈甚；迨既達極深之度，殆非出於自殺無以求一己之心安而義盡也。

（《王觀堂先生挽詞並序》）

王國維先生實在又無法把自己為之而死的文化與清廷分割開來。在他的書架裏，《古今圖書集成》《康熙字典》《四庫全書》《紅樓夢》《桃花扇》《長生殿》、乾嘉學派、納蘭性德等等都把兩者連在一起了，於是對他來說衣冠舉止，生態心態，也莫不兩相混同。我們記得，在康熙手下，漢族高層知識分子經過劇烈的心理掙扎已開始與朝廷產生某種文化認同，沒有想到的是，當康熙的政治事業和軍事事業已經破敗之後，文化認同竟還未消散。為此，宏才多學的王國維先生要以生命來祭奠它。他沒有從心理掙扎中找到希望，死得可惜又死得必然。知識分子總是不同尋常，他們總要在政治軍事的折騰之後表現出長久的文化韌性，文化變成了生命，只有靠生命來擁抱文化了，別無他途；明末以後是這樣，清末以後也是這樣。但清末又是整個中國封建制度的末尾，因此王國維先生祭奠的該是整個中國傳統文化。清代只是他的落腳點。

王國維先生到頤和園這也還是第一次，是從一個同事處借了五元錢才去的，頤和園門票六角，死後口袋中尚餘四元四角，他去不了承德，也推不開山莊緊閉的大門。

今天，我們面對著避暑山莊的清澈湖水，卻不能不想起王國維先生的面容和身影。我輕輕地歎息一聲，一個風雲數百年的朝代，總是以一群強者英武的雄姿開頭，而打下最後一個句點的，卻常常是一些文質彬彬的淒怨靈魂。

（選自余秋雨著《山居筆記》，作家出版社 2007 年 11 月版）

編選說明 •••

余秋雨（1946—），浙江餘姚人，代表作有散文集《文化苦旅》

《山居筆記》等。余秋雨憑藉其豐厚的文化感悟力和藝術表現力創作的「文化散文」，為中國當代散文的發展注入了一股新鮮的活力。本文是其代表作之一。作者以一位現代知識分子的犀利眼光重新審視中國最後一個封建王朝，通過一個能表現清王朝特殊氣質的重要符號——承德避暑山莊來透視它幾百年的興衰史和精神變遷史。在所寫皇帝中，著墨最多的是康熙，因為他的身上有作者所激賞的強健生命力和健全人格。著名學者孫紹振先生評價他的散文說，「把詩情、智性和歷史的信息和諧地結合成一個昇華了的意象和深化了的話語」，「進入紛紜的歷史資料，而不為史料所役，還要用自由的想像和深邃的理性去駕馭它」。

擴展閱讀 • • •

1. 魯迅著：《魯迅小說集》，黑龍江人民出版社 2005 年 1 版。
2. 周作人著：《周作人散文》，人民文學出版社 2005 年版。
3. 落花生（許地山）著：《綴網勞蛛》，百花文藝出版社 2006 年版。
4. 郁達夫著：《遲桂花》，中國青年出版社 2004 年版。
5. 丁玲著：《莎菲女士的日記》，人民文學出版社 2004 年版。
6. 沈從文著：《邊城》，北京十月文藝出版社 2008 年版。
7. 茅盾著：《林家鋪子》，人民文學出版社 1992 年版。
8. 茅盾著：《子夜》，長江文藝出版社 2010 年版。
9. 老舍著：《駱駝祥子》，人民文學出版社 2008 年版。

10.老舍著：《四世同堂》，北京十月文藝出版社 2008 年版。

11.巴金著：《家》，人民文學出版社 1981 年版。

12.巴金著：《隨想錄》，作家出版社 2009 年版。

13.曹禺著：《雷雨》《日出》，人民文學出版社 2010 年版。

14.郭沫若著：《女神》，人民文學出版社 1997 年版。

15.錢鍾書著：《圍城》，人民文學出版社 1991 年版。

16.蕭紅著：《呼蘭河傳》，中國青年出版社 2008 年版。

17.丁玲著：《太陽照在桑乾河上》，華夏出版社 2008 年版。

18.周立波著：《暴風驟雨》，時代文藝出版社 2009 年版。

19.楊沫著：《青春之歌》，人民文學出版社 2005 年版。

20.李劼人著：《死水微瀾》，華夏出版社 2009 年版。

21.梁斌著：《紅旗譜》，人民文學出版社 2005 年版。

22.羅廣斌、楊益言著：《紅岩》，中國青年出版社 2000 年版。

23.古華著：《芙蓉鎮》，人民文學出版社 1981 年版。

24.阿城著：《阿城精選集》，北京燕山出版社 2011 年版。

25.王蒙著：《活動變人形》，作家出版社 2009 年版。

26.路遙著：《平凡的世界》，北京十月文藝出版社 2009 年版。

27.楊絳著：《洗澡》，人民文學出版社 2004 年版。

28.陳忠實著：《白鹿原》，北京十月文藝出版社 2008 年版。

29.阿來著：《塵埃落定》，人民文學出版社 2005 年版。

30.王安憶著：《長恨歌》，南海出版社 2003 年版。

31.賈平凹著：《秦腔》，作家出版社 2008 年版。

32.余秋雨著：《文化苦旅》，東方出版中心 2002 年版。

三 ●●● 外國文學

蒙田

要生活得愜意

跳舞的時候我便跳舞，睡覺的時候我就睡覺。即便我一人在幽美的花園中散步，倘若我的思緒一時轉到與散步無關的事物上去，我也會很快將思緒收回，令其想想花園，尋味獨處的愉悅，思量一下我自己。天性促使我們為保證自身需要而進行活動，這種活動也就給我們帶來愉快。慈母般的天性是顧及這一點的。它推動我們去滿足理性與欲望的需要，打破它的規矩就違背情理了。

我知道愷撒與亞歷山大就在活動最繁忙的時候，仍然充分享受自然的，也就是必需的、正當的生活樂趣。我想指出，這不是要使精神鬆懈，而是使之增強，因為要讓激烈的活動、艱苦的思索服從於日常生活習慣，那是需要有極大的勇氣的。他們認為，享受生活樂趣是自己正常的活動，而戰事才是非常的活動。他們持這種看法是明智的。我們倒是些大傻瓜。我們說：「他一輩子一事無成。」或者說：「我今天什麼事也沒有做……」怎麼！您不是生活過來了嗎？這不僅是最基本的活動，而且也是我們的諸活動中最有光彩的。「如果我能夠處理重大的事情，我本可以表現出我的才能。」您懂得考慮自己的生活，懂得去安排它吧？那您就做了最重要的事情了。天性的表露與發揮作用，無需異常的境遇。它在各個方面乃至在暗中也都表現出來，無異於在不設幕的舞臺上一樣。我們的責任是調整我們的生活習慣，而不是去編書；是使我們的舉止井然有致，而不是去打仗，去擴張領地。我們最豪邁、最光榮的事業乃是生活得愜意，一切其它事情，執政、致富、創造產業，充其量也只不過是這一事業的點綴和從屬品。

（選自畢軍編著《永恆的經典：流傳千古的 130 篇傳世散文》，天津科學技術出版社 2010 年版）

編選說明

蒙田（1533—1592），法國人文主義思想家，主要作品有《蒙田隨筆全集》。在 16 世紀的作家中，很少有人像蒙田那樣受到現代人的崇敬和接受的。他是啟蒙運動以前法國的一位知識權威和批評家，是一位人類感情的冷峻的觀察家，亦是對各民族文化，特別是西方文化進行冷靜研究的學者。他的哲學隨筆，因其豐富的思想內涵而聞名於世，被譽為「思想的寶庫」。他的名聲在 17 世紀即已遠播海外，培根的隨筆就深受其影響。在本文中，蒙田認為「我們最豪邁、最光榮的事業乃是生活得愜意，一切其它事情，執政、致富、創造產業，充其量也只不過是這一事業的點綴和從屬品」。享受必需的、正當的生活樂趣不是要使精神鬆懈，而是使之增強，使之更有利於創造美好的生活。

培根

論讀書

讀書可以作為消遣，可以作為裝飾，也可以增長才幹。

孤獨寂寞時，閱讀可以消遣。高談闊論時，知識可供裝飾。處世行事時，知識意味著才幹。懂得事務因果的人是幸運的。有實際經驗的人雖能夠處理個別性的事務，但若要綜觀整體，運籌全域，卻唯有學識方能辦到。

讀書太慢的人馳惰，為裝潢而讀書是欺人，完全按照書本做事就是呆子。

求知可以改進人性，而經驗又可以改進知識本身。人的天性猶如野生的花草，求知學習好比修剪移栽。學問雖能指引方向，但往往流於淺泛，必須依靠經驗才能紮下根基。

狡詐者輕鄙學問，愚魯者羨慕學問，聰明者則運用學問。知識本身並沒有告訴人怎樣運用它，運用的智慧在於書本之外。這是技藝，不體驗就學不到。

讀書的目的是為了認識事物原理。為挑剔辯駁去讀書是無聊的。但也不可過於迷信書本。求知的目的不是為了吹噓炫耀，而應該是為了尋找真理，啟迪智慧。

書籍好比食品。有些只需淺嘗，有些可以吞咽，只有少數需要仔細咀嚼，慢慢品味。所以，有的書只要讀其中一部分，有的書只需知其梗概，而對於少數好書，則應當通讀，細讀，反覆讀。

有的書可以請人代讀，然後看他的筆記摘要就行了。但這只應限於不太重要的議論和品質粗劣的書。否則一本書將像已被蒸餾過的水，變得淡而無味了。

讀書使人充實，討論使人機敏，寫作則能使人精確。

因此，如果有人不讀書又想冒充博學多知，他就必須很狡黠，才能掩人耳目。如果一個人懶於動筆，他的記憶力就必須強而可靠。如果一個人要孤獨探索，他的頭腦就必須格外銳利。

讀史使人明智，讀詩使人聰慧，學習數學使人精密，物理學使人深刻，倫理學使人高尚，邏輯修辭使人善辯。總之，「知識能塑造人的性格」。

不僅如此，精神上的各種缺陷，都可以通過求知來改善——正如身體上的缺陷，可能通過適當的運動來改善一樣。例如打球有利於腰背，射箭可擴胸利肺，散步則有助於消化，騎術使人反應敏捷，等等。同樣道理，一個思維不集中的人，他可以研習數學，因為數學稍不仔細就會出錯。缺乏分析判斷的人，他可以研習形而上學，因為這門學問最講究細瑣的辯證。不善於推理的人，可以研習法律案例。如此等等。這種心靈上的缺陷，都可以通過學習而得到改善。

（選自盛文林編著《最經典的外國散文》，臺海出版社 2011 年版）

編選說明 ●●●

法蘭西斯・培根（1561—1626），英國哲學家、思想家、作家和科學家，被馬克思稱為「英國唯物主義和整個現代實驗科學的真正始祖」。著有《新工具》《論說隨筆文集》等。《論讀書》是培根隨筆中的名篇，對讀書的意義、作用和方法都作了透徹的論述。他猛烈抨擊中世紀的蒙昧主義，論證了知識的巨大作用，成為提出「知識就是力量」的第一人。特別是文章的最後一段，充分體現了作者的閱讀療法思想：人有了精神方面的障礙或心理淤積，都可以通過對症的書籍來疏通和排解。

本文語言凝練，見解深刻，議論精確。黑格爾曾評價說：「他的著作雖然充滿著最美妙，最聰明的言論，但是要理解其中的智慧，通常只需要付出很少的理性努力。因此他的話常常被人拿來當作格言。」

夏多布里昂

別了，法蘭西

起錨了，對遠航者這是一個莊嚴的時刻。領水員將船引導到港外，他離去時，太陽正在墜落。天色灰暗，微風習習，距船幾鏈遠的地方，海浪沉重地拍打著礁石。

我凝視著聖馬羅。我在那兒丟下了淚流滿面的母親。我遙望著我和呂西兒常去做禮拜的教堂和鐘樓和圓屋頂、房屋、城牆、堡壘、塔樓和海灘；我同熱斯裏爾和其它朋友兒時一道在那兒度過了我的童年。在我四分五裂的祖國失去一位無法取代的偉人時，我撒手而去了。我對祖國和自己的命運同樣感到迷茫：誰將沉沒彝法蘭西還是我自己？有朝一日，我還能看見法蘭西和我的親人嗎？

船駛到海峽出口，夜幕已經降臨，周圍一片沉寂。城內點燃了萬家燈火，燈塔已亮了：我祖屋的那些顫抖的燈光照耀著我在礁石、波濤和黑夜包圍中的航程，同時微笑著同我告別。

我只帶走了我的青春和夢想，我踏過的這塊土地上的塵埃，以及數過這一片天空的星星。而我現在離開這個世界，到一個土地和天空對我都很陌生的世界去。如果我能夠到達航行的目的地，那麼會發生什麼事情呢彝 我可能在極北的海岸漂泊，那叱吒風雲、毀滅過那麼多代人的失去和平的年代對我也許會毫無影響；我也許不會目睹這場翻天覆地的變革。我也許不會拿起筆，從事這不幸的寫作生涯；我的名字也許會默默無聞，或者只得到一種為嫉妒者所不屑但平靜安逸的光榮。誰知道，也許我會重渡大西洋，也許我會像一名全盛時期的征服者，定居在我冒險探索和發現的偏遠的國度裏！

不！為了改變這兒的苦難，為了變成一個同過去的我迥然不同的人，我應該回到我的祖國。孕育我的大海將成為我第二次生命的搖籃。我首次遠航時她載負著我，好像我的乳母把我抱在她的懷中；好像傾聽我訴說我最初的痛苦和最初的歡樂的女友把我抱在她的雙臂裏。

風停了，落潮的海水把我們帶到外海，岸上的燈火漸漸模糊，最後全然消失了。由於沉思、淡淡的悵惘和更加朦朧的期望，我困倦了。我走下甲板進入我的房間。我躺在床上被搖晃著，輕輕拍打船側的波濤劈啪作響。起風了，桅杆上陞起了風帆。次日清晨我登上甲板時，再也看不見法蘭西的土地了。

這是我命運的轉折：「再出海去。」（拜倫）

（選自蘇福忠編著《外國散文百篇必讀》，人民文學出版社 2011 年版）

編選說明 ●●●

夏多布里昂（1768—1848），法國作家。生於聖馬婁，中學畢業後乘船去美洲探險。回國後由於參加了孔德親王的僑民團而逃亡到布魯塞爾和倫敦，在流亡中寫出了《革命論》等著作。回國後勤奮寫作，小說《阿達拉》《基督教真諦》受到拿破崙的賞識，七年內重版八次。七月革命後閉門寫作六卷本巨著《墓中回憶錄》。作者離別法蘭西，是因為資產階級革命爆發，他想迴避革命去北美。在乘船遠離之際，他深深眷戀著自己的祖國，對祖國的命運、自己的前途都感到非常的迷茫。但迷茫中有個信念卻在逐漸清晰，那就是「不！為了改變這兒的苦難，為了變成一個同過去的我迥然不同的人，我應該回到我的祖國」。作者對祖國的一片深情真切感人。

雪萊

論愛

什麼是愛？要回答這個問題，讓我們先問那些活著的人，什麼是生活？問那些虔誠的教徒，什麼是上帝？

我不知其它人的內心結構，也不知你們——我正與之講話的你們的內心；我看到在有些外在屬性上，別人同我相像；或於這種形似，當我訴諸某些應當共通的情感並向他們吐露靈魂深處的心聲時，我發現我的話語遭到了誤解，彷彿它是一個遙遠而野蠻的國度的語言。人們給我體驗的機會越多，我們之間的距離越遠，理解與同情也就愈離我而去。帶著無法承受這種現實的情緒，在溫柔的顫慄和虛弱中，我在海角天涯尋覓知音，而得到的卻只是憎恨與失望。

你垂詢什麼是愛嗎？當我們在自身思想的幽谷中發現一片虛空，從而在天地萬物中呼喚、尋求與身內之物的通感對應之時，受到我們所感、所懼、所企望的事物的那種情不自禁的、強有力的吸引，這就是愛。

倘使我們推理，我們總希望能夠被人理解；倘使我們遐想，我們總希望自己頭腦中逍遙自在的孩童會在別人的頭腦裏獲得新生；倘若我們感受，那麼，我們祈求他人的神經能和我們一起共振，他人的目光和我們交融，他人的眼睛和我們的一樣炯炯有神；我們祈願漠然麻木的冰唇不要對另一顆火熱的心譏誚嘲諷。這就是愛，這就是那不僅聯接了人與人而且聯接了人與萬物的神聖的契約和債券。我們降臨世間，我們的內心深處存在著某種東西，自有自我存在的那一刻起，就渴求著與它相似的東西。也許這與嬰兒吮吸母親乳房的奶汁這一規律相一致。這種與生俱來的傾向隨著天性的發展而發展。在思維能力的本性中，我們隱隱約約地看到的彷彿是完整自我的一個縮影，它喪失了我們所蔑視、嫌厭的成分，而成為盡善盡美的人性的理想典範。它不僅是一幀外在肖像，更是構成我們天性的最精細微小的粒子組合。它是一面只映像出純潔和明亮形態的鏡子；它是在其靈魂固有的樂園外勾畫出一個為痛苦、悲哀和邪惡所無法逾越的圓圈的靈魂。這一精魂同樣渴求與之相像或對應的知覺相關聯。當我們在大千世界中尋覓到了靈魂的對應物，在天地萬物中發現了可以無誤地評估我們自身的知音（它能準確地、敏感地捕捉我們所珍惜並懷著喜悅悄悄展露的一切），那麼，我們與對應物就好比兩架精美的豎琴上的琴弦，在一個快樂的聲音伴奏下發出音響，這音響與我們自身神經組織的震顫相共振。這——就是愛所要達到的無形的、不可企及的目標。正是它，驅使人的力量去捕捉其淡淡的影子；沒有它，為愛所駕馭的心靈就永遠不會安寧，永遠不會歇息。因此，在孤獨中，或處在一群毫不理解我們的人群中（這時，我們彷彿遭到遺棄），我們會熱愛花朵、小草、河流以及天空。就在藍天下，在春天樹葉的顫動中，我們找到神秘的心靈的回應：無語的風中有一種雄辯；流淌的溪水和河邊瑟瑟的葦葉聲中，有一首歌謠。它們與我們靈魂之間神秘的感應，喚醒了我們心中的精靈去跳一場酣暢淋漓的狂喜之舞，並使神秘的溫柔的淚盈滿我們的眼睛，如愛國志士勝利的熱情，又如心愛的人為你獨自歌唱之音。因此，斯泰恩說，假如他身在沙漠，他會愛上柏樹枝的。愛的需求或力量一旦死去，人就成為一個活著的墓穴，苟延殘喘的只是一副軀殼。

（選自雪萊著、徐文惠等譯《雪萊散文》，人民文學出版社 2008 年版）

編選說明 •••

珀西・比希・雪萊（1792—1822），英國文學史上最有才華的抒情詩人之一，詩歌代表作有《麥布女王》《伊斯蘭的起義》《致英國人民》《雲雀頌》《西風頌》等。1822 年 7 月雪萊駕小艇旅行，途中偶遇風暴，溺水而亡，時年 20 歲。本文所論之「愛」，是特指「理解」。我們總是希望自己的思想、情感得到別人的理解和共振，希望心與心之間能夠相通相契，作者把這稱為「愛」，並認為這是「聯接了人與人而且聯接了人與萬物的神聖的契約和債券」，所以當我們處在一群毫不理解我們的人群中時，我們會去熱愛花朵、小草、河流、天空，從大自然中尋求靈魂上的神秘感應。本文雖是說理，卻不枯燥空洞，行文中充滿感情，語言形象生動，運用了很多精彩的比喻，文風靈動優雅。

安徒生

皇帝的新裝

許多年以前有一位皇帝，他非常喜歡穿好看的新衣服。他為了要穿得漂亮，把所有的錢都花到衣服上去了，他一點也不關心他的軍隊，也不喜歡去看戲。除非是為了炫耀一下新衣服，他也不喜歡乘著馬車逛公園。他每天每個鐘頭要換一套新衣服。人們提到皇帝時總是說：「皇上在會議室裏。」但是人們一提到他時，總是說：「皇上在更衣室裏。」

在他住的那個大城市裏，生活很輕鬆，很愉快。每天有許多外國人到來。有一天來了兩個騙子，他們說他們是織工。他們說，他們能織出誰也想像不到的最美麗的布。這種布的色彩和圖案不僅非常好看，而且用它縫出來的衣服還有一種奇異的作用，那就是凡是不稱職的人或者愚蠢的人，都看不見這衣服。

「那正是我最喜歡的衣服！」皇帝心裏想。「我穿了這樣的衣服，就可以看出我的王國裏哪些人不稱職；我就可以辨別出哪些人是聰明人，哪些人是傻子。是的，我要叫他們馬上織出這樣的布來！」他付了許多現款給這兩個騙子，叫他們馬上開始工作。

他們擺出兩架織機來，裝作是在工作的樣子，可是他們的織機上什麼東西也沒有。他們接二連三地請求皇帝發一些最好的生絲和金子給他們。他們把這些東西都裝進自己的腰包，卻假裝在那兩架空空的織機上忙碌地工作，一直忙到深夜。

「我很想知道他們織布究竟織得怎樣了，」皇帝想。不過，他立刻就想起了愚蠢的人或不稱職的人是看不見這布的。他心裏的確感到有些不大自在。他相信他自己是用不著害怕的。雖然如此，他還是覺得先派一個人去看看比較妥當。全城的人都聽說過這種布料有一種奇異的力量，所以大家都很想趁這機會來測驗一下，看看他們的鄰人究竟有多笨，有多傻。

「我要派誠實的老部長到織工那兒去看看，」皇帝想。「只有他能看出這布料是個什麼樣子，因為他這個人很有頭腦，而且誰也不像他那樣稱職。」

因此這位善良的老部長就到那兩個騙子的工作地點去。他們正在空空的織機上忙忙碌碌地工作著。

「這是怎麼一回事兒？」老部長想，把眼睛睜得有碗口那麼大。「我什麼東西也沒有看見！」但是他不敢把這句話說出來。

那兩個騙子請求他走近一點，同時問他，布的花紋是不是很美麗，色彩是不是很漂亮。他們指著那兩架空空的織機。

這位可憐的老大臣的眼睛越睜越大，可是他還是看不見什麼東西，因為的確沒有什麼東西可看。

「我的老天爺！」他想。「難道我是一個愚蠢的人嗎？我從來沒有懷疑過我自己。我決不能讓人知道這件事。難道我不稱職嗎？——不成；我決不能讓人知道我看不見布料。」

「哎，您一點意見也沒有嗎？」一個正在織布的織工說。

「啊，美極了！真是美妙極了！」老大臣說。他戴著眼鏡仔細地看。「多麼美的花紋！多麼美的色彩！是的，我將要呈報皇上說我對於這布感到非常滿意。」

「嗯，我們聽到您的話真高興，」兩個織工一起說。他們把這些稀有的色彩和花紋描述了一番，還加上些名詞兒。這位老大臣注意地聽著，以便回到皇帝那裏去時，可以照樣背得出來。事實上他也就這樣辦了。

這兩個騙子又要了很多的錢，更多的絲和金子，他們說這是為了織布的需要。他們把這些東西全裝進腰包裏，連一根線也沒有放到織機上去。不過他們還是繼續在空空的機架上工作。

過了不久，皇帝派了另一位誠實的官員去看看，布是不是很快就可以織好。他的運氣並不比頭一位大臣的好：他看了又看，但是那兩架空空的織機上什麼也沒有，他什麼東西也看不出來。

「您看這段布美不美？」兩個騙子問。他們指著一些美麗的花紋，並且作了一些解釋。事實上什麼花紋也沒有。

「我並不愚蠢！」這位官員想。「這大概是因為我不配擔當現在這樣好的官職吧？這也真夠滑稽，但是我決不能讓人看出來！」因此他就把他完全沒有看見的布稱讚了一番，同時對他們說，他非常喜歡這些美麗的顏色和巧妙的花紋。「是的，那真是太美了，」他回去對皇帝說。

城裏所有的人都在談論這美麗的布料。

當這布還在織的時候，皇帝就很想親自去看一次。他選了一群特別圈定的隨員——其中包括已經去看過的那兩位誠實的大臣。這樣，他就到那兩個狡猾的騙子住的地方去。這兩個傢伙正以全副精神織布，但是一根線的影子也看不見。「您看這不漂亮嗎？」那兩位誠實的官員說。「陛下請看，多麼美麗的花紋！多麼美麗的色彩！」他們指著那架空空的織機，因為他們以為別人一定會看得見布料的。

「這是怎麼一回事兒呢？」皇帝心裏想。「我什麼也沒有看見！這真是荒唐！難道我是一個愚蠢的人嗎？難道我不配做皇帝嗎？這真是我從來沒有碰見過的一件最可怕的事情。」

「啊，它真是美極了！」皇帝說。「我表示十二分地滿意！」

於是他點頭表示滿意。他裝作做很仔細地看著織機的樣子，因為他不願意說出他什麼也沒有看見。跟他來的全體隨員也仔細地看了又看，可是他們也沒有看出更多的東西。不過，他們也照著皇帝的話說：「啊，真是美極了！」他們建議皇帝用這種新奇的、美麗的布料做成衣服，穿上這衣服親自去參加快要舉行的遊行大典。「真美麗！真精緻！真是好極了！」每人都隨聲附和著。每人都有說不出的快樂。皇帝賜給騙子每人一個爵士的頭銜和一枚可以掛在紐扣洞上的勳章；並且還封他們為「御聘織師」。

第二天早晨遊行大典就要舉行了。在頭天晚上，這兩個騙子整夜不睡，點起 16 支蠟燭。你可以看到他們是在趕夜工，要完成皇帝的新衣。他們裝作把布料從織機上取下來。他們用兩把大剪刀在空中裁了一陣子，同時又用沒有穿線的針縫了一通。最後，他們齊聲說：「請看！新衣服縫好了！」

皇帝帶著他的一群最高貴的騎士們親自到來了。這兩個騙子每人舉起一隻手，好像他們拿著一件什麼東西似的。他們說：「請看吧，這是褲子，這是袍子！這是外衣！」等等。「這衣服輕柔得像蜘蛛網一樣：穿著它的人會覺得好像身上沒有什麼東西似的——這也正是這衣服的妙處。」

「一點也不錯，」所有的騎士們都說。可是他們什麼也沒有看見，因為實際上什麼東西也沒有。

「現在請皇上脫下衣服，」兩個騙子說，我們要在這個大鏡子面前為陛下換上新衣。

皇帝把身上的衣服統統都脫光了。這兩個騙子裝作把他們剛才縫好的新衣服一件一件地交給他。他們在他的腰圍那兒弄了一陣子，好像是繫上一件什麼東西似的：這就是後裙。皇帝在鏡子面前轉了轉身子，扭了扭腰肢。

「上帝，這衣服多麼合身啊！式樣裁得多麼好看啊！」大家都說。「多麼美的花紋！多麼美的色彩！這真是一套貴重的衣服！」

「大家已經在外面把華蓋準備好了，只等陛下一出去，就可撐起來去遊行！」典禮官說。

「對，我已經穿好了，」皇帝說，「這衣服合我的身麼？」於是他又在鏡子面前把身子轉動了一下，因為他要叫大家看出他在認真地欣賞他美麗的服裝。那些將要托著後裙的內臣們，都把手在地上東摸西摸，好像他們真的在拾其後裙似的。他們開步走，手中托著空氣——他們不敢讓人瞧出他們實在什麼東西也沒有看見。

這麼著，皇帝就在那個富麗的華蓋下遊行起來了。站在街上和窗子裏的人都說：「乖乖，皇上的新裝真是漂亮！他上衣下面的後裙是多麼美麗！衣服多麼合身！」誰也不願意讓人知道自己看不見什麼東西，因為這樣就會暴露自己不稱職，或是太愚蠢。皇帝所有的衣服從來沒有得到這樣普遍的稱讚。

「可是他什麼衣服也沒有穿呀！」一個小孩子最後叫出聲來。

「上帝喲，你聽這個天真的聲音！」爸爸說。於是大家把這孩子講的話私自低聲地傳播開來。

「他並沒有穿什麼衣服！有一個小孩子說他並沒有穿什麼衣服呀！」

「他實在是沒有穿什麼衣服呀！」最後所有的老百姓都說。

皇帝有點兒發抖，因為他似乎覺得老百姓所講的話是對的。不過他自己心裏卻這樣想：「我必須把這遊行大典舉行完畢。」因此他擺出一副更驕傲的神氣，他的內臣們跟在他後面走，手中托著一個並不存在的後裙。

（選自安徒生著《安徒生童話選》，譯林出版社 2010 年版）

編選説明 ●●●

漢斯・克利斯蒂安・安徒生（1805—1875），丹麥作家，詩人，「世界童話之王」，一生共創作一百六十八篇童話，作品被譯成一百五十多種語言和文字，代表作有《醜小鴨》《皇帝的新裝》《賣火柴的小女孩》《拇指姑娘》等。其作品具有獨特的藝術風格：即詩意的美和喜劇性的幽默。本文寫於 1837 年，是作者有感于丹麥黑暗的社會現實而根據西班牙一則民間故事改編創作而成的。它運用想像和誇張的藝術手法，通過一個昏庸無能而又窮奢極欲的皇帝受騙上當的故事，揭露和諷刺了皇帝和大臣們的虛偽、愚蠢和自欺欺人的醜行。本文採用兒童們最易接受的順敘法，開篇就介紹皇帝愛穿新衣的「癖好」，然後引出騙子，接著寫織布、做衣，最後寫皇帝穿上「新衣」參加遊行大典，在人們面前出盡洋相。故事環環相扣，結尾意味深長。

狄更斯

尼亞加拉大瀑布

那一天的天氣寒冷潮濕，著實苦人:淒霧濃重，幾欲成滴，樹木在這個北國裏還都枝杈赤裸，完全冬意。不論多會兒，只要車一停下來，我就側耳靜聽，看是否能聽到瀑布的吼聲，同時還不斷地往我認為一定是瀑布所在那方面死乞白賴地看；我所以知道瀑布就在那一方面，因為我看見河水滾滾朝著那兒流去；每一分鐘都盼望會有飛濺的浪花出現。恰恰在我們停車以前幾分鐘內，我看見了兩片嵯峨的白雲，從地心深處巍巍而出，冉冉而上。當時所見，僅止於此。後來我們到底下了車了；於是我才頭一回聽到洪流的砰訇，同時覺得大地都在我腳下顫動。

崖岸陡峭，又因為有剛剛下過的雨和化了一半的冰，地上滑溜溜的，所以我自己也不知道我是怎麼下去的，不過我卻一會兒就站在山根那兒，同兩個英國軍官（他們也正走過那兒，現在和我到了一塊兒）攀登到一片嶙峋的亂石上了；那時澎渤大作，震耳欲聾，玉花飛濺，我全身濡濕，衣履俱透。原來我們正站在美國瀑布的下面。我只能看見巨浪滔天，劈空而下，但是對於這片巨浪的形狀和地位，卻毫無概念，只渺渺茫茫，感到泉飛水立，浩瀚汪洋而已。

我們坐在小渡船上，從兩個大瀑布前面那條洶湧奔騰的河裏過的時候，我才開始感到是怎麼回事；不過我卻有些目眩心搖，因而領會不到這幅光景到底有多博大。一直到我來到平頂岩上看去的時候——哎呀天哪，那樣一片飛立倒懸的晶瑩碧波！——它的巍巍凜凜，浩瀚峻偉，才在我眼前整個呈現。

於是我感到，我站的地方和造物者多麼近了，那時候，那幅宏偉的景象，一時之間所給我的印象，同時也就是永久無盡所給我的印象——一瞬的感覺，而又是永久的感覺——是一片和平之感：是心的寧靜，是靈的恬適，是對於死者淡泊安詳的回憶，是對於永久的安息和永久的幸福恢廓的展望，不摻雜一丁點黯淡之情，不摻雜一丁點恐怖之心。尼亞加拉一下就在我心裏留下深刻的印象——留下了一個美麗的形象；這形象，一直留在我的心頭，永遠不改變，永遠不磨滅，一直到我的心房停止了搏動的時候。

我們在那個神工鬼斧、天魔帝利所創造出來的地方待了十天，在那永久令人難忘的十天裏，日常生活中的齟齬和煩惱，如何離我而去，越去越遠啊！巨浪的砰訇對於我如何振聾發聵啊！絕跡於塵世之上而卻出現於晶瑩垂波之中的，是何等的面目啊！在變幻無常、橫亙半空的燦爛虹霓四圍上下，天使的淚如何玉圓珠明，異彩繽紜，紛飛亂灑，縱翻橫出啊！在這種眼淚裏，天心帝意，又如何透露而出啊！

我一起始，就跑到了加拿大那一邊兒，在那十天裏就一直在那兒沒動。我從來沒再過過河；因為我知道，河那邊也有人，而在這種地方，當然不能和不相干的閒雜人摻合。整天往來徘徊，從一切角度，來看這個垂瀑；站在馬蹄鐵大瀑布的邊緣上，看著奔騰的水，在快到崖頭的時候，力充勁足，然而卻又好像在馳下崖頭、投入深淵之前，先停頓一下似的；從河面上往上看巨濤下湧；攀上鄰嶺，從樹杪間瞭望，看激湍盤旋而前，翻下萬丈懸崖；站在下游三英里的巨石森岩下面，看著河水，波湧渦漩，砰訇應答，表面上看不出來它這樣的原因，實在在河水深處，卻受到巨瀑奔騰的騷擾；永遠有尼亞加拉當前，看它受日光的蒸騰，受月華的迤逗，夕陽西下中一片紅，暮色蒼茫中一片灰；白天整天眼裏看它，夜裏枕上醒來耳裏聽它；這樣的福就夠我享的了。

我現在每到平靜之時都要想：那片浩瀚洶湧的水，仍舊盡日橫衝直滾，飛懸倒灑，砰訇澎渤，雷鳴山崩；那些虹霓仍舊在它下面一百英尺的空中彎亙橫跨。太陽照在它上面的時候，它仍舊像玉液金波，晶瑩明徹。天色暗淡的時候，它仍舊像玉霰瓊雪，紛紛飛灑；像輕屑細末，從白堊質的懸崖峭壁上陣陣剝落；像如絮如棉的濃煙，從山腹幽岫裏蒸騰噴湧。但是這個滔天的巨浪，在它要往下流去的時候，好像先死去一番似的，從它那深不可測、以水為國的墳裏，永遠有浪花和迷霧的鬼魂，其大無物可與倫比，其強永遠不受降伏，在宇宙還是一片混沌、黑暗的時候，在匝地的巨浪——水——以前，另一個漫天的巨浪——光——還沒經上帝吩咐而一下彌漫宇宙的時候，就在這兒森然莊嚴地呈異顯靈。

（選自卓爾編著《外國散文名篇精選》，人民出版社 2010 年版）

編選說明 ●●●

查理・狄更斯（1812—1870），19 世紀英國批判現實主義小說家，擅長描寫英國社會底層小人物的生活遭遇，主要作品有《匹克威克外傳》《霧都孤兒》《艱難時世》《大衛·科波菲爾》《雙城記》等。本文所描寫的尼亞加拉大瀑布號稱世界七大奇景之一，狄更斯在那兒盤桓了十天之久，對它進行了全面細緻的觀察。從不同的角度欣賞：站在馬蹄鐵形的邊緣上看，從河面上俯瞰，攀上鄰嶺眺望，站在下面的巨岩下仰視，看它的千姿百態，美不勝收；在一天中不同時間裏欣賞：陽光下，夕陽裏，暮靄中，月光下，看它變幻多端，氣象萬千。它砰訇澎湃震耳欲聾的滔天氣勢，它如天使的眼淚般的空靈脱俗，使作者接受了一次莊嚴的洗禮，感受到了恬適的幸福，參悟了大自然的神秘與永恆。

梭羅

螞蟻大戰

森林並非總是一片歌舞昇平的和平景象。我還是一場戰爭的見證人。一天，我出門到我的木柴堆去，更準確地說，堆樹根之處，我瞥見兩隻螞蟻，一隻紅的，另一隻是黑的，後者比前者大得多，差不多有半英寸之長。兩隻螞蟻纏鬥不已。一交上手，誰也不退卻，推搡著，撕咬著，在木片上翻滾起伏。放眼遠望，我驚歎不已，木柴堆上到處都有這樣奮力廝殺的勇士，看來不是單挑決鬥，而是一場戰爭，兩個螞蟻王國的大決戰。紅螞蟻與黑螞蟻勢不兩立，通常是兩紅對一黑。木柴堆上都是這些能征善戰的彌爾彌冬軍團。地上躺滿已死和將死者，紅黑混雜一片。這是我親眼所見的唯一一場大決戰，我親臨激戰的中心地帶。相互殘殺的惡戰啊，紅色的共和黨和黑色的帝王派展開你死我活的接殺，雖沒聽到聲聲吶喊，但是人類之戰卻從未如此奮不顧身。

在一束陽光照射下的木片「小山谷」中，一對武士相互死死抱住對方。現在正是烈日當空，它們準備血拼到底，或魂歸天國。那精瘦的紅色鬥士像老虎鉗一樣緊緊咬住死敵的額頭不放。儘管雙方在戰場上翻來滾去，但紅色鬥士卻一刻不停地噬住對手的一根觸鬚的根部，另一根觸鬚已被咬斷，而胖大的黑色鬥士，舉起對手撞來撞去。我湊近觀戰，發現紅螞蟻的身體好些已被咬掉，它們比鬥犬廝殺更慘烈。

雙方都不讓分毫，顯然他們的戰爭信念是「不戰勝，毋寧死」。

在小山谷頂上出現一個荷戟獨彷徨的紅螞蟻，它看來鬥志正盛，不是已擊斃一個對手，就是剛剛投入戰場——據我的分析是後者，因為它還沒有缺胳膊少腿。它的母親要它舉著盾牌凱旋而歸，或者躺在盾牌上由戰友抬回故里。也許它是阿喀琉斯一般的猛將，獨自在熱火朝天的戰場外生悶氣，現在來救生死之交的派特洛克羅斯了，或者為這位不幸的亡友來報仇雪恨。它從遠處瞅見這場勢不均力不敵的搏鬥——黑螞蟻比紅螞蟻龐大近一倍——它奔馳過來，離開那對生死之搏的戰鬥者約半英寸處，看準時機，奮不顧身地撲向黑武士，一下咬住對方的前腿根。不管對手會在自己身上哪一塊反咬一口；三個戰鬥者為了生存黏在一起，好像已產生出一種新的黏膠劑，讓任何鎖鏈和水泥相形見絀。

這時，如看到他們各自的軍樂隊，在各方突起的木片上排成方陣，威武雄壯地高奏國歌，以振奮前仆後繼的前線將士，並激勵起那些奄奄一息的光榮鬥士，我不會感到詫異。我自己是熱血沸騰，彷彿它們是人。

你越深究下去，越覺得它們與人類並無兩樣。起碼在康科特的地方史志中，暫且不談美國歷史，當然是沒有一場戰爭博弈能與之並駕齊驅。無論從投入的總兵力，還是所激發的愛國主義和英雄主義，都無法相提並論。就雙方參戰數量和慘烈程度，這是一場奧斯特利茨大決戰，或鏖兵於德累斯頓的大血戰。嘿！康科特之戰！愛國志士死了兩個，而路德·布朗夏爾受了重傷！啊，這裏的每一個螞蟻都是一個波特林克，大呼著——開火，為上帝而戰。開火！——千百個生命卻像大衛斯和胡斯曼一樣殺身成仁。沒有一個雇傭兵，我不懷疑，它們是為真理而鬥爭，正如我的父輩一樣，並非為了區區三便士茶葉稅的緣故。當然，這場決戰對雙方來說是何等重大，將載入史冊，永志不忘，猶如我們的邦克山戰役一樣。

我特別關注三位武士的混戰，便把它們決戰其上的木片端進小木屋，放在我的窗臺上，罩上一個反扣的玻璃杯，以觀戰況。我用放大鏡觀察最初提到的紅螞蟻，看到它狠狠的咬住敵方的前腿上部，且咬斷了對方剩下的觸鬚，可自己的胸部卻被黑武士撕開了。露出了內臟，而黑武士的胸甲太結實，無法刺穿。這痛苦的紅武士暗紅的眸子發出戰爭激發出的凶光。它們在杯子下又纏鬥了半小時，當我再次觀戰時，那黑武士已使敵人身首異處，但那兩個依然有生命的腦袋，掛在它身體的兩側，猶如懸弔在馬鞍邊的兩個恐怖的戰利品，兩個紅螞蟻頭仍死咬住不放。黑螞蟻微弱地掙扎著，它沒有觸鬚，且剩下唯一的腿也已殘缺不全，渾身傷痕累累，它用盡力氣要甩掉它們。這件事半小時後總算完成。我拿起罩杯，它一瘸一拐爬過窗臺。經過這場惡戰，它能否活下來，能否把餘生消磨在榮軍院中，我並不清楚。我想以後它不能再挑起什麼重擔了。我不清楚誰是勝利的一方，也不知大戰的起因。但因目擊這一場大血戰，而整天陷入亢奮和失落的情緒之中，就像在我的大門前經過一場驚心動魄的戰爭。

吉爾貝和斯賓塞告訴我們，螞蟻戰爭長久以來就受到人們的敬重，彪炳史冊，戰爭的日期也有明確的記載，儘管據他們聲稱，近代作家中大約只有胡貝爾曾考察了螞蟻大戰。他們說：「對戰事發生在一棵梨樹干上的螞蟻大戰有過描述，這是一場大螞蟻對小螞蟻的難度極大的攻堅戰。」之後他們加上注解——「『這場苦戰發生在教皇尤琴尼斯四世治下，目擊者為著名律師尼古拉斯．畢斯托利安西斯，他的記錄忠實可信。』另有一場規模相當的大螞蟻和小螞蟻之戰，由俄拉烏斯．瑪格納斯記錄在案，結果小螞蟻以弱勝強。據說戰後它們掩埋了自己的烈士，讓大螞蟻的屍首曝屍荒野，任飛鳥去啄食。這場戰爭發生於殘暴的克利斯蒂安二世被逐出瑞典之前。」至於我目睹的這場大戰，發生於總統波爾克任內，時間間隔在韋伯斯特製訂的逃亡奴隸法案通過前 5 年。

（選自亨利．大衛．梭羅著《瓦爾登湖》，上海譯文出版社 2009 年版）

編選說明

亨利．大衛．梭羅（1817—1862），美國作家，思想家。梭羅的作品很多，大部分是對自然的觀察和描寫，最有名的是小說《瓦爾登湖》。它記載了梭羅在瓦爾登湖畔兩年又兩個月的生活，對美國乃至世界的生態文學、生態理念和生態保護運動皆影響深遠。本文是其中的一章，詳細地描寫了兩個對立的螞蟻王國之間的一場大戰，並以人類歷史上的諸多戰爭事件進行類比，從而得出「你越深究下去，越覺得它們和人類戰爭並無兩樣」的結論。仔細品味，梭羅的螞蟻大戰描寫中處處蘊含著社會和人生的大義，即戰爭只能造成兩敗俱傷，給人類生命和精神造成深重的災難。本文觀察細緻，描寫生動，聯想豐富，議論精彩。

泰戈爾

人生旅途

我在路邊坐下來寫作，一時想不起該寫些什麼。

樹蔭遮蓋的路，路畔是我的小屋，窗戶敞開著，第一束陽光跟隨無憂樹搖顫的綠影，走進來立在面前，端詳我片刻，撲進我懷裏撒嬌。隨後溜到我的文稿上面，臨別的時候，隱隱留下金色的吻痕。

黎明在我作品的四周嶄露。原野的鮮花，雲霓的色彩，涼爽的晨風，殘存的睡意，在我的書頁裏渾然交融。朝陽的愛撫在我手跡周遭青藤般地伸延。

我前面的行人川流不息。晨光為他們祝福，真誠地說：祝他們一路順風。鳥兒在唱吉利的歌曲。道路兩旁，希望似的花朵競相怒放。啟程時人人都說：請放心，沒有什麼可怕的。

浩茫的宇宙為旅行順利而高歌。光芒四射的太陽乘車駛過無垠的晴空。整個世界彷彿歡呼著天帝的勝利出現了。黎明笑吟吟的，臂膀伸向蒼穹，指著無窮的未來，為世界指路。黎明是世界的希冀、慰藉、白晝的禮贊，每日啟東方金碧的門戶，為人間攜來天國的福音，送來汲取的甘露；與此同時，仙境奇花的芳菲喚醒凡世的花香。黎明是人世旅程的祝福，真心誠意的祝福。

人世行客的身影落在我的作品裏。他們不帶走什麼。他們忘卻哀樂，拋下每一瞬間的生活負荷。他們的歡笑悲啼在我的文稿裏萌發幼芽。他們忘記他們唱的歌謠，留下他們的愛情。

是的，他們別無所有，只有愛。他們愛腳下的路，愛腳踩過的地面，企望留下足印。他離別灑下的淚水沃澤了立足之處。他們走過的路的兩旁，盛開了新奇的鮮花。他們熱愛同路的陌生人。愛是他們前進的動力，消除他們跋涉的疲累。人間美景和母親的慈愛一樣，伴隨著他們，召喚他們走出心境的黯淡，從後面簇擁著他們前行。

愛情若被鎖縛，世人的旅程即刻中止。愛情若葬入墳墓，旅人就是倒在墳上的墓碑。就像船的特點是被駕馭著航行，愛情不允許被幽禁，只允許被推著向前。愛情的紐帶的力量，足以粉碎一切羈絆。崇高愛情的影響下，渺小愛情的繩索斷裂；世界得以運動，否則會被本身的重量壓癱。

當旅人行進時，我倚窗望見他們開懷大笑，聽見他們傷心哭泣。讓人落淚的愛情，也能抹去人眼裏的淚水，催發笑顏的光華。歡笑，淚水，陽光，雨露，使我四周「美」的茂林百花吐豔。

愛情不讓人常年垂淚。因一個人的離別而使你潸然淚下的愛情，把五個人引到你身邊。愛情說：細心察看吧，他們絕不比那離去的人遜色。可是你淚眼濛濛，看不見誰，因而也不能愛。你甚至萬念俱灰，無心做事。你向後轉身木然地坐著，無意繼續人生的旅程。然而愛情最終獲勝，牽引你上路，你不可能永遠把臉俯貼在死亡上面。

拂曉，滿心喜悅動身的旅人，前往遠方，要走很長的路。沿途沒有他們的愛，他們走不完漫長的路。因為他們愛路，邁出每一步都感到快慰，不停地向前；也因為他們愛路，他們捨不得走，腿抬不起來，走一步便產生錯覺；已經獲得的大概今後再也得不到了。然而朝前走又忘掉這些，走一步消除一分憂愁。開初他們啜泣是由於惶恐，除此別無緣由。

你看，母親懷裏抱著嬰兒走在人世的路上。是誰把母子聯結在一起？是誰通過孩子引導著母親？是誰把嬰兒放在母親懷裏，道路便像臥房一樣溫馨？是愛變母親腳下的蒺藜為花朵！可是母親為什麼誤解？為什麼覺得孩子意味著她「無限」的終結呢？

漫長的路上，凡世的孩子們聚在一起娛樂。一個孩子拉著母親的手，進入孩子的王國——那裏儲藏著取之不竭的安慰。因著一張張細嫩的臉蛋，那裏像天國樂園一般。他們快活地爭搶天上的月亮，處處蕩漾著歡聲笑語的波瀾。但是你聽，路的一側，可愛無助的孩子的啼哭！疾病侵入他們的皮膚，損壞花瓣似的柔軟肢體。他們纖嫩的喉嚨發不出聲音；他們想哭，哭聲消逝在喉嚨裏。野蠻的成年人用各種辦法虐待他們。

我們生來都是旅人；假如萬能的天帝強迫我們在無盡頭的路上跋涉，假如嚴酷的厄運攥著我們的頭髮向前拖，作為弱者，我們有什麼法子？啟程的時刻，我們聽不到威脅的雷鳴，只聽黎明的諾言。不顧途中的危險，艱苦，我們懷著愛心前進。雖然有時忍受不了，但有愛從四面八方伸過手來。讓我們學會響應不倦的愛情的召喚，不陷入迷惘，不讓慘烈的壓迫用鎖鏈將我們束縛！

我坐在絡繹不絕的旅人的哀泣和歡聲的旁邊，注望著，沉思著，深愛著。我對他們說：「祝你們一路平安，我把我的愛作為川資贈給你們。因為行路不為別的，是出於愛的需要。願大家彼此奉獻真愛，旅人們在旅途互相幫助。」

（選自泰戈爾著《泰戈爾經典散文集》，新世界出版社 2010 年版）

編選說明 ●●●

泰戈爾（1861—1941），印度詩人、作家、社會活動家，1913 年憑藉宗教抒情詩《吉檀迦利》獲得諾貝爾文學獎，是首位獲得諾貝爾文學獎的亞洲人。除了宗教內容外，他詩歌的另一個重要內容是自然和生命，「愛」是其核心主題。本文開篇，作者即以詩意之筆描寫了大自然給予他的無限愛意，朝陽、綠影、雲霓、晨風，一切的一切，在作者的眼裏，都是那樣地親切可愛。然後，由眼前川流不息的行人引發感慨，使文章向深刻與開闊。人生就是一條漫長的旅途，每個人都是天生的旅人，不管遇到什麼艱難險阻，我們都要懷著愛心前進。有愛才有動力，有愛才不會迷惘。最後，作者真誠地呼喚：「願大家彼此奉獻真愛，旅人們在旅途互相幫助。」

高爾基

海燕

在蒼茫的大海上，狂風卷集著烏雲。在烏雲和大海之間，海燕像黑色的閃電，在高傲的飛翔。

一會兒翅膀碰著波浪，一會兒箭一般地直沖向烏雲，它叫喊著，——就在這鳥兒勇敢的叫喊聲裏，烏雲聽出了歡樂。

在這叫喊聲裏——充滿著對暴風雨的渴望！在這叫喊聲裏，烏雲聽出了憤怒的力量、熱情的火焰和勝利的信心。

海鷗在暴風雨來臨之前呻吟著，——呻吟著，它們在大海上飛竄，想把自己對暴風雨的恐懼，掩藏到大海深處。海鴨也在呻吟著，——它們這些海鴨啊，享受不了生活的戰鬥的歡樂：轟隆隆的雷聲就把它們嚇壞了。

蠢笨的企鵝，膽怯地把肥胖的身體躲藏到懸崖底下……只有那高傲的海燕，勇敢地，自由自在地，在泛起白沫的大海上飛翔！

烏雲越來越暗，越來越低，向海面直壓下來，而波浪一邊歌唱，一邊沖向高空，去迎接那雷聲。

雷聲轟隆。波浪在憤怒的飛沫中呼叫，跟狂風爭鳴。看吧，狂風緊緊抱起一層層巨浪，惡狠狠地把它們甩到懸崖上，把這些大塊的翡翠摔成塵霧和碎末。

海燕叫喊著，飛翔著，像黑色的閃電，箭一般地穿過烏雲，翅膀掠起波浪的飛沫。

看吧，它飛舞著，像個精靈，——高傲的、黑色的暴風雨的精靈，——它在大笑，它又在號叫……它笑那些烏雲，它因為歡樂而號叫！

這個敏感的精靈，——它從雷聲的震怒裏，早就聽出了困乏，它深信，烏雲遮不住太陽，——是的，遮不住的！

狂風吼叫……雷聲轟響……

一堆堆烏雲，像青色的火焰，在無底的大海上燃燒。大海抓住閃電的箭光， 把它們熄滅在自己的深淵裏。這些閃電的影子，活像一條條火蛇，在大海裏蜿蜒遊動，一晃就消失了。

——暴風雨！暴風雨就要來啦！

這是勇敢的海燕，在怒吼的大海上，在閃電中間，高傲地飛翔；這是勝利的預言家在叫喊：

——讓暴風雨來得更猛烈些吧！

（選自卓爾編著《外國散文名篇精選》，新疆美術攝影出版社 2010 年版）

編選説明 •••

高爾基（1868—1936），蘇聯無產階級作家。《海燕》是無產階級文學的開山之作。在作品中，高爾基以昂揚的浪漫主義激情，氣勢磅　的藝術筆觸，對大自然中暴風雨即將來臨時的景象進行了生動的描繪，形象地反映了俄國 1905 年大革命前夜「山雨欲來風滿樓」的社會形勢，暗示了革命暴風雨即將到來，沙皇專制統治必然崩潰，革命事業必然勝利。全詩語言充滿激情，使人振奮，尤其是結尾「讓暴風雨來得更猛烈些吧」既是對革命風暴的期盼又是對廣大人民的戰鬥召喚。在整體的審美上，《海燕》既是一首色彩鮮明的抒情詩，又是一幅富有流動感的油畫。本文氣勢磅　，色彩厚重，情感激越，具有很強的藝術感染力。

黑塞

紅房子

紅房子，從你的小花園和葡萄園裏，向我送來了整個阿爾卑斯山南面的芬芳！我多少次從你身邊經過，頭一回經過時，我的流浪的樂趣就震顫地想起了它的對稱極，我又一次奏起往昔經常彈奏的旋律：有一個家，綠色花園裏的一幢小屋，周圍一片寂靜，遠離村落；在小房間裏，朝東放著我的床，我自己的床；在小房間裏，朝南擺著我的桌子，那裏我也會掛上一幅小小的古老的聖母像，那是我在早年的一次旅途中，在佈雷西亞買到的。

正如白晝是在清晨和夜晚之間，我的人生也是在旅行的欲望和安家的願望之間漸漸消逝的。也許有朝一日我會達到這樣的境地，旅途和遠方在心靈中屬我所有，我心靈中有它們的圖像，不必再把它們變成為現實。也許有朝一日我還會達到這樣的境地，我的心靈中有家鄉，那就不會再向花園和紅房子以目送情了——心靈中有家鄉！

如果有一個中心，所有的力從這個中心出發向兩端擺動。那是，生活會是多麼不同啊！

但是，我的生活沒有這樣一個中心，而是震顫地在許多組正極和負極之間搖擺。這邊是眷戀在家安居，那邊是思念永遠在旅途中。這邊是渴望孤獨和修道院，那邊是思慕愛和團體！我收集過書籍和圖畫，但又把它們送掉。我曾擺過闊，染上過惡習，也曾轉而去禁欲與苦行。我曾經虔誠地把生命當做根本來崇敬，後來卻又只能把生命看做是功能並加以愛護。

但是，把我變成另一個模樣，這不是我的事情。這是神跡的事情。誰要尋找神跡，誰要把他引來，誰要幫助它，它就逃避誰。我的事情是，漂浮在許多緊張對立的矛盾之間，並且作好了精神準備，如果奇跡突然降臨到我頭上的話。我的事情是，不滿並忍受著動盪不安。

綠色中的紅房子！我對你已經有過體驗，我可不想再次體驗了。我曾經有過家鄉，建造過一幢房屋，丈量過牆壁和屋頂，築過花園裏的小徑，也曾把自己的畫掛在自己的牆上。每個人都有這樣的欲望——我也想按這種欲望來生活！我的許多願望已經在生活中實現了。我想成為詩人，也真的成了詩人。我想有一所房子，也真為自己建造了一所。我想有妻室和孩子，後來也都有了。我要同人們談話並影響他們，我也做了。可是每當一個願望實現了以後，很快就變成了不滿足。但這是我所不能忍受的。我於是懷疑起寫詩來了。我覺得房屋變狹窄了。已經達到的目的，都談不上是目的，每條路都是一條彎路，每次休憩都產生新的渴望。

我還會走許多彎路，還將實現許多願望，但到頭來仍將使我失望。總有一天一切都將顯示它的意義。

那兒，矛盾消失的地方，是涅槃境界。可是，可愛的眷念的群星還向我放射出明亮的光。

〔選自朱懷江主編《青年必知名家散文精選》（外國卷），中國國際廣播出版社 2001 年版〕

編選說明 ●●●

赫爾曼．黑塞（1877—1962），德國作家，1946年獲諾貝爾文學獎，雨果．巴爾稱他為「德國浪漫派最後一個騎士」，主要作品有長篇小說《彼得．卡門青》《荒原狼》《玻璃球遊戲》等。黑塞擅長運用象徵的藝術手段使作品的意義得以凝聚和昇華，本文也是這樣。「綠色中的紅房子」曾是作者生活的理想，可現在擁有了，卻又感到不滿足，又有了新的渴望。人生就是這樣，充滿著矛盾。矛盾消失了，生命也就涅槃了。所以，人的一生都與矛盾同行。一個願望實現了，很快就變成了不滿足，願望變成了失望。但是，我們的每一次追求、走過的每一條彎路，「總有一天一切都將顯示它的意義」。所以，我們應該正視矛盾，在矛盾中進取，追求有意義的人生。

川端康成

花未眠

我常常不可思議地思考一些微不足道的問題。昨日一來到熱海的旅館，旅館的人拿來了與壁龕裏的花不同的海棠花。我太勞頓，早早就入睡了。淩晨四點醒來，發現海棠花未眠。

發現花未眠，我大吃一驚。有葫蘆花和夜來香，也有牽牛花和合歡花，這些花差不多都是晝夜綻放的。花在夜間是不眠的。這是眾所週知的事。可我彷彿才明白過來。淩晨四點凝視海棠花，更覺得它美極了。它盛放，含有一種哀傷的美。

花未眠這眾所週知的事，忽然成了新發現花的機緣。自然的美是無限的。人感受到的美卻是有限的。正因為人感受美的能力是有限的，所以說人感受到的美是有限的，自然的美是無限的。至少人的一生中感受到的美是有限的，是很有限的，這是我的實際感受，也是我的感歎。人感受美的能力，既不是與時代同步前進，也不是伴隨年齡而增長。淩晨四點的海棠花，應該說也是難能可貴的。如果說，一朵花很美，那麼我有時就會不由自主地自語道：要活下去！

畫家雷諾瓦說：只要有點進步，那就是進一步接近死亡，這是多麼淒慘啊。他又說：我相信我還在進步。這是他臨終的話。米開朗基羅臨終的話也是：事物好不容易如願表現出來的時候，也就是死亡。米開朗基羅享年八十九歲。我喜歡他的用石膏套制的臉型。

毋寧說，感受美的能力，發展到一定程度是比較容易的。光憑頭腦想像是困難的。美是邂逅所得，是親近所得。這是需要反覆陶冶的。比如唯一一件的古美術作品，成了美的啟迪，成了美的開光，這種情況確是很多。所以說，一朵花也是好的。

凝視著壁龕裏擺著的一朵插花，我心裏想道：與這同樣的花自然開放的時候，我會這樣仔細凝視它嗎？只摘了一朵花插入花瓶，擺在壁龕裏，我才凝神注視它。不僅限於花。就說文學吧，今天的小說家如同今天的歌人一樣，一般都不怎麼認真觀察自然。大概認真觀察的機會很少吧。壁龕裏插上一朵花，要再掛上一幅花的畫。這畫的美，不亞於真花的當然不多。在這種情況下，要是畫作拙劣，那麼真花就更加顯得美。就算畫中花很美，可真花的美仍然是很顯眼的。然而，我們仔細觀賞畫中花，卻不怎麼留心欣賞真的花。

李迪、錢舜舉也好，宗達、光琳、御舟以及古徑也好，許多時候我們是從他們描繪的花畫中領略到真花的美。不僅限於花。最近我在書桌上擺上兩件小青銅像，一件是羅丹創作的《女人的手》，一件是瑪伊約爾創作的《勒達像》。光這兩件作品也能看出羅丹和瑪伊約爾的風格是迥然不同的。從羅丹的作品中可以體味到各種的手勢，從瑪伊約爾的作品中則可以領略到女人的肌膚。他們觀察之仔細，不禁讓人驚訝。

我家的狗產仔，小狗東倒西歪地邁步的時候，看見一隻小狗的小小形象，我嚇了一跳。因為它的形象和某種東西一模一樣。我發覺原來它和宗達所畫的小狗很相似。那是宗達水墨畫中的一隻在春草上的小狗的形象。我家餵養的是雜種狗，算不上什麼好狗，但我深深理解宗達高尚的寫實精神。

去年歲暮，我在京都觀察晚霞，就覺得它同長次郎使用的紅色一模一樣。我以前曾看見過長次郎製造的稱之為夕暮的名茶碗。這只茶碗的黃色帶紅釉子，的確是日本黃昏的天色，它滲透到我的心中。我是在京都仰望真正的天空才想起茶碗來的。觀賞這只茶碗的時候，我不由地浮現出阪本繁二郎的畫來。那是一幅小畫。畫的是在荒原寂寞村莊的黃昏天空上，泛起破碎而蓬亂的十字型雲彩。這的確是日本黃昏的天色，它滲入我的心。阪本繁二郎畫的霞彩，同長次郎製造的茶碗的顏色，都是日本色彩。在日暮時分的京都，我也想起了這幅畫。於是，繁二郎的畫、長次郎的茶碗和真正黃昏的天空，三者在我心中相互呼應，顯得更美了。

那時候，我去本能寺拜謁浦上玉堂的墓，歸途正是黃昏。翌日，我去嵐山觀賞賴山陽刻的玉堂碑。由於是冬天，沒有人到嵐山來參觀。可我卻第一次發現了嵐山的美。以前我也曾來過幾次，作為一般的名勝，我沒有很好地欣賞它的美。嵐山總是美的。自然總是美的。不過，有時候，這種美只是某些人看到罷了。

我之發現花未眠，大概也是我獨自住在旅館裏，淩晨四時就醒來的緣故吧。

一九五〇年五月

（選自射大光編著《百年外國散文精華》，浙江文藝出版社 2007 年版）

編選說明 ●●●

川端康成（1899—1972），日本新感覺派代表作家，代表作有小說《伊豆的舞女》《雪國》《千隻鶴》等。他「以非凡的銳敏表現了日本人的精神實質」，於 1968 年獲諾貝爾文學獎。《花未眠》是一篇論美的散文，由自然之美引發對生命之美的思考。作者由「淩晨四點醒來，發現海棠花未眠」這一小事感歎自然的美是無限的，人感受到的美卻是有限的。儘管海棠花深夜寂寞地開放，美得哀傷，但作者卻從中感受到了生命的力量和偉大，一朵花的美能讓人產生「要活下去」的勇氣。感受美，不是憑頭腦想像，而是「邂逅所得」，「親近所得」，是需要機緣的。生活中、自然中處處有美，不過，「有時候，這種美只是某些人看到罷了」。

茨威格

世間最美的墳墓
——記 1928 年的一次俄國旅行

我在俄國所見到的景物再沒有比托爾斯泰墓更宏偉、更感人的了。這塊將被後代永遠懷著敬畏之情朝拜的尊嚴聖地，遠離塵囂，孤零零地躺在林蔭裏。順著一條羊腸小路信步走去，穿過林間空地和灌木叢，便到了墓冢前。這只是一個長方形的土堆而已。無人守護，無人管理，只有幾株大樹蔭庇。他的外孫女跟我講，這些高大挺拔、在初秋的風中微微搖動的樹木是托爾斯泰親手栽種的。小的時候，他的哥哥尼古萊和他聽保姆或村婦講過一個古老傳說，提到親手種樹的地方會變成幸福的所在。於是他們倆就在自己莊園的某塊地上栽了幾株樹苗，這個兒童遊戲不久也就忘了。托爾斯泰晚年才想起這樁兒時往事和關於幸福的奇妙許諾，飽經憂患的老人突然中獲到了一個新的、更美好的啟示。他當即表示願意將來埋骨於那些親手栽種的樹木之下。

後來就這樣辦了，完全按照托爾斯泰的願望；他的墓成了世間最美的、給人印象最深刻的、最感人的墳墓。它只是樹林中的一個小小長方形土丘，上面開滿鮮花，沒有十字架沒有墓碑，沒有墓誌銘，連托爾斯泰這個名字也沒有。這個比誰都感到受自己的聲名所累的偉人，就像偶而被發現的流浪漢、不為人知的士兵那樣不留名姓地被人埋葬了。誰都可以踏進他最後的安息地，圍在四周的稀疏的木柵欄是不關閉的——保護列夫・托爾斯泰得以安息的沒有任何別的東西，唯有人們的敬意；而通常，人們卻總是懷著好奇，去破壞偉人墓地的寧靜。這裏，逼人的樸素禁錮住任何一種觀賞的閒情，並且不容許你大聲說話。風兒在俯臨這座無名者之墓的樹木之間颯颯響著，和暖的陽光在墳頭嬉戲；冬天，白雪溫柔地覆蓋這片幽暗的土地。無論你在夏天還是冬天經過這兒，你都想像不到，這個小小的、隆起的長方形包容著當代最偉大的人物當中的一個。然而，恰恰是不留姓名，比所有挖空心思置辦的大理石和奢華裝飾更扣人心弦：今天，在這個特殊的日子裏，成百上千到他的安息地來的人中間沒有一個有勇氣，哪怕僅僅從這幽暗的土丘上摘下一朵花留作紀念。人們重新感到，這個世界上再也沒有比這最後留下的、紀念碑式的樸素更打動人心的了。老殘軍人退休院大理石穹隆底下拿破崙的墓穴，魏瑪公侯之墓中歌德的靈寢，西敏司寺裏莎士比亞的石棺，看上去都不像樹林中的這個只有風兒低吟，甚至全無人語聲，莊嚴肅穆，感人至深的無名墓冢那樣能劇烈震撼每一個人內心深藏著的感情。

（選自卓爾編著《外國散文名篇精選》，人民出版社 2010 年版）

編選說明 •••

斯蒂芬・茨威格（1881—1942），奧地利著名作家，擅長寫小說、人物傳記，代表作有《月光小巷》《看不見的珍藏》《一個陌生女人的來信》等。本文用抒情筆調，描寫了托爾斯泰墓地極其樸素、清幽、簡陋的環境，「這只是一個長方形的土堆而已。無人守護，無人管理」，「沒有十字架，沒有墓碑，沒有墓誌銘，連托爾斯泰這個名字也沒有」。墓的樸素平凡與墓中人的偉大崇高形成了巨大的反差，在作者的內心引起了強烈的震撼，筆端自然流瀉出對托爾斯泰的無限敬意與景仰。同時，他也在告訴人們，普通蘊含著偉大，平凡襯托出崇高，光輝的人格魅力才能長久地震撼人們的心靈。

羅素

論老之將至

雖然有這樣一個標題，這篇文章真正要談的卻是怎樣才能不老。在我這個年紀，這實在是一個至關重要的問題。我的第一個忠告是，要仔細選擇你的祖先。儘管我的雙親皆屬早逝，但是考慮到我的其它祖先，我的選擇還是很不錯的。是的，我的外祖父六十七歲時去世，正值盛年，可是另外三位祖父輩的親人都活到八十歲以上。至於稍遠些的親戚，我只發現一位沒能長壽的，他死於一種現已罕見的病症：被殺頭。我的一位曾祖母是吉本的朋友，她活到九十二歲高齡，一直到死，她始終是讓子孫們全都感到敬畏的人。我的外祖母，一輩子生了十個孩子，活了九個，還有一個早年夭折，此外還有過多次流產。可是守寡以後，她馬上就致力於婦女的高等教育事業。她是格頓學院的創辦人之一，力圖使婦女進入醫療行業。她總好講起她在意大利遇到過的一位面容悲哀的老年紳士。她詢問他憂鬱的緣故，他說他剛剛同兩個孫兒女分手。「天哪！」她叫道，「我有七十二個孫兒孫女，如果我每次分手就要悲傷不已，那我早就沒法活了！」「奇怪的母親。」他回答說。但是，作為她的七十二個孫兒孫女的一員，我卻要說我更喜歡她的見地。上了八十歲，她開始感到有些難以入睡，她便經常在午夜時分至淩晨三時這段時間裏閱讀科普方面的書籍。我想她根本就沒有工夫去留意她在衰老。我認為，這就是保持年輕的最佳方法。如果你的興趣和活動既廣泛又濃烈，而且你又能從中感到自己仍然精力旺盛，那麼你就不必去考慮你已經活了多少年這種純粹的統計學情況，更不必去考慮你那也許不很長久的未來。

至於健康，由於我這一生幾乎從未患過病，也就沒有什麼有益的忠告。我吃喝均隨心所欲，醒不了的時候就睡覺。我做事情從不以它是否有益健康為依據，儘管實際上我喜歡做的事情通常都是有益健康的。

從心理角度講，老年需防止兩種危險。一是過分沉湎於往事。人不能生活在回憶當中，不能生活在對美好往昔的懷念或對去世的友人的哀念之中。一個人應當把心思放在未來，放到需要自己去做點什麼的事情上。要做到這一點並非輕而易舉，往事的影響總是在不斷增加。人們總好認為自己過去的情感要比現在強烈得多，頭腦也比現在敏銳。假如真的如此，就該忘掉它；而如果可以忘掉它，那你自以為是的情況就可能並不是真的。

另一件應當避免的事是依戀年輕人，期望從他們的勃勃生氣中獲取力量。子女們長大成人以後，都想按照自己的意願生活。如果你還想像她們年幼時那樣關心他們，你就會成為他們的包袱，除非她們是異常遲鈍的人。我不是說不應該關心子女，而是說這種關心應該是含蓄的，假如可能的話，還應是寬厚的，而不應該過分地感情用事。動物的幼子一旦自立，大動物就不再關心它們了。人類則因其幼年時期較長而難於做到這一點。

我認為，對於那些具有強烈的愛好，其活動又都恰當適宜、並且不受個人情感影響的人們，成功地度過老年決非難事。只有在這個範圍裏，長壽才真正有益；只有在這個範圍裏，源於經驗的智慧才能得到運用而不令人感到壓抑。告誡已經成人的孩子別犯錯誤是沒有用處的，因為一來他們不會相信你，二來錯誤原本就是教育所必不可少的要素之一。但是，如果你是那種受個人情感支配的人，你就會感到，不把心思都放在子女和孫兒女身上，你就會覺得生活很空虛。假如事實確是如此，那麼你必須明白，雖然你還能為他們提供物質上的幫助，比如支持他們一筆錢或者為他們編織毛線外套的時候，決不要期望他們會因為你的陪伴而感到快樂。

有些老人因害怕死亡而苦惱。年輕人害怕死亡是可以理解的。有些年輕人擔心他們會在戰鬥中喪身。一想到會失去生活能夠給予他們的種種美好事務，他們就感到痛苦。這種擔心並不是無緣無故的，也是情有可原的。但是，對於一位經歷了人世的悲歡、履行了個人職責的老人，害怕死亡就有些可憐且可恥了。克服這種恐懼的最好辦法是——至少我是這樣看的——逐漸擴大你的興趣範圍並使其不受個人情感的影響，直至包圍自我的圍牆一點一點地離開你，而你的生活則越來越融合於大家的生活之中。每一個人的生活都應該像河水一樣——開始是細小的，被限制在狹窄的兩岸之間，然後熱烈地沖過巨石，滑下瀑布。漸漸地，河道變寬了，河岸擴展了，河水流得更平穩了。最後，河水流入了海洋，不再有明顯的間斷和停頓，而後便毫無痛苦地擺脫了自身的存在。能夠這樣理解自己一生的老人，將不會因害怕死亡而痛苦，因為他所珍愛的一切都將繼續存在下去。而且，如果隨著精力的衰退，疲倦之感日漸增加，長眠並非是不受歡迎的念頭。我渴望死於尚能勞作之時，同時知道他人將繼續我所未竟的事業，我大可因為已經盡了自己之所能而感到安慰。

（選自盛文林編著《最經典的外國散文》，臺海出版社 2011 年版）

編選說明

伯特蘭．亞瑟．威廉．羅素（1872—1970），20 世紀聲譽卓著、影響深遠的思想家之一，一生中完成了四十多部著作，涉及哲學、數學、科學、倫理學、社會學、教育、歷史、宗教、政治等各個方面。1950 年獲諾貝爾文學獎。本文中，羅素以他的睿智和人生經驗，為老年人如何順利度過晚年提出了很多有益的建議：不要過分沉湎於往事；不要依戀年輕人；不要害怕死亡，克服死亡恐懼的最好辦法是，「逐漸擴大你的興趣範圍並使其不受個人情感的影響，直至包圍自我的圍牆一點一點地離開你，而你的生活則越來越融合於大家的生活之中」，作者用了一個形象的比喻來說明這個道理，即人生如同一條河，漸流漸寬，漸流漸遠，最後平靜地入海。

馬丁・路德・金

我有一個夢想

一百年前，一位偉大的美國人簽署瞭解放黑奴宣言，今天我們就是在他的雕像前集會。這一莊嚴宣言猶如燈塔的光芒，給千百萬在那摧殘生命的不義之火中受煎熬的黑奴帶來了希望。它之到來猶如歡樂的黎明，結束了束縛黑人的漫漫長夜。

然而一百年後的今天，我們必須正視黑人還沒有得到自由這一悲慘的事實。一百年後的今天，在種族隔離的鐐銬和種族歧視的枷鎖下，黑人的生活備受壓榨。一百年後的今天，黑人仍生活在物質充裕的海洋中一個窮困的孤島上。一百年後的今天，黑人仍然萎縮在美國社會的角落裏，並且意識到自己是故土家園中的流亡者。今天我們在這裏集會，就是要把這種駭人聽聞的情況公之於眾。

就某種意義而言，今天我們是為了要求兌現諾言而彙集到我們國家的首都來的。我們共和國的締造者草擬憲法和獨立宣言的氣壯山河的詞句時，曾向每一個美國人許下了諾言，他們承諾給予所有的人以生存、自由和追求幸福的不可剝奪的權利。

就有色公民而論，美國顯然沒有實踐她的諾言。美國沒有履行這項神聖的義務，只是給黑人開了一張空頭支票，支票上蓋著「資金不足」的戳子後便退了回來。但是我們不相信正義的銀行已經破產，我們不相信，在這個國家巨大的機會之庫裏已沒有足夠的儲備。因此今天我們要求將支票兌現——這張支票將給予我們寶貴的自由和正義的保障。

我們來到這個聖地也是為了提醒美國，現在是非常急迫的時刻。現在決非侈談冷靜下來或服用漸進主義的鎮靜劑的時候。現在是實現民主的諾言的時候，現在是從種族隔離的荒涼陰暗的深谷攀登種族平等的光明大道的時候，現在是向上帝所有的兒女開放機會之門的時候，現在是把我們的國家從種族不平等的流沙中拯救出來，置於兄弟情誼的磐石上的時候。

如果美國忽視時間的迫切性和低估黑人的決心，那麼，這對美國來說，將是致命傷。自由和平等的爽朗秋天如不到來，黑人義憤填膺的酷暑就不會過去。1963 年並不意味著鬥爭的結束，而是開始。有人希望，黑人只要撒撒氣就會滿足；如果國家安之若素，毫無反應，這些人必會大失所望的。黑人得不到公民的權利，美國就不可能有安寧或平靜，正義的光明的一天不到來，叛亂的旋風就將繼續動搖這個國家的基礎。

但是對於等候在正義之宮門口的心急如焚的人們，有些話我是必須說的。在爭取合法地位的過程中，我們不要採取錯誤的做法。我們不要為了滿足對自由的渴望而抱著敵對和仇恨之杯痛飲。我們鬥爭時必須永遠舉止得體，紀律嚴明。我們不能容許我們的具有嶄新內容的抗議蛻變為暴力行動。我們要不斷地昇華到以精神力量對付物質力量的崇高境界中去。

現在黑人社會充滿著了不起的新的戰鬥精神，但是不能因此而不信任所有的白人。因為我們的許多白人兄弟已經認識到，他們的命運與我們的命運是緊密相連的，他們今天參加遊行集會就是明證。他們的自由與我們的自由是息息相關的。我們不能單獨行動。

當我們行動時，我們必須保證向前進。我們不能倒退。現在有人問熱心民權運動的人：「你們什麼時候才能滿足？」

只要黑人仍然遭受員警難以形容的野蠻迫害，我們就絕不會滿足。

只要我們在外奔波而疲乏的身軀不能在公路旁的汽車旅館和城裏的旅館找到住宿之所，我們就絕不會滿足。

只要黑人的基本活動範圍只是從少數民族聚居的小貧民區轉移到大貧民區，我們就絕不會滿足。

只要密西西比仍然有一個黑人不能參加選舉，只要紐約有一個黑人認為他投票無濟於事，我們就絕不會滿足。

不！我們現在並不滿足，我們將來也不滿足，除非正義和公正猶如江海之波濤，洶湧澎湃，滾滾而來。

我並非沒有注意到，參加今天集會的人中，有些受盡苦難和折磨，有些剛剛走出窄小的牢房，有些由於尋求自由，曾在居住地慘遭瘋狂迫害和打擊，並在員警暴行的旋風中搖搖欲墜。你們是人為痛苦的長期受難者。堅持下去吧，要堅決相信，忍受不應得的痛苦是一種贖罪。

讓我們回到密西西比去，回到阿拉巴馬去，回到南卡羅來納去，回到佐治亞去，回到路易斯安那去，回到我們北方城市中的貧民區和少數民族居住區去，要心中有數，這種狀況是能夠也必將改變的。我們不要陷入絕望而不可自拔。

朋友們，今天我對你們說，在此時此刻，我們雖然遭受種種困難和挫折，我仍然有一個夢想，這個夢想是深深紮根於美國的夢想中的。

我夢想有一天，這個國家會站立起來，真正實現其信條的真諦：「我們認為這些真理是不言而喻的，人人生而平等。」

我夢想有一天，在佐治亞的紅山上，從前奴隸的後嗣將能夠和奴隸主的後嗣坐在一起，共敘兄弟情誼。

我夢想有一天，甚至連密西西比州這個正義匿跡，壓迫成風，如同沙漠般的地方，也將變成自由和正義的綠洲。

我夢想有一天，我的四個孩子將在一個不是以他們的膚色，而是以他們的品格優劣來評價他們的國度裏生活。

我今天有一個夢想。我夢想有一天，阿拉巴馬州能夠有所轉變，儘管該州州長現在仍然滿口異議，反對聯邦法令，但有朝一日，那裏的黑人男孩和女孩將能與白人男孩和女孩情同骨肉，攜手並進。

我今天有一個夢想。

我夢想有一天，幽谷上陞，高山下降；坎坷曲折之路成坦途，聖光披露，滿照人間。

這就是我們的希望。我懷著這種信念回到南方。有了這個信念，我們將能從絕望之嶺劈出一塊希望之石。有了這個信念，我們將能把這個國家刺耳的爭吵聲，改變成為一支洋溢手足之情的優美交響曲。

有了這個信念，我們將能一起工作，一起祈禱，一起鬥爭，一起坐牢，一起維護自由；因為我們知道，終有一天，我們是會自由的。

在自由到來的那一天，上帝的所有兒女們將以新的含義高唱這支歌：「我的祖國，美麗的自由之鄉，我為您歌唱。您是父輩逝去的地方，您是最初移民的驕傲，讓自由之聲響徹每個山崗。」

如果美國要成為一個偉大的國家，這個夢想必須實現。讓自由之聲從新罕布什爾州的巍峨的崇山峻嶺響起來！讓自由之聲從紐約州的崇山峻嶺響起來！」

讓自由之聲從科羅拉多州冰雪覆蓋的洛磯山響起來！讓自由之聲從加利福尼亞州蜿蜒的群峰響起來！不僅如此，還要讓自由之聲從佐治亞州的石嶺響起來！讓自由之聲從田納西州的瞭望山響起來！

讓自由之聲從密西西比的每一座丘陵響起來！讓自由之聲從每一片山坡響起來。

當我們讓自由之聲響起來，讓自由之聲從每一個大小村莊、每一個州和每一個城市響起來時，我們將能夠加速這一天的到來。那時，上帝的所有兒女，黑人和白人，猶太教徒和非猶太教徒，耶穌教徒和天主教徒，都將手攜手，合唱一首古老的黑人靈歌：「終於自由啦！終於自由啦！感謝全能天父，我們終於自由啦！」

（選自盛文林編著《最經典的外國散文》，臺海出版社 2011 年版）

編選說明 ●●●

馬丁·路德·金（1929—1968），美國黑人律師，著名黑人民權運動領袖，1964 年獲諾貝爾和平獎，被譽為近百年來「八大最具說服力的演說家」之一。他的演說語音鏗鏘，雄渾蒼涼，激昂雄辯，極具震撼人心之力。《我有一個夢想》被譽為「20 世紀最振奮人心的為自由民主而戰的檄文」。它精闢、有力，充滿意蘊。馬丁提出美國應走出種族不平等的現狀，不論白人還是黑人都應享有不可讓渡的生存權、自由權和追求幸福權。他夢想有一天，這個國家將會奮起，實現其立國信條的真諦：「人人生而平等。」 馬丁的夢想不只是美國黑人的夢想，也是全世界人民共同的夢想。

擴展閱讀

1. （俄）列夫・托爾斯泰著：《安娜・卡列尼娜》，上海譯文出版社 1982 年版。
2. （法）羅曼・羅蘭著：《約翰・克里斯朵夫》，人民文學出版社 1957 年版。
3. （德）湯瑪斯・曼著：《布登勃洛克一家》，譯林出版社 1999 年版。
4. （西班牙）賽凡提斯著：《堂吉珂德》，譯林出版社 1999 年版。
5. （法）斯丹達爾著：《紅與黑》，譯林出版社 1999 年版。
6. （法）雨果著：《悲慘世界》，譯林出版社 2001 年版。
7. （英）哈代著：《德伯家的苔絲》，人民文學出版社 1984 年版。
8. （美）梭羅著：《瓦爾登湖》，上海譯文出版社 2004 年版。
9. （法）福樓拜著：《包法利夫人》，譯林出版社 1999 年版。
10. （俄）陀思妥耶夫斯基著：《罪與罰》，譯林出版社，1999 年版。
11. （俄）阿・托爾斯泰著：《戰爭與和平》，上海譯文出版社 2010 年版。

12.（英）莎士比亞著：《哈姆萊特》《羅密歐與茱麗葉》，譯林出版社2000年版。
13.（蘇聯）尼．奧斯特洛夫斯基著：《鋼鐵是怎樣煉成的》，譯林出版社1999年版。
14.（蘇聯）鮑．瓦西里耶夫著：《這裏的黎明靜悄悄》，貴州人民出版社1994年版。
15.（美）菲茨傑拉德著：《了不起的蓋茨比》，上海譯文出版社2009年版。
16.（愛爾蘭）喬伊絲著：《尤利西斯》，譯林出版社1999年版。
17.（法）普魯斯特著：《追憶似水年華》，譯林出版社1999年版。
18.（日本）川端康成著：《雪國》，譯林出版社1999年版。
19.（俄）帕斯捷爾納克著：《日瓦戈醫生》，外國文學出版社1987年版。
20.（美）海明威著：《老人與海》，上海譯文出版社2001年版。
21.（哥倫比亞）瑪律克斯著：《百年孤獨》，浙江文藝出版社1991年版。
22.（印度）泰戈爾著：《吉檀枷利》，外語教學與研究出版社2010年版。
23.（英）蕭伯納著：《聖女貞德》，灕江出版社2001年版。
24.（蘇聯）肖洛霍夫著：《靜靜的頓河》，人民文學出版社1988年版。

後記●●●

文學卷共選古今中外作品七十五篇，其中中國古代作品三十六篇，中國現當代作品二十五篇，外國作品十四篇。由於篇幅所限，所有入選作品均為散文。為了進一步擴展閱讀，我們附錄了「擴展閱讀」書目一份，以供選擇。

本書中國古代作品的選評，由黎清同志負責；中國現當代作品和外國作品的選評，由倪愛珍同志負責；夏漢寧同志負責統稿。

編選者

2011 年 7 月 5 日

昌明文庫．悅讀經典 A0601001

一生必讀的中外經典名著・文學卷

選　　編　夏漢字、倪愛珍、黎清
責任編輯　蔡雅如

發 行 人　陳滿銘
總 經 理　梁錦興
總 編 輯　陳滿銘
副總編輯　張晏瑞
編 輯 所　萬卷樓圖書股份有限公司
排　　版　菩薩蠻數位文化有限公司
印　　刷　百通科技股份有限公司
封面設計　菩薩蠻數位文化有限公司

出　　版　昌明文化有限公司
桃園市龜山區中原街 32 號
電話 (02)23216565
發　　行　萬卷樓圖書股份有限公司
臺北市羅斯福路二段 41 號 6 樓之 3
電話 (02)23216565
傳真 (02)23218698
電郵 SERVICE@WANJUAN.COM.TW
大陸經銷
廈門外圖臺灣書店有限公司
電郵 JKB188@188.COM

ISBN 978-986-496-031-6
2017 年 7 月初版
定價：新臺幣 460 元

如何購買本書：

1. 劃撥購書，請透過以下郵政劃撥帳號：
   帳號：15624015
   戶名：萬卷樓圖書股份有限公司
2. 轉帳購書，請透過以下帳戶
   合作金庫銀行 古亭分行
   戶名：萬卷樓圖書股份有限公司
   帳號：0877717092596
3. 網路購書，請透過萬卷樓網站
   網址 WWW.WANJUAN.COM.TW

大量購書，請直接聯繫我們，將有專人為您服務。客服：(02)23216565 分機 10

如有缺頁、破損或裝訂錯誤，請寄回更換

國家圖書館出版品預行編目資料

一生必讀的中外經典名著. 文學卷 / 夏漢字, 倪愛珍, 黎清選編. -- 初版. -- 桃園市 : 昌明文化出版 ; 臺北市 : 萬卷樓發行, 2017.07
面 ; 公分. -- (昌明文庫. 悅讀經典 ; A0601001)　ISBN 978-986-496-031-6(平裝)
1.推薦書目
012.4　　106011515